Gaby Hauptmann
Die Meute der Erben

Zu diesem Buch

Anno Adelmann wird von seiner erbsüchtigen Familie belauert. Zu seinem 85. Geburtstag versammeln sich die vier Töchter des ehemaligen Großindustriellen mit ihren Ehemännern in seiner alten Villa in Lindau am Bodensee. Caroline, die kleine Tochter einer Nachbarin, die beim Fest helfen will, wird rüde zurückgewiesen und erscheint schluchzend bei ihrer Mutter Ina. In der jungen und attraktiven Ina erwacht die Wut gegen die habgierige Meute, und sie greift zu den Waffen einer Frau. Anno erkennt seine Chance, seiner Familie einen letzten großen Streich zu spielen, und vereinbart mit Ina eine Scheinliason. Mit ihr und ihrer Tochter zieht neues Leben in der Villa ein: Romy, 84jährig, exaltiert und lebenslustig, mit ihrem 33jährigen »Kümmerer« Claudio, der seinerseits an Ina interessiert ist, und Enkelin Julia, die von ihrer Mutter den Auftrag hat, alles auszuspionieren, sich aber lieber um Niklas, den Enkel von Romy, kümmert. Während in der Villa alle glücklich sind, toben draußen die Intrigen. Entführung, Verleumdung, Hetzkampagnen – alle Mittel sind Annos Familie recht, um gegen die angekündigte Hochzeit zu kämpfen und sich dadurch das Erbe zu sichern. Als Romy vergiftet aufgefunden wird, erscheint das die passende Gelegenheit, Anno entmündigen zu lassen und sich Ina gewaltsam vom Leib zu schaffen.

Gaby Hauptmann, geboren 1957 in Trossingen, lebt als freie Journalistin, Filmemacherin und Autorin in Allensbach am Bodensee. Ihre Romane »Suche impotenten Mann fürs Leben« (1995), »Nur ein toter Mann ist ein guter Mann« (1996), »Die Lüge im Bett« (1997), »Eine Handvoll Männlichkeit« (1998) und »Ein Liebhaber zuviel ist noch zuwenig« (2000) wurden über Nacht zu Bestsellern und in zahlreiche Sprachen übersetzt.

Gaby Hauptmann
Die Meute der Erben

Roman

Piper München Zürich

Von Gaby Hauptmann liegen in der Serie Piper außerdem vor:
Suche impotenten Mann fürs Leben (2152)
Nur ein toter Mann ist ein guter Mann (2246)
Die Lüge im Bett (2539)
Eine Handvoll Männlichkeit (2707)
Suche impotenten Mann fürs Leben/
Die Lüge im Bett (Doppelband; 2810)
Ein Liebhaber zuviel ist noch zuwenig (3200)

Originalausgabe
1. Auflage Oktober 1999
5. Auflage November 2000
© 1999 Piper Verlag GmbH, München
Umschlag: Büro Hamburg
Stefanie Oberbeck, Katrin Hoffmann
Umschlagabbildung: Stephanie Delfmann
Foto Umschlagrückseite: Herlinde Koelbl
Satz: Uwe Steffen, München
Druck und Bindung: Clausen & Bosse, Leck
Printed in Germany   ISBN 3-492-22933-6

Meiner geliebten Tochter Valeska, die dank unserer Steuern sicherlich nie in die Verlegenheit kommen wird, erben zu müssen – und unserem Allensbacher Alet, weil die Welt sowieso närrisch ist.

I

Sie hätte es wissen müssen, war Inas erster Gedanke, als Caroline heulend vor ihr stand. Sie kniete sich hin und nahm ihre kleine Tochter in die Arme. »Sie haben mich weggeschickt«, schluchzte Caroline, und die Tränen stürzten über ihre Wangen. »Einfach weggeschickt!« Die Enttäuschung schüttelte den kleinen Körper, und Ina spürte ein Gefühl aufsteigen, das ihr den Brustkorb zusammenschnürte und einen dumpfen Ton im Kopf erzeugte.

»Sei nicht traurig«, beherrschte sie sich tröstend zu sagen. »Sie haben vielleicht nicht richtig verstanden, was du wolltest!«

»Sie haben genau richtig verstanden, was ich wollte«, wehrte Caroline ab und stemmte sich leicht aus der Umarmung, um ihrer Mutter ins Gesicht sehen zu können. »Sie sind einfach nur böse. Richtig böse!«

Dabei schien es vor einer Stunde noch ein richtig schöner Tag zu werden. Ganz gegen ihre Gewohnheit, am Sonntag gemütlich auszuschlafen, war Caroline früh aus dem Bett geschlüpft, hatte sich ihr schönstes Sommerkleid angezogen, die langen Haare selbst gebürstet, die Zähne geschrubbt und sich anschließend in bester Festtagslaune ihrer Mutter präsentiert. Ina rekelte sich schläfrig im Bett, warf den ersten Blick auf ihre Tochter und den zweiten auf die Uhr. »Was ist denn jetzt los?«

»Mutti, ich helfe Nancy beim Servieren. Herr Adelmann hat doch heute Geburtstag, das schafft sie nicht alleine mit all den Gästen. Gibst du mir dein größtes und schönstes Tablett mit?«

Gemeinsam hatten sie ein passendes Tablett ausgesucht, dann begleitete Ina ihre sechsjährige Tochter zur Haustür, wünschte ihr viel Spaß und entschied sich, da sie nun schon mal auf war, den strahlenden Morgen mit einem Frühstück im Garten zu begrüßen.

Sie setzte schnell Kaffee auf, legte Croissants zum Aufbacken in den Backofen und fischte die Wochenendzeitung aus der Ablage. Noch immer in dem halblangen T-Shirt, in dem sie auch geschlafen hatte, ging sie barfüßig in ihren Garten, um den kleinen Gartentisch abzuwischen, zu decken und sich schließlich aufatmend hinzusetzen. Ina schloß für einen Moment die Augen, genoß die Sonnenstrahlen auf ihrer Haut und beglückwünschte sich zu der herrlichen Ruhe. Sie konnte es wahrlich gebrauchen, mal an nichts außer an sich selbst zu denken. Dann goß sie sich einen Kaffee ein und liebkoste ihren Garten mit ihren Blicken. Er war nicht übermäßig groß, aber durch die vielen Büsche für die Nachbarn ziemlich uneinsehbar und dazu eher verwildert: Es blühte, was blühen mochte, selbst wenn es Unkraut war.

Ina schaute an dem dichten Nußbaum hoch, der in der Ecke zum Nachbargrundstück stand und aus dem plötzlich ein wildes Gezwitscher anhob, konnte aber durch das grüne Laub keinen einzigen Vogel entdecken. Wahrscheinlich war Chou-Chou, Nachbars getigertes Raubtier, auf Beutezug.

Mit sich und der Welt zufrieden, schlug Ina die Zeitung auf und stieß gleich auf eine halbseitige Anzeige. Schau an, dachte sie, während sie die Glückwünsche zum Geburtstag des ehemaligen Großindustriellen Anno Adelmann las, die Töchter haben sich selbst ein Denkmal gesetzt. Die Dr. Dr. der Ehemänner waren fetter gedruckt als der Name der Hauptperson, des Geburtstagskindes. Nancy wird darüber lachen, dachte Ina, während sie herzhaft in ihr Croissant biß, und der alte Herr vermutlich auch.

In Anno Adelmanns alter Villa am See war zu diesem Zeitpunkt bereits der Streit der Töchter darüber entfacht, wer die aufwendige Glückwunschanzeige zum 85. Geburtstag ihres Vaters in der Regionalzeitung zu bezahlen habe. »Keiner hat etwas von einer halben Seite gesagt«, beschwerte sich Thekla, die älteste der vier

Schwestern, am Frühstückstisch. »Ihr seid ja nicht bei Trost. Was wollt ihr erst an seinem 90. schalten?«

Das allgemeine Schweigen zeigte ihr, daß keine an einen 90. Geburtstag dachte.

Renate, selbst mit vier Kindern gesegnet, schenkte sich aus der alten Porzellankanne Kaffee nach. »Vater hat genug Geld! Soll er es bezahlen! Wozu braucht er die ganze Kohle!«

Wieder schwiegen alle, denn so recht war natürlich keine dafür, daß er ausgeben sollte, was ihnen später zustand.

»Trotzdem«, wandte Bernadette, mit ihren 45 Jahren die Jüngste, nach einer Weile ein, »das können wir nicht machen. Wir können ihm nicht zum Geburtstag eine Anzeige in die Zeitung setzen und ihn das selbst bezahlen lassen. Das geht wirklich nicht. Wir könnten uns die Rechnung teilen. Das werden wir doch noch hinkriegen!«

Ein unwilliger Blick ihrer Schwester Lydia ließ sie die Achseln zucken. »Mein Gott«, fügte sie leise hinzu, »das wird er uns doch noch wert sein!«

»Von *wert sein* spricht ja auch kein Mensch! Nur davon, daß so ein Aufwand nicht nötig gewesen wäre. Hier in der Stadt weiß sowieso jeder, daß er 85 wird! Steht schließlich im Anzeiger – und zwar kostenlos!« Thekla drehte sich unwillig nach der Tür um, die zu seinem Schlafzimmer führte. »Wo bleibt er überhaupt? Sicher kommen bald die ersten Gäste, und er steckt noch im Schlafanzug!«

»Was erwartest du?« Renate zog die Augenbrauen hoch, und alle drei wußten, was sie sagen wollte: Mit dieser Schlampe von Pflegerin, die ihn seit dem Tod der Mutter vor zehn Jahren betreute, konnte ja nichts funktionieren. Und nicht nur das. Diese Frau war schlicht unter ihrem Niveau und verschlang, bei Licht besehen, auch noch ungerechtfertigterweise einen Batzen Geld.

Anno Adelmann ließ sich Zeit. Seit seinem zweiten Schlaganfall wußte er, daß Gott es gut mit ihm meinte. Noch war er hier, noch konnte er jeden Tag genießen, die Lähmungen waren so weit zurückgegangen, daß er sein linkes Bein, dank der täglichen Gymnastik mit Schwester Nancy, nur noch unmerklich nachzog und auch den linken Arm wieder, wenn auch nicht hundertprozentig, so doch ausreichend, einsetzen konnte. Er stand am Fenster, während er sich langsam anzog, und schaute über sein Grundstück zum See, der wie ein Spiegel vor ihm lag. »Es wird ein herrlicher Tag«, sagte er und drehte sich zu Nancy um, die ihm seine Kleidungsstücke reichte und dabei allerlei Grimassen schnitt. Er mußte lachen, denn es war klar, daß sie die Familie nachäffte, die nun sicherlich bereits ungehalten am Frühstückstisch saß.

»Schwester Nancy, die Eier sind kalt«, zischelte Nancy und tanzte dabei mit hoch erhobenem Zeigefinger so temperamentvoll um ihre eigene Achse, daß ihre 130 Kilo in wallenden Aufruhr gerieten.

Caroline hatte sich vor einem Jahr mit Nancy angefreundet. Nancy war so, wie sich Kinder eine Spielgefährtin vorstellen: eine Mischung aus Clown und Südstaaten-Nana, immer etwas nach Marzipan riechend, chaotisch und dabei kreativ, voll komischer Impulse und einem gewaltigen Lachen, das alle ernsten Erwachsenen niederstreckte, sobald sie in ihre Nähe kamen. Sie lebte mit ihren Pfunden ohne Rücksicht auf Kalorien, fand, ganz wie die Kinder, daß Schokoladenkuchen weitaus besser schmecke als Salat, und sammelte Abfall, denn sie fühlte sich zur Abfallkünstlerin berufen und produzierte und bastelte mit Kindern und Anno unzählige absonderliche Kunstwerke. Nebenbei bezeichnete sie sich als *Königin Nancy I. der Vereinigten Künstlerrepubliken des Planeten Erde* und versuchte unablässig, die Welt zu verbessern, kurz, sie wirkte auf ihre Umgebung entweder entwaffnend oder verrückt. Für Anno Adelmann hatte sie darüber hinaus eine besondere Bedeutung: Sie hatte ihm nach dem Tod seiner geliebten Frau das Lachen zurückgegeben, er entdeckte durch ihre unkonventionelle Art längst verschüttet geglaubte Seiten an sich und begann seinerseits, im Lauf der Jahre die Welt der Ehrgeizigen und vermeintlich Großen weniger ernst zu nehmen.

Als es an der Haustür stürmisch klingelte, warteten die Frauen am Tisch zunächst, daß Nancy die Tür aufmachte. Doch die ließ sich nicht blicken. So erhob sich schließlich Thekla. »Könnte jemand von der Familie sein!«

Sie glaubte es selbst nicht, und auch von ihren Schwestern glaubte es keine. Die Ehemänner hatten es vorgezogen, wenn überhaupt, dann frühestens gegen Mittag anzureisen, denn für sie gab es schließlich anderes zu tun, als bei einem alten Mann herumzusitzen. Die erwachsenen Enkel zeigten auch kein rechtes Interesse mehr, zumal einige von ihnen bereits selbst Kinder hatten, und für alle zusammen wäre das Haus dann doch zu klein gewesen, schließlich zählte die Familie inzwischen 28 Köpfe oder, wie es Anno gern plastisch ausdrückte: 28 Esser.

Thekla ging unwillig zur Haustür, riß sie auf und war versucht, sie ohne weiteren Kommentar auch gleich wieder zuzuschlagen. Da stand doch allen Ernstes dieser kleine Bankert von der zwielichtigen Person, die ihr Vater so toll fand, weil sie ganz ohne Mann auskam. Das hätte mal eine von ihnen vorleben sollen. Als sich Bernadette wegen der unkontrollierbaren Gewaltausbrüche ihres Mannes hatte scheiden lassen, fand er das völlig übertrieben. Meinungsverschiedenheiten gäbe es nun eben mal in einer Ehe, kein Grund für eine ehrenrührige Trennung. Zumal Bernadettes Mann Professor war und somit gesellschaftliches Ansehen genoß und, was noch bedeutend schwerer wog, Anno seinerzeit die katholische Trauung ausgerichtet hatte. Viel Schnickschnack für nichts, schade ums Geld.

Und nun stand dieses Balg hier und erzählte etwas von einer Verabredung mit Nancy, weil es doch beim Bewirten der Gäste helfen sollte.

»Das hier ist kein Kindergarten«, fuhr sie Caroline an. »Kinder brauchen wir hier nicht, das fehlt gerade noch! Geh gefälligst wieder nach Hause!«

Sie schloß die Tür und ging kopfschüttelnd zurück an ihren Platz. »Nicht zu fassen, was uns Nancy hier alles anschleppt! Wir müssen Papa endlich mal klarmachen, daß diese Frau noch mal sein Untergang sein wird!«

Ina hatte Caroline zu sich auf den Stuhl gezogen, drückte sie an sich und versuchte sie aufzuheitern. »Laß uns heute etwas ganz Tolles unternehmen. Irgend etwas, was du schon immer machen wolltest und wozu ich nie Zeit hatte!«

Während Caroline alles mögliche aufzählte, überlegte Ina, wie sie reagieren sollte. Der Klumpen im Magen war noch da. Sie hatte beim Bäcker eine Geburtstagtorte mit einer Widmung bestellt und zudem einen großen Stock Margeriten besorgt, seine Lieblingsblumen. Sollte sie sich das antun, überhaupt noch dort hinzugehen? Oder wäre es gerade falsch, sich nicht sehen zu lassen? Was konnte schließlich Anno Adelmann dafür. Auf der anderen Seite hatte sie nicht die geringste Lust, mit dieser Familie zusammenzustoßen. Vielleicht sollte sie ihnen aber ganz einfach ihre Meinung sagen, denn kein normaler Mensch bringt ein kleines Mädchen, das freudestrahlend zum Helfen kommt, auf diese Art zum Weinen. Leider konnte Caroline nicht sagen, welche der Töchter die Frau gewesen war. Groß und grauhaarig. Das waren sie für eine Sechsjährige wahrscheinlich alle.

Ina wurde sich nicht schlüssig, sicher war aber, daß sie die Torte trotz allem bis spätestens um zwei abholen mußte. Sie konnte die Entscheidung vertagen und mit ihrer Tochter zunächst einmal die Badetaschen packen und zum Strandbad gehen.

Zu dieser Zeit saß Julia schon stundenlang in ihrem alten Peugeot. Sie fuhr auf der A 5 von einem Stau in den nächsten und ärgerte sich, nicht doch den Zug genommen zu haben. Das schöne Wetter lockte einfach zu viele Leute hinaus, weiß der Himmel, wann sie in Lindau ankommen würde. Außerdem ahnte sie, daß ihre Tanten nicht begeistert sein würden, wenn sie bei der Geburtstagsfeier auftauchte, aber es war ihr einfach wichtig, an Opis großem Geburtstag dabeizusein. Früher, als sie noch als Schülerin bei ihren Eltern in Stuttgart lebte, war sie oft bei ihren Großeltern in

Lindau. Damals war sie jeden Freitag heilfroh gewesen, von zu Hause abhauen zu können, den Vater mit seinen sprunghaften Launen zu vergessen und auch die Mutter mit dem ewig anklagenden Gesicht. Sie hatte sich entspannt, sobald der Bodensee in Sicht kam, machte ihre Hausaufgaben im Zug und freute sich auf ein harmonisches Wochenende. Am Sonntag fuhr sie dann, seelisch gerüstet, wieder zurück. Wenn sie sich recht erinnerte, hatte sie, nachdem sie zehn Jahre alt geworden war und allein reisen durfte, kaum ein Wochenende mit ihren Eltern verlebt. Das änderte sich erst, als ihre Mutter sich scheiden ließ. Damals war Omi allerdings schon tot, und das Leben in der alten Villa schien sie mit ins Grab genommen zu haben.

Die früher so fröhliche Atmosphäre war verschwunden, ihr Großvater wirkte verloren in dem großen Haus, er alterte schnell und sichtbar. Julia, mittlerweile fünfzehn geworden, erfand immer häufiger Ausreden, um nicht in den Zug steigen zu müssen. Anno glaubte, sie zöge nun die Großstadt mit den Diskos und vor allem den Jungs vor, und sie bestätigte seine Vermutung, um ihn nicht zu verletzen. In Wahrheit entfloh sie aber nur der Traurigkeit.

Annos erster Schlaganfall schreckte dann alle auf.

Entsetzt über die drohende Veränderung stellte jede der Töchter fest, daß sie ihrer Familie keinen Pflegefall zumuten konnte, jedenfalls nicht im eigenen Haus. Noch während sie umständlich nach Lösungen suchten und das Problem von der einen zur anderen schoben, traf Anno der zweite Schlaganfall. Nach einem langen Krankenhausaufenthalt schlug sein behandelnder Arzt während der sich anschließenden Rehabilitation eine professionelle Hilfe sowohl im Haushalt als auch in der Pflege vor, was alle erleichtert vernahmen, denn somit mußte nichts verlagert werden, Anno konnte bleiben, wo er war. Die Ehemänner prüften gemeinsam alle Möglichkeiten, die finanzielle Belastung möglichst auf den Staat abzuwälzen, und nachdem ihnen das zumindest teilweise gelungen war, nahmen sie gern die Empfehlung des Arztes an.

Doch als Nancy kam, wuchs das Mißtrauen. Heimlich zählten sie das Tafelsilber und bestanden darauf, daß Anno, obwohl er im Keller einen eigenen Tresor besaß, den Schmuck seiner verstorbenen Frau außer Haus in einen Banktresor gab.

Nancy stieß sich nicht daran, sie hatte in ihrer letzten Stellung eine verschrobene alte Gräfin gepflegt und konnte sich schwerlich eine Steigerung vorstellen. Sie bezeichnete die Geisteshaltung seiner Familie schlichtweg als kleinbürgerlich, was Anno zunächst mißfiel, woran er sich im Lauf der Wochen jedoch gewöhnte und worin er ihr später sogar zustimmte. In der Zeit ließ er sich auch von ihren verrückten Launen immer öfter anstecken, konnte lauthals über sie lachen und blühte trotz der Folgen seiner Schlaganfälle sichtbar auf. Nicht, daß die beiden etwas miteinander gehabt hätten. Julia glaubte nicht daran, obwohl das die größte Sorge ihrer Tanten war, schließlich ging es ums Erbe, und da war jede Heiratskandidatin von vornherein abzulehnen. Aber Julia sah, daß Nancy Opis konservative Schale aufbrach. Es gelang ihr tatsächlich, die Maximen seines damals 75jährigen Patriarchenlebens aufzuweichen und in liberale, unkonventionelle Bahnen zu lenken. Julia fand das, im Gegensatz zu ihren gleichaltrigen Verwandten, spannend, und so begann sie wieder an den Bodensee zu fahren. Nicht mehr so häufig wie früher, aber häufiger als die anderen Enkel.

Gerhard hatte die wunderbare Gelegenheit, seine Frau Thekla weit weg in Lindau zu wissen, zu einem nächtlichen Besuch bei Sabine genutzt. Dank der Rufumleitung seines Telefons konnte er sicher sein, daß Thekla nicht den Hauch einer Ahnung haben würde. Das war auch nötig, denn Sabine war beträchtlich jünger als die 28jährige Barbara, seine jüngste Tochter, und nach dem Skandal, den Barbaras spätes Geständnis, er sei ihr im Teenageralter mehrmals an die Wäsche gegangen, in der Familie ausgelöst hatte, konnte er sich auch keinen weiteren Ärger leisten. Sabine war nicht nur blutjung und dazu üppig ausgestattet, sondern auch professionell. Sie nahm Geld, das garantierte Anonymität und war für ihn eine saubere, folgenlose Sache. Als er sich in seinen Wagen setzte, rechnete er sich aus, spätestens gegen eins in Lindau zu sein.

Unterdessen begannen die ersten Gratulanten im Hause Adelmann anzurufen. Anno hatte sich, wie früher, an die Stirnseite des Tisches gesetzt, ließ sich von Nancy Toast und Tee servieren und nahm die Glückwünsche mit dem Handy entgegen. So mußte er nicht jedesmal aufstehen.

»Erstaunlich, daß du dieses kleine Telefon bei dem Durcheinander in diesem Haushalt überhaupt noch findest«, bemerkte Renate, mehr zu Nancy als zu ihrem Vater, dem Nancy eben einige Tabletten abgezählt neben den Tellerrand legte.

»Och«, Nancy zuckte unbekümmert mit den Achseln, »wir haben so unser System. Vom Festapparat aus läßt sich das Handy jederzeit durch ein Klingelzeichen finden. Es könnte nicht einmal im Garten verlorengehen.«

»Dort besteht wahrscheinlich auch weniger die Gefahr«, lächelte Renate süßlich und war sich der Zustimmung ihrer Schwestern gewiß.

»Apropos Klingeln«, Anno richtete seine leicht verschleierten wasserblauen Augen auf Renate. »Hat es vorhin an der Haustür geklingelt, oder habe ich mich da getäuscht?«

»Es war nicht wichtig«, beeilte sich Thekla zu sagen. »Noch keiner der Gäste, wenn du das meinst. Vor Mittag kommt bestimmt niemand, und wer Anstand hat, kommt sowieso erst nach drei!«

»Wir haben aber ab zehn Uhr geladen«, Anno drehte leicht den Kopf und spähte durch den Raum. »Ich kann keine Vorbereitungen sehen. Keine Gläser, keine Knabbereien. Seid ihr nicht deshalb so früh angereist?«

»Wir wollten das Geburtstagsfrühstück mit dir genießen, Vater, deshalb sind wir da!« Lydia nickte ihm bedeutungsvoll zu.

»Das ist sehr nett von euch. Und da ihr ja schon fertig gefrühstückt habt, wie ich sehe, könnt ihr euch jetzt vielleicht an die Vorbereitungen machen. Wo die Gläser stehen, wißt ihr ja noch, und den Rest werdet ihr schon finden. Nancy, setzen Sie sich doch zu mir. Eine meiner Töchter wird Ihnen sicherlich gern einen frischen Kaffee aufbrühen. Dieser hier ist ja schon gänzlich kalt.«

Kurt, Lydias Mann, saß in einem vollen Abteil des Zuges Augsburg–Lindau und versuchte sich mit dem Gedanken abzufinden, daß dieser Tag nur schrecklich werden könne. Er hatte sich einige Fachzeitschriften mitgenommen, konnte sich aber nicht darauf konzentrieren. Es war zu stickig im Abteil, der Kerl ihm gegenüber schmatzte rhythmisch und mit offenem Mund auf seinem Kaugummi herum, eine junge Frau hatte den Walkman so laut aufgedreht, daß Kurt wohl oder übel mithören mußte, etwas, wofür er seiner eigenen Tochter längst einen Vortrag über die Beschaffenheit des Ohres im allgemeinen und im besonderen gehalten hätte, und außerdem knallte ein Gestampfe und Gehämmere aus dem Kopfhörer, das mit Musik nichts, aber auch gar nichts zu tun hatte. Kurz, es war unerträglich. Alles. Der überfüllte Zug, die Leute, die Fahrt, das Ziel, sein Schwiegervater und dieses Brechmittel von Pflegerin. Von seinen Schwägerinnen ganz zu schweigen. Eine Familie zum Abwinken. Der ewig geile Gerhard, hoffentlich blieb ihm wenigstens der erspart, das stetige Gerangel um den besten Platz neben des Erbvaters Seite, die Seitenhiebe und Eifersüchteleien, über Jahrzehnte geschürt, wahrscheinlich schon in die Wiege gelegt. Er seufzte und fing einen Blick seiner Nachbarin auf. Sie nickte verständnisvoll, und ein Lächeln huschte über ihr unscheinbares Gesicht. Ohne Dauerwellen wärst du auch hübscher, dachte Kurt und versuchte an ihr vorbei aus dem Fenster zu schauen. Es gelang ihm nicht, denn unweigerlich blieb sein Blick an dem schmatzenden Jüngling hängen. Schließlich hielt Kurt es nicht mehr aus. Er nahm seine Aktentasche und ging ins Zugrestaurant.

Auch Renates Mann war auf der Anreise. Nicht, weil er wollte, sondern weil er per Renates Dekret mußte. Sie befürchtete, daß er keinen guten Eindruck hinterließ, wenn er schon wieder fehlen würde. Schließlich kamen die anderen Ehemänner auch. Aber es hatte Hans-Jürgen einige Überwindung gekostet. Er scheute nicht die Fahrt an den Bodensee – von Mannheim aus war es noch erträglich, und zudem hoffte er, eines Tages ganz nach Lindau ziehen zu können –, nein, das Pech war, daß seine Freunde just für dieses Wochenende ihren jährlichen Männerausflug angesetzt hatten. Und ausgerechnet nach Paris, der Stadt der Sünde. Er hatte das fiebrige Nachtleben schon vor sich gesehen, aber er konnte sich winden, wie er wollte, Renate ließ ihn aus der Nummer nicht heraus. Hans-Jürgen hatte ihr erklärt, daß er durch so etwas sein Gesicht in der Männerrunde verlöre, aber sie winkte nur ab. Auch ihr wunder Punkt, das Geld, zog nicht. Es koste eine horrende Strafe, ohne tatsächlichen Grund wie etwa Milzbrand oder Tod zu fehlen. Mindestens 500 Mark in die Männerkasse.

»Willst du vielleicht, daß Gerhard eines Tages am See sitzt und dich gönnerhaft zum Tee einlädt?« fragte Renate spitz und nahm ihm damit alle weiteren Argumente.

Er gönnte es weder Gerhard noch Kurt, weitaus stärkere Bedenken hatte er jedoch bei Bernadette, die über Jahre hinweg ihre Tochter so geschickt lanciert hatte. Julia hier und Julia dort. Wenn der Alte im Testament nicht nur auf die Kleine abfuhr. »Das wollen wir doch mal sehen!« entfuhr es ihm grimmig, und er erntete dafür ein verstohlenes Lächeln seiner Frau. Im selben Moment war ihm klar, daß sie sich insgeheim diebisch über diese Terminüberschneidung freute.

Kurz vor 14 Uhr stand Ina mit Caroline an der Hand beim Bäcker. Die Chefin persönlich präsentierte ihr stolz die garnierte Schokoladentorte. »85« stand da in weißer Sahneschrift in der Mitte, darüber, etwas kleiner: »Anno Adelmann« und darunter: »Herzlichen Glückwunsch«. Etwas gedrängt, aber es war alles drauf, was wichtig war.

»Klasse, Mami, sieht klasse aus. Die bringen wir jetzt aber nicht hin, oder? Die essen wir selbst auf!«

Ina erntete ein verständnisvolles Lachen der wartenden Kunden und beschloß, das erst draußen mit ihrer Tochter zu besprechen.

»Ich gehe da nie mehr hin«, erklärte Caroline fest, nachdem Ina die Ladentür hinter sich geschlossen hatte. »Nicht, wenn diese böse Frau da ist!«

Ina überlegte. Wie konnte sie Nancy über die Lage befragen, ohne daß es die Familie mitkriegen würde?

Sie verwarf den Gedanken. Sie mußte es, wenn überhaupt, direkt angehen. Und während sie Caroline in den Wagen steigen ließ und abwartete, bis sie sich angegurtet hatte, wußte sie es plötzlich. Sie würde diese Familie mit ihren eigenen Waffen schlagen. Sie würde ihnen eine Überraschung mitten auf der Geburtstagstorte servieren, ein Wespennest, das diesen trügerischen Familienfrieden empfindlich stören würde.

Der Anruf kam, als der erste Ansturm von Bürgermeister, Pfarrer und der Abordnung aus Bankdirektor, Steuerberater und den neuen Eignern und einigen Fossilien aus Annos alter Firma vorbei war. Überall standen benutzte Gläser herum, manche davon nur halb ausgetrunken. Die Chips und Erdnüsse waren nicht angetastet worden, jeder hatte bei dem herrlichen Wetter noch etwas anderes vor. Die Schwiegersöhne waren in der Zwischenzeit alle eingetroffen und versuchten, auf möglichst kraftschonende Art, die Zeit totzuschlagen.

Anno war müde, er mußte sich setzen, und nachdem Renate das Telefon abgenommen hatte, fragte er eher abwehrend, wer es denn nun noch sei.

Renate hielt die Muschel des schmalen Handys zu, was ihr mit ihren fleischigen Händen nicht schwerfiel. »Nur dieses Weib da – vom Berg. Du weißt schon, die mit der ungezogenen Tochter!«

»Ich verstehe nicht, wen du meinst.« Es war Anno anzusehen, daß ihm das Mitdenken schwerfiel.

»Ich lege am besten wieder auf«, schlug Renate vor und suchte auf dem kleinen Tastaturfeld über ihre Brille hinweg nach der entsprechenden Taste.

»Sie meint Ina Schwarz«, erklärte Nancy schnell.

»Ina Schwarz«, wiederholte Anno gedankenlos, dann blickte er auf. »Gib her«, sagte er unwirsch zu seiner Tochter. »Adelmann«, meldete er sich mit klarer, energischer Stimme. Und nach einer Weile nickte er. »Ich freue mich, klingeln Sie einfach. Ich komme hinaus!«

Renate warf Thekla einen fragenden Blick zu, diese schaute zu ihrem Mann. »Nun, er bekommt noch Besuch«, gab Gerhard zum besten und zuckte die Achseln. »Ist was dabei?«

Ina hatte gewartet, bis sie sicher sein konnte, daß der männliche Teil der Familie ebenfalls in der Villa versammelt war. Laut Nancys Informationen vom Vortag war das spätestens gegen 16 Uhr der Fall. Nachdem sie von Anno vor allen Ohren telefonisch eingeladen worden war, ging sie an ihren Kleiderschrank, zog das kürzeste schwarze Stretchkleid mit dem tiefsten Ausschnitt heraus und wählte dazu die höchsten Stilettos, derer sie habhaft werden konnte. Jetzt würde sie mal vorführen, was 30 Jahre und 52 Kilo gegen bösartige Trümmerbräute ausrichten konnten. Sie bürstete ihr halblanges schwarzes Haar, bis es knisterte und in weichen Wellen fiel, und stieg anschließend mit Caroline und der Tortenschachtel in ihren Wagen. Wer den Spruch mit dem Weib vom Berg gebracht hatte, wußte sie nicht. Aber allein die Tatsache, daß man nicht nur ihre Tochter, sondern auch sie so höllisch von oben herab behandelte, ließ ihr Blut sieden. Sie war nicht umsonst als Tochter eines Metzgers auf die Welt gekommen, sie kannte sich aus mit Zuckerbrot und Peitsche, mit dem Mut der Verzweiflung und dem Fügen ins Unvermeidliche. Sie kannte den Geruch vom Sterben, und sie kannte das Gesurre der Schmeißfliegen, die nur darauf warteten, und sie war sich ihr Leben lang sicher gewesen, daß ihr diese Erfahrungen eines Tages nützen würden.

Anno Adelmann hatte sich zur Haustür begeben. Das Tor zur Einfahrt war zurückgeglitten und gab den Blick frei auf Ina, die in Begleitung ihrer Tochter heranschritt. Anno Adelmann mußte kurz blinzeln, denn er kannte Ina nur in Jeans oder einfachen Sommerkleidern. Er war sich nicht sicher, ob sie das auch tatsächlich war. Er würde demnächst endlich seine Augen operieren lassen, das war nun immerhin klar. Aber neben ihr lief ganz eindeutig die kleine Caroline, die ganz gegen ihre Gewohnheit in einiger Entfernung einfach stehenblieb, und auch die Stimme gehörte völlig ohne Zweifel zu Ina Schwarz.

»Meinen allerherzlichsten Glückwunsch um 85. Geburtstag«, sagte sie lächelnd, während sie die Freitreppe zu ihm hinaufging. Auf der einen Hand balancierte sie eine große geöffnete Tortenschachtel, die andere reichte sie ihm zum Gruß.

»Das ist aber sehr nett von Ihnen, kommen Sie doch herein!«

Es war fast nicht mehr nötig, denn das halbe Haus hatte sich bereits im Türrahmen versammelt. »Das ist ja eine grandiose Torte«, Gerhard schaute an der Torte vorbei direkt in ihren Ausschnitt. Auch Kurt empfand den Besuch und vor allem das Kleid als ersten erfreulichen Moment an diesem Tag. Hans-Jürgen konnte nicht so genau hinsehen, weil sich Renate rigoros zwischen ihn und die anderen zwängte.

»Geht doch rein, was wollt ihr alle hier?« versuchte Anno seine Schwiegersöhne zurückzuscheuchen, was ihm nicht einmal ansatzweise gelang.

»Vielen Dank für die Einladung« Ina lächelte Anno freundlich an und ging, die Torte hoch vor sich hertragend, auf den Eingang zu. Stumm wurde ihr Platz gemacht, und alle folgten ihr ins Wohnzimmer. Dort stellte sie die Torte mit Nachdruck und hochrutschendem Rock mitten auf dem Eßtisch ab, begrüßte Nancy überschwenglich, ignorierte Lydia und Thekla, strich sich das Kleid lasziv über die Hüften, wünschte Anno nochmals alles Gute, Gesundheit und vor allem ein langes Leben. »Mögen Sie gesunde Hundert werden«, lächelte sie, drückte ihre Wange an seine und warf dabei der Familie, die regungslos hinter Anno stand, einen eiskalten Blick zu.

Als Julia eine halbe Stunde später eintraf, nahm kaum jemand von ihr Notiz. Alle redeten durcheinander, nur ihr Großvater schien einigermaßen gelassen. »Ist was passiert?« fragte sie ihn, nachdem sie ihm gratuliert hatte.

»Wie man's nimmt«, sagte er und setzte sein Grandseigneur-lächeln auf.

»Was heißt das?« Julia versuchte mehr zu erfahren, aber er grinste verschmitzt und zuckte die Schultern. Ungeduldig schaute sich Julia nach ihrer Mutter um, sie stand mit Gerhard und Thekla am Tisch und diskutierte aufgeregt. »Mutti!«

Doch Bernadette hob nur abwehrend die Hand. »Gleich, Julia, gleich!«

Julia fühlte sich in ihre Kinderzeit zurückversetzt, nahm sich ärgerlich ein Glas Sekt und machte sich auf die Suche nach Nancy. Sie fand sie in der altmodischen Küche, die für das viele Geschirr viel zu klein war.

»Oh, du bist schon da? Ich habe dich gar nicht kommen hören!« Nancy umarmte sie ungeachtet ihrer nassen Gummi-handschuhe herzlich.

»Das hat anscheinend niemand. Was ist denn bloß los?«

»Och, Ina Schwarz war da. Sie trug ein etwas zu kurzes, ein etwas zu enges und etwas zu tief ausgeschnittenes Kleid und hat deinem Großvater eine etwas zu teure Geburtstagstorte gebracht. In zu hohen Schuhen übrigens. Das hat deiner Familie nicht gefallen!«

Julia löste sich langsam aus der Umarmung, sorgfältig darauf bedacht, ihr Sektglas nicht zu verschütten. »Nein? Opi wird's schon gefallen haben. Die kann so etwas doch tragen, die Frau!«

»Genau! Das ist es ja eben!« Nancys Gesicht verzog sich zu einem breiten Grinsen.

Julia schaute sie noch immer verständnislos an. »Also, irgendwie scheine ich ja auf der Leitung zu stehen. Oder ich war zu lange in meinem Brutofen unterwegs!« Sie schüttelte den Kopf. »Jetzt sag endlich, was los ist!«

Thekla hatte sich fürchterlich über Inas Auftritt aufgeregt. Und nicht nur über den, sondern auch gleich noch über das Verhalten ihres Mannes. »Hättest ihr ja direkt in den Ausschnitt kriechen können«, hatte sie ihn angezischt, kaum daß Ina zur Tür hinaus war.

»Welch netter Gedanke«, rutschte es Gerhard unvorsichtigerweise heraus, was die Situation nicht gerade verbesserte.

Thekla erklärte der versammelten Mannschaft aufgebracht, daß diese Schwarz eine alte Schlampe sei, die sich augenscheinlich an Anno heranmachen wolle. »Da sei aber Lucifer vor«, schloß sie scharf und verschränkte kämpferisch die Arme.

»Thekla reicht«, sagte Kurt zu Hans-Jürgen, was ihm einen Knuff von Lydia und einen bösen Blick von Thekla eintrug. Aber über eines waren sie sich einig, wenn auch aus verschiedenen Motiven: Auf jeden Fall sei ein weiterer Kontakt zwischen Ina Schwarz und dem Vater zu unterbinden.

An Anno Adelmann war die allgemeine Aufregung vorbeigegangen. Er hatte sich, kaum daß Ina gegangen war, in seinen fleckigen alten Lehnstuhl mit den Sesselohren gesetzt, der vor dem großen Fenster stand, und die Fußbank herangezogen. Von dort aus schaute er auf den See und ließ seine Gedanken schweifen. Es war die Zeit seines täglichen Mittagsschläfchens, aber heute war ein besonderer Tag, er hatte ein Alter erreicht, das seine Frau stets als »Eintrittsalter in den Himmel« bezeichnet hatte. Sie war dabei natürlich immer von sich selbst ausgegangen, denn daß sie vor ihm sterben würde, war in all den Jahren mehr als unvorstellbar. Er, der große Fabrikant im ständigen Kampf ums Geld, und sie, die niedliche Ehefrau, die große Haushalte zwar zu leiten, aber nicht selbst zu Putzeimer und Lappen zu greifen hatte. Es war klar, daß sie das Eintrittsalter locker erreichen würde.

Anno schloß die Augen und versuchte, sich in die Zeit ihrer Hochzeit zurückzuversetzen. Es war gar nicht so leicht, denn die späteren Jahre schoben sich darüber und verwischten das Bild. Schließlich merkte er, daß er sich in seiner Erinnerung von Fotografie zu Fotografie hangelte. Er sah seine Frau als Braut vor sich, aber es war exakt das Bild, das auf der Kommode stand. Er versuchte, sich den ersten Tag danach vorzustellen, und wußte zwar noch, wo sie hingefahren, und auch noch in etwa, wie das Hotel ausgesehen hatte, aber das Gesicht seiner Frau war schon wieder mit einer Fotografie identisch. Es beunruhigte Anno, daß sein Gedächtnis so offensichtlich nachgelassen hatte. Eine Weile bemühte er sich, an nichts zu denken, dann konzentrierte er sich auf die Geburt seiner Kinder. Er hatte aber keine Erinnerung daran, wie seine Töchter als Säuglinge und Kleinkinder ausgesehen hatten. Er konnte sich an bestimmte Ereignisse erinnern. Wie Thekla blutüberströmt auf der letzten Stufe der steinernen Treppe lag, weil Renate sie in einem Anfall puren Jähzorns hinuntergestoßen hatte. Er wußte noch, daß sie zunächst geglaubt hatten, Thekla sei tot, und er erinnerte sich exakt, wie lange es gedauert hatte, bis der Arzt kam, und welche Strafe Renate erhalten hatte. Und er sah auch das Weihnachtsfest vor sich, als sich die kleine Bernadette im Tischtuch verhedderte und im Stürzen das gesamte Geschirr herunterfegte, während die Gäste bereits im Foyer die Mäntel abgaben. Er sah jedes Detail dieser Zwischenfälle genau vor sich, nur die Gesichter nicht. Auch nicht das seiner Frau, die die Situation jedesmal geschickt rettete. Diese Erinnerung war völlig ausgelöscht. Anno gab es auf und rief sich die ersten Bilanzen seiner Firma ins Gedächtnis. Damit hatte er kein Problem. Er sah auch noch seinen allerersten Buchhalter genau vor sich, weil der ihn durch seine übertriebene Akkuratesse von Anfang an belustigt hatte. Bevor Anno in seinem Sessel einschlief, hielt er die Zeit für gekommen, sich 60 Jahre nach seiner Hochzeit einzugestehen, daß er eigentlich kein Familienmensch war.

Ina hatte sich umgezogen und war mit ihrer Tochter in das nächste Straßencafé an der Uferpromenade gefahren. Caroline war von diesem Trostpflästerchen hingerissen, saß nun neben ihr und erzählte völlig begeistert von den Meerschweinchen ihrer Freundin Jella, während sie der als Clown dekorierten riesigen Eiskugel die bunten Smarties-Augen ausstach. Ina ertappte sich dabei, wie sie, trotz guter Vorsätze, kaum zuhörte. Sie stellte zwar die eine oder andere Frage, aber alles mehr auf gut Glück. Sie überlegte nämlich gerade, ob ihre Aktion zu heftig oder – im Gegenteil – zu profan gewesen war. Sie sog am Röhrchen ihres Eiskaffees, bis das Vanilleeis den schmalen Plastikkanal verstopfte, und schaute sich dabei um. Nichts in Sicht, wofür sich ein zweites Hinschauen gelohnt hätte. Lindau steckte zu dieser Jahreszeit voller Touristen, und die wenigsten schienen Wert darauf zu legen, nicht auf den ersten Blick als solche erkannt zu werden. Ina sah einigen Männern in kurzen Hosen und langen Socken nach, griff nach dem Löffel und kam, während sie ihr Röhrchen vom Eis befreite, zu dem Schluß, daß sie abwarten mußte, bis die Familie wieder abgereist und sie Nancy in aller Ruhe über alles befragen konnte.

Thekla hatte sich während der ganzen Heimfahrt nach Essen kaum beruhigt. Sie spürte genau, daß etwas vorging, und sie ließ sich darin von Gerhard auch nicht beirren.

»Das ist weibliche Intuition«, belehrte sie ihn, als er wissen wollte, worauf sich ihre Ahnungen gründeten.

»Sie hat ihm eine Geburtstagstorte gebracht, Thekla«, schüttelte er den Kopf. »Das ist legitim!«

»Nicht in diesem Aufzug. Und nicht von diesem Weib! Fahr nicht so dicht auf!«

»Du siehst Gespenster!«

»Diesmal nicht!« Sie warf ihm von der Seite einen scharfen Blick zu, und er wußte, wovon die Rede war. Es stimmte ja, daß er einen Hang zu jungen Dingern hatte. Und daß er die Therapie abgelehnt hatte, zu der ihn nach den Offenbarungen seiner Tochter alle überreden wollten. Er hatte den Spieß damals umgedreht und war selbst zum Angriff übergegangen. Sie seien mißtrauische Hyänen, die ihn nur fertigmachen wollten, hatte er damals seine Familie beschimpft und gleichzeitig erklärt, sie reagierten völlig überdreht, er liebe seine Tochter, wie ein Vater seine Tochter eben liebe, und damit basta. Später ließ er dann seinen Schwager, den Rechtsanwalt, im Vertrauen wissen, daß er sich in dieser Beziehung gut im Griff habe und es für die gesamte Familie besser sei, man ließe es auf sich beruhen.

Thekla brütete vor sich hin. Sie war die älteste der Schwestern, und als Erstgeborene hätten ihr eigentlich gewisse Rechte zustehen müssen. So wie der älteste Sohn automatisch die Nachfolge des Vaters antritt, hätte sie es eigentlich auch für sich selbst erwartet. Sie war sich sicher, daß sie die Aufgabe bei entsprechender Ausbildung gemeistert hätte. Aber nachdem klar war, daß kein echter Kronprinz mehr nachkommen würde, wurde von ihr nur erwartet, daß sie den passenden Mann für die Weiterführung der Firma liefern würde. Mit neunzehn hatte sie versucht, ihren Vater mit Hilfe ihres glänzendes Abschlußzeugnisses zu überreden, sie zu seiner Nachfolgerin zu machen. Sie war die Beste ihres Jahrgangs, besser als alle männlichen Mitschüler, sie würde im Studium gut sein und sich das entsprechende Rüstzeug aneignen können. Besser eine schlaue Tochter als einen blöden Sohn, unterstrich sie ihre Argumentation, doch es nützte nichts. Die Leitung seiner Fabriken in die Hände einer Frau zu legen, noch dazu in die seiner eigenen Tochter, kam Anno Adelmann absurd vor. Mit ein bißchen gutem Willen könne sie ihm den passenden Mann liefern, erklärte er ihr, damit bliebe alles in der Familie und somit auch geregelt. Thekla versuchte ihre Mutter auf ihre Seite zu ziehen, aber es war nutz- und fruchtlos. Ihre Mutter versank in Ehrfurcht vor ihrem Mann und kam keine Sekunde auf die Idee, sich gegen ihn aufzulehnen.

Thekla tat das auf ihre Art. Anstatt das von ihren Eltern für sie vorgesehene Studium der Geisteswissenschaften anzutreten, schrieb sie sich für Chemie und Physik ein, denn sie hatte sich Marie Curie zu ihrem Vorbild gewählt, die den Nobelpreis für Physik und später auch noch für Chemie erhalten hatte. Sie wollte heraustreten aus der Masse, etwas leisten, stolz auf sich sein. Ein Jahr später war sie schwanger; sie hatte sich ins Leben gestürzt und Gerhard getroffen. Das Ergebnis dieses ersten näheren Kennenlernens bezeichnete ihre Familie völlig entgeistert als einen fürchterlichen Unfall, doch Gerhard stellte sich als der größere Unfall in ihrem

Leben heraus. Es mußte geheiratet werden, dem konnte sich selbst Thekla nicht entziehen. Doch ihr Vater machte ihr den Vorwurf, daß es zu allem auch noch der falsche Mann war. Was sollte er mit einem angehenden Doktor der Geschichtswissenschaften in einer Fabrik für Maschinenbauteile anfangen?

Sie bogen in ihr Grundstück ein. Das Haus lag etwas zurückversetzt, ein kastenförmig gebautes Einfamilienhaus in der Nachbarschaft anderer schmuckloser Gebäude. Die Hauptkriterien dieser Bauweise waren vor 30 Jahren, genügend Platz zu möglichst günstigen Bedingungen zu bekommen.

»Endlich«, seufzte Thekla und griff nach ihrer Handtasche, um den Haustürschlüssel herauszufischen.

»Du mußt dich beschweren! Wer ist denn gefahren?!« Gerhard warf ihr einen mürrischen Blick zu, und Thekla fiel plötzlich auf, daß seine Stirnglatze größer geworden war. Sie würde es ihm nicht sagen. Oder doch? Je nachdem.

Sie streckte sich, soweit es der Fußraum und ihre Korpulenz zuließen. »Die Hinfahrt mit dem Zug war angenehmer!«

Er parkte und stellte den Motor ab. »Dann wärst du eben auch wieder mit dem Zug zurückgefahren. Hat dich jemand daran gehindert?«

»Habe ich dir schon gesagt, daß Apfelessig gut gegen Haarausfall ist?«

Er schwieg kurz, dann grinste er sie an. »Habe ich dir schon gesagt, daß Apfelessig scharf macht?«

Thekla stieg aus und knallte die Tür hinter sich zu. Irgendwann würde auch er noch an seine Grenzen stoßen, dessen war sie sich sicher.

Renate hatte mit Hans-Jürgen währenddessen ebenfalls die Rückreise angetreten. Sie saßen nebeneinander im Wagen und sprachen kein Wort. Er war sauer, weil er wegen eines Familienaufstands auf seinen Parisausflug hatte verzichten müssen, und Renate ärgerte sich, weil sie mal wieder den Eindruck hatte, von ihren Schwestern an den Rand gedrängt worden zu sein. Thekla war wie angeboren in die Rolle der Wortführerin geschlüpft. Es tat Renate bis heute nicht leid, daß sie sie damals als Kind die Treppe hinuntergestoßen hatte. Sie hätte das viel öfter tun müssen, dann wäre zumindest aufgefallen, daß sie auch noch da war. So war sie irgendwie existent, aber nicht wirklich, eher zufällig, mehr oder weniger bedeutungslos. Thekla war von jeher herrschsüchtig und starrsinnig, Eigenschaften, denen Renate im Laufe der Jahre einen ungezügelten Jähzorn entgegenzusetzen lernte. Ein Ausbruch verlieh ihr nicht nur jähe Aufmerksamkeit, sondern für den Augenblick auch Macht, selbst wenn es meist mit einer empfindlichen Strafe ausging.

Gegen Bernadette dagegen hatte sie keine Chance. Die Sanfte, die es faustdick hinter den Ohren hatte und die, solange Renate zurückdenken konnte, ihre Nesthäkchenrolle ausnutzte, wo immer sie konnte. Meist tat sie es bei Vater, denn da brachte es am meisten. Hübsch war sie, schlank und zierlich, das krasse Gegenteil ihrer älteren Schwester. Dazu noch blond. Sie hatte schon als Kleinkind ihren Charakter ihren äußerlichen Vorzügen angepaßt, und Renate traute ihr weder damals noch heute über den Weg. Hans-Jürgen hatte schon recht, Bernadettes Waffen waren die schärfsten.

Dafür war Lydia die Farbloseste unter ihnen. Klosterschülerin, nicht weil sie es tatsächlich auf einen körperlosen Bräutigam abgesehen hätte, sondern weil es sich, zumal bei einer Familie mit vier Töchtern, gesellschaftlich schickte.

Renate haderte noch eine Weile mit ihrem Schicksal und vor allem damit, daß Hans-Jürgen über die Jahre so unsensibel und zynisch geworden war, und entschloß sich dann, das Schweigen zu brechen.

»Glaubst du, Papa könnte an dieser Schwarz etwas finden?«

Eine Weile antwortete Hans-Jürgen überhaupt nicht, dann gähnte er ausgiebig und sagte schließlich deutlich gelangweilt: »Noch hat er ja wohl Augen im Kopf!«

Renate fühlte sich sofort herausgefordert. »Wie meinst du das?«

»So, wie ich es gesagt habe!«

Renate zog sich wieder in ihr Schweigen zurück. Waren das noch Zeiten, als sie lachend und scherzend nebeneinander im Wagen gesessen und mit dem alten Käfer auch mal unversehens auf einem Waldweg gelandet waren. Kaum zu fassen, daß sie dieselben Menschen wie damals waren.

»Hans-Jürgen«, begann sie zögernd, »liebst du mich überhaupt noch?«

Er warf ihr einen überraschten, schnellen Blick zu. »Blöde Frage. Habe ich jemals das Gegenteil behauptet?«

»Nein, das nicht – aber ...«

»Siehst du, was soll das also«, schnitt er ihr das Wort ab und setzte zum Überholen an.

»Du bist ein richtiger Rechtsanwalt geworden«, sagte sie und nickte wie zur Bestätigung vor sich hin.

»Das sollte ich doch wohl immer, oder nicht? Habe ich das von dir verordnete Klassenziel etwa nicht erreicht?«

Bernadette war die einzige, die in Lindau geblieben war. Lydia hatte sich als letzte ihrer Schwestern verabschiedet und mit Kurt in den Zug nach Augsburg gesetzt, aber Bernadette hatte keine Eile. Sie genoß es, im Elternhaus am See zu sein, und dies auch noch mit ihrer eigenen Tochter. Es kamen so viele Erinnerungen in ihr hoch, sie steckten in den Wänden und Mauern, in den Ecken und Nischen, in den geheimnisvollen Laubengängen im Garten und den vom Seewind krumm gefegten alten Bäumen. Sie liebte das Rauschen der Blätter, das Knarren der Äste und den rhythmischen Schlag der Wellen. Sie fühlte sich mit allem eins, und sie wußte, daß ihre Tochter auch so fühlte. Das hier war ihre wahre Heimat, hier lebte ihre Seele, hier konnte sie atmen. Keiner konnte ihr das nehmen. Schon gar nicht so widerwärtige Klötze wie ihr Schwager Gerhard, der geile Sack – sie würde es Thekla nie verzeihen können, daß sie ihn nach dem Eklat nicht vor die Tür gesetzt hatte. Und Hans-Jürgen, der Rechtsverdreher, der außer Gebührenordnungen und Männerparaden nichts im Kopf hatte, und Kurt, der im Weißkittel den seriösen Arzt gab und dabei im stillen Kämmerchen ein überaus erfolgreich unter der Hand gehandeltes Computerprogramm entwickelt hatte, das Tricks und Möglichkeiten aufzeigte, um Kassenklauseln und Gebührenverordnungen gewinnträchtig zu umgehen. Dazu ihre Schwestern, Thekla, zu blöd, um ihr eigenes Leben zu leben, Renate, das ewig unbefriedigte Mauerblümchen, und Lydia, die Kirchenheilige, die bis heute an den Eid des Hippokrates glaubte.

Nancy war froh, daß das Haus wieder leer war oder zumindest *fast* leer. Mit Bernadette verstand sie sich zwar auch nicht gerade prächtig, aber sie war von den vieren noch am erträglichsten, und sie hatte einen riesigen Bonus: Julia. Julia war ein Goldkind, und Nancy hatte sie in ihr Herz geschlossen, wie sie fast alle Kinder mochte. Wenn sie die finanziellen Möglichkeiten gehabt hätte, hätte sie längst ein Kinderhaus eröffnet, ein Haus für ungeliebte, geprügelte und gedemütigte Kinder, Kinder mit und ohne Eltern. Es war ihr großer Traum, denn sie hatte ihre Kindheit im Heim verbracht und wußte, wovon sie redete, wenn sie Anno von ihrer Idee überzeugen wollte. Aber er hörte natürlich nur heraus, daß es um Geld ging und um Dinge nach seinem Tod, die er nicht hören wollte, weil er auch von seinem Tod nichts hören wollte. Schließlich lebe ich ja noch, gab er bei solchen Gelegenheiten von sich und ließ sie wissen, daß es für solche Überlegungen noch viel zu früh sei.

Es war Montag morgen, und Nancy war zum Markt gefahren. Sie mußte dringend ihre Bestände auffüllen, übers Wochenende waren der Kühlschrank und die Speisekammer ziemlich leer geworden. Es war bereits nach elf, als sie endlich alles zusammen hatte, in ihrem Wagen verstaut und starten konnte. Die Einkäufe hatten mehr Zeit gekostet, als sie dafür veranschlagt hatte, aber sie mußte auch viel länger Schlange stehen als sonst. Nancy fühlte sich ziemlich erschlagen, aber trotzdem entschied sie sich für einen kleinen Umweg, sie mußte Ina unbedingt erzählen, welchen Wirbel ihr Erscheinen ausgelöst hatte.

Ina saß zu der Zeit in ihrem kleinen Büro, das sie sich ebenerdig in ihrem kleinen Haus eingerichtet hatte, und übersetzte einige Briefe ins Englische, die ihr eben über E-Mail geschickt worden waren. Sie arbeitete frei für einige Firmen, bot ihre Schreibdienste gleichzeitig aber auch über eine ständige Anzeige in der Regionalzeitung an. Sie formulierte Bewerbungen, Trauerschreiben, selbst Liebesbriefe, wenn einem Gigolo nichts Passendes einfiel. Sie schrieb alles, was angefragt wurde, darunter auch Doktorarbeiten und Vorträge, ins reine und übersetzte jede Menge Korrespondenz ins Englische, Französische und Italienische. Ihr Lebensziel war es eigentlich gewesen, als Dolmetscherin international für so große Organisationen wie die UNO zu arbeiten, aber mit Carolines Geburt war alles ganz anders gekommen.

Als der Arzt ihr vor rund sieben Jahren die Schwangerschaft bestätigte, lief sie zunächst ratlos in der Stadt herum, denn so richtig glauben konnte sie es nicht. In ihrem Bauch sollte sich ein heranwachsendes Kind befinden? Unvorstellbar. Sie versuchte sich vorzustellen, was sich nun gerade in ihrem Inneren abspielte, es gelang ihr aber nicht. Der Gedanke an einen dicken Bauch, Windeln und Kinderwagen schreckte sie, sie hatte plötzlich lauter schwangere Frauen mit Kuhblick und breitem Gang vor Augen.

Ina rang stundenlang mit sich. Sollte sie in ihrer Situation tatsächlich ein Kind aufziehen? Sie hatte zwar seit kurzem ihr Diplom als Fremdsprachenkorrespondentin in der Tasche, aber noch keine Stellung, sie bewarb sich im Moment überall und jobbte in einem Bistro. Wie sollte das alles mit einem Kind gehen? Sie würde zum Sozialfall werden, bevor ihr Leben richtig angefangen hatte. Stundenlang lief sie wie aufgezogen am Seeufer entlang, ohne etwas wahrzunehmen, sie mußte sich durch Bewegung abreagieren, trotzdem bekam sie keine Klarheit in ihre Gedanken. Alles überstürzte sich, sie schwankte zwischen Fassungslosigkeit, Ablehnung und der Frage, wie das bloß hatte passieren können, und ausgerechnet auch noch mit Jan, dem schiefgelaufenen Tröstversuch, der sie eigentlich nur über die leere Zeit nach der Trennung von Matthias retten sollte.

Irgendwann fand sie sich am frühen Abend in einer Kneipe wieder, bestellte sich ein Pils, trank es hastig zur Hälfte aus und ließ den Rest stehen, weil ihr plötzlich einfiel, daß Alkohol dem Embryo schadet. Ihre eigene instinktive Handlung verwirrte sie vollends, denn wie könnte sie etwas beschützen wollen, das sie doch gar nicht haben wollte. Trotzdem bestellte sie sich einen Orangensaft, der Vitamine wegen, und kam sich ziemlich schizophren vor. Schließlich fuhr sie nach Hause, klemmte sich ans Telefon und rief ihre beste Freundin an. Die fiel ebenso aus allen Wolken, versprach aber, sofort zu kommen, und war auch tatsächlich eine Stunde später da. Sie redeten die ganze Nacht, und am anderen Morgen war Ina so schlau wie vorher. Sie wußte es einfach nicht. Es mußte aus ihr selbst herauskommen, es mußte eine Bauchentscheidung sein, keine Kopfentscheidung, sonst würde sie es später bereuen, das wußte sie. Dritte Woche, hatte der Arzt gesagt, sie hatte also noch etwas Zeit. An demselben Morgen rief sie Jan an und teilte ihm seine Vaterschaft ohne große Umschweife mit.

»Das wirst du doch wohl wegmachen lassen?« lautete seine erste, erschrockene Reaktion, und Ina war einigermaßen erstaunt über sich selbst, als sie spontan und mit entschlossener Stimme »natürlich nicht!« zur Antwort gab. Und damit waren die Würfel für sie gefallen. Sie dachte später nicht mehr darüber nach, ob es möglicherweise nur eine Trotzreaktion war – sie hatte entschieden, und die Sache war klar.

Sie überlegte damals gemeinsam mit ihrer Freundin Doris, welche Möglichkeiten sie hatte. Mit einem Baby für einen großen Konzern, in der Industrie oder auch nur in der Großstadt zu arbeiten erschien ihr unmöglich. Sie wollte das Kleine nicht gleich wieder abgeben müssen, kaum daß es geboren war. Wenn es nun schon kam, sollte es zumindest im ersten Jahr ganz bei ihr sein. Also kam nur die Selbständigkeit in Frage. Während sie in den ersten Monaten ihrer Schwangerschaft Tag und Nacht in einem Bistro arbeitete, um genug Geld für die Zeit nach der Geburt zusammenzubekommen, baute sie sich nebenher dieses kleine Büro in ihrer

Wohnung auf. Von Jan hörte sie nichts mehr, außer daß er schließlich noch Student sei und somit gänzlich mittellos. Außerdem sei es ihre eigene Schuld gewesen, denn schließlich könne man doch wohl davon ausgehen, daß eine Frau heutzutage ihre Verhütung im Griff habe.

Nancy war vor Inas Häuschen angekommen, sie stellte ihren Wagen längs des Gartenzauns am Straßenrand ab, öffnete das kleine Tor und ging quer durch den Garten auf Inas Terrassentür zu. Sie mochte dieses kleine Fleckchen Erde, das für sie in seiner wilden Ursprünglichkeit etwas Heimeliges, Tröstliches hatte – zumal nach dem ganzen Hickhack des vergangenen Wochenendes. Im Näherkommen sah sie Inas Gestalt schemenhaft durch das spiegelnde Fensterglas und winkte ihr zu. Ina wurde aufmerksam und kam zur Tür. Sie hatte ihr Haar locker hochgesteckt und trug ein einfaches kurzes Baumwollkleid.

»Wenn ich dich störe, kannst du mich gleich wieder wegschicken«, sagte Nancy anstelle einer Begrüßung und grinste über das ganze Gesicht.

»Einen Teufel werde ich tun.« Ina drückte ihr einen leichten Kuß auf die Wange und zeigte zu ihrem Gartentisch. »Ich bin froh, daß ich endlich einen Grund für eine Kaffeepause habe!«

Nancy nickte ihr bestätigend zu, ließ sich, während Ina in die Küche entschwand, dankbar in einen der Korbsessel sinken und schloß die Augen. Als Ina zurückkam, war sie fest eingeschlafen, ihr Kopf hing schwer auf der Schulter, und dann und wann schnarchte sie leise. Ina betrachtete sie amüsiert, deckte leise den Tisch, stellte Gebäck hin und weckte Nancy erst, nachdem sie den Kaffee bereits eingegossen hatte.

Nancy konnte kaum glauben, daß sie tatsächlich eingeschlafen war. »Oh, Mann, die machen mich fertig«, klagte sie und massierte sich dabei mit der rechten Hand den steif gewordenen Nacken. »Am liebsten hätten sie dich gefressen«, sagte sie dazu und lachte laut los. »Das hättest du erleben sollen! Wie die Kampfhunde! Kläff, kläff, kläff! Jeder wollte das größere Stück reißen! Und weißt du was?« sie lehnte sich über den Tisch, wobei ihr schwerer Busen die Kaffeetasse in Gefahr brachte, »sie befürchten doch tatsächlich, du könntest es auf Anno abgesehen haben!« Sie wollte sich ausschütten vor Lachen. »Sie haben Angst wegen der Kohle! Ist denn das zu fassen?!?«

Ina zog ihr schnell die Kaffeetasse weg und schüttelte den Kopf. »Das ehrt mich zwar, aber es ist doch nicht dein Ernst! Die können doch nicht tatsächlich denken, daß ich … er ist doch schließlich 85 Jahre alt geworden! Sehe ich aus, als ob ich einen 85jährigen Liebhaber bräuchte?«

»Nicht wirklich«, sagte Nancy und prustete wieder los. Dann wurde sie plötzlich still, und die beiden schauten sich direkt in die Augen.

»Verdient hätten sie es ja«, sagte Nancy und verzog das Gesicht zu einem schadenfrohen Grinsen.

»Aber …«, begann Ina zaghaft.

»Anno würde es sicherlich gefallen!«

»Quatsch!«

»Irgendwie glaube ich, er kann seine Brut auch nicht leiden!«

»Es sind immerhin seine Kinder.«

»Es sind gierige Piranhas. Geldgeile Monster! Die würden sonstwas tun, um ans Erbe zu kommen! Schwesternmord nicht ausgeschlossen!« Nancy rührte wild entschlossen mit dem kleinen Löffel im erkalteten Kaffee herum.

Ina schenkte sich langsam eine Tasse nach. »Trotzdem! Der Gedanke ist irre! Und irgendwie auch … widerlich! Ich meine, ich kann mir das nicht einmal vorstellen!« Sie schüttelte sich. »Nur um diese Weiber zu ärgern soll ich … nein, da wäre mir der Preis dann doch zu hoch! Sonst bin ich ja zu allen Späßen bereit, aber das …«

Nancy stürzte aufgeregt ihren Kaffee herunter. »Ich finde die Idee bombastisch! Und es geht hier doch nicht um Sex.«

»Nein?« unterbrach Ina betont ironisch.

»Aber nein! Anno kann doch überhaupt nicht mehr.«

»Woher willst denn *du* das wissen?«

»Rein medizinisch unmöglich!«

»Wer sagt das?!?«

»Sein Arzt!«

»Weiblich?«

»Männlich!«

»Na ja!«

Ina lehnte sich zurück und griff nach einem Keks. Sie knabberte daran und schaute in den Himmel. Die Kondensstreifen zweier Flugzeuge kreuzten sich dort oben und zerflossen langsam wie Sahnestreifen im Kaffee. Sie sah zu, bis ihr auffiel, daß Nancy nichts mehr sagte.

»Du mußt zugeben, daß es eine blöde Idee ist«, Ina holte tief Luft. »Bevor ich mich auf ein solches Abenteuer einlasse, gehe ich lieber wieder an meinen Schreibtisch und arbeite. Da weiß ich, wo mein Geld herkommt, und habe außerdem meine Ruhe. Vor Greisen, so nett sie auch sein mögen, und geifernder Verwandtschaft!«

Nancy stemmte sich aus ihrem Sessel und warf Ina einen nachdenklichen Blick zu. »Ich werde mit ihm darüber reden!«

»Nichts dergleichen wirst du tun!« Ina runzelte die Stirn. »Komm bloß nicht auf dumme Gedanken!« Sie stand ebenfalls auf. »Solche Spielchen könnte ich schon wegen Caroline nicht spielen!«

»Gerade wegen Caroline solltest du es spielen! Ihr Leben wäre abgesichert!«

»Und ich wäre mir meines Lebens nicht mehr sicher!« Sie ging um den kleinen Tisch auf Nancy zu. »Ich weiß schon, daß du es gut meinst! Aber laß es! Oder nimm ihn selbst! Das wäre doch die allerbeste Idee!«

Nancy schüttelte grinsend den Kopf. »Ich bin testamentarisch abgesichert. Und das würde er auch nicht tun, weil es für ihn schließlich kein Highlight wäre. Er ist ja nicht beschränkt! Aber du wärst natürlich eine Show!«

»Ja, super! Vergiß es!«

Nancy ließ sich von Ina zum Gartentor hinaus zu ihrem Auto begleiten und winkte ihr beim Wegfahren noch kurz zu. Ina blieb stehen, denn sie sah aus der anderen Richtung Caroline von der Schule die Straße heraufkommen. Schon wieder Mittagszeit, sie war mit ihrer Arbeit noch nicht fertig, und gekocht hatte sie auch noch nichts.

Bernadette hatte sich in Richtung Küche aufgemacht. Nicht, weil sie Nancy unbedingt Arbeit abnehmen wollte, sondern weil sie schlichtweg Hunger hatte und befürchtete, Nancys Einkäufe könnten noch länger dauern. Zudem erschien es ihr als kluge Geste ihrem Vater gegenüber. Sie überlegte auf dem Weg durchs Haus, was sie wohl kochen könnte, als sie unvermittelt stehenblieb. Durch die offene Küchentür sah sie Anno mit einer Schürze um den Bauch am Herd hantieren. Es hätte nicht viel gefehlt, und ihr wäre die Kinnlade heruntergeklappt. Ihr Vater am Herd, einfach unvorstellbar. Zudem noch mit einer Frauenschürze. Bernadette war fast geneigt, es für eine Fata Morgana zu halten, aber da hatte sich Anno bereits nach ihr umgedreht.

»Na, auch Appetit?« fragte er sie, und ein feines Lächeln umspielte seine Mundwinkel. »Es war nicht mehr viel da, die Bande hat alles verschlungen. Aber für Käseomeletts reicht es noch.«

Bernadette versuchte zu verarbeiten, was er eben gesagt hatte. »Du kochst?« entfuhr es ihr mehr als Feststellung denn als Frage. »Wie kommt denn das? Ich denke, du hast eine Haushälterin?«

»Das eine schließt das andere doch nicht aus, oder? Was ist jetzt? Omelett, ja oder nein?«

Er warf ihr noch einen Blick zu, dann nahm er drei Eier, schlug sie zu den anderen in eine Schüssel und griff zum Schneebesen.

»Kann ich dir helfen?« wollte Bernadette wissen.

»Deinen besorgten Unterton kannst du dir sparen, oder sieht das hier so unprofessionell aus?«

Sie beeilte sich, das zu verneinen, und sah ihm zu, wie er die Eier leicht schaumig schlug, mit Salz und frisch gemahlenem Pfeffer würzte, geriebenen Käse dazugab und die Hälfte der Masse anschließend zu der erhitzten Butter in die Pfanne schüttete.

»Ich wundere mich nur«, sagte sie, und während er die Eiermasse vorsichtig mit der Gabel durchrührte, kam sie sich irgendwie überflüssig vor. »Soll ich schon mal den Tisch decken?«

»Was hältst du denn von Ina Schwarz?«

»Was?«

»Nun, Ina Schwarz!«

Anno zog die schwere Eisenpfanne vom Feuer und betrachtete aufmerksam sein Werk, bevor er sich nach Bernadette umdrehte. Bernadettes Gedanken überstürzten sich. Was war bloß mit ihrem Vater los? Sie erkannte ihn nicht wieder.

»Und?« fragte er nach.

Zumindest das war ihm geblieben, der herrische Unterton in seinen Fragen. Vorsicht, Tretmine, dachte sich Bernadette und beschloß, am besten neutral zu reagieren.

»Es war ein interessanter Auftritt«, sagte sie vorsichtig. Gleichzeitig keimte ihre Neugierde auf. Was konnte diese Frage zu bedeuten haben?

Anno stürzte das Omelett auf einen Teller und legte einen zweiten darüber, um das Omelett warm zu halten. Gleich darauf füllte er die Pfanne zum zweitenmal.

»Jetzt bin ich 85 Jahre alt geworden, um dir sagen zu müssen, daß diese Frau nicht nur interessant, sondern ganz einfach ein Superlativ ist. Ist dir das etwa entgangen?«

Bernadette war sich nicht sicher, ob ihr Vater nur eine diebische Freude daran hatte, sie mit diesem Weibsstück aufzuziehen, oder ob er es tatsächlich ernst meinte. In diesem Fall könnten die Auswirkungen fatal sein.

»Etwas jung ist sie«, versuchte sie seine Euphorie zu zügeln.

»Das ist ja gerade das Reizvolle«, sagte Anno ungerührt und bearbeitete sein Omelett.

Als Bernadette anrief, hatte sich Thekla gerade ein großes Stück selbstgebackenen Kuchen aufgetaut. Eigentlich hatte sie sich zwar vor zwei Wochen auf Diät gesetzt, aber das Wochenende war so stressig gewesen, daß sie ein Trostpflaster gebrauchen konnte. Und weil sich eine Diät erst richtig lohnt, wenn man vorher noch mal ordentlich gesündigt hat, gab sie Sahne in ihren Mixer, um Kuchen und Kaffee zu veredeln. Außerdem war Gerhard an diesem Nachmittag nicht da und konnte ihr somit wegen ihrer Disziplinlosigkeit keine Vorhaltungen machen. Es war auch dieses kleine Geheimnis, das ihre Lust zur Völlerei noch steigerte.

Kurz bevor der Anrufbeantworter ansprang, nahm sie ab. Egal, wer dran war, sie würde jeden schnell abwürgen und anschließend in Ruhe genießen. Daß es Bernadette war, machte die Sache nicht besser. Hatte sie den Alten jetzt gewinnbringend umgarnt? Zuzutrauen wäre es ihr ja, dem kleinen blonden Aas. Aber dann vergaß sie doch, daß der Kaffee bereits durchgelaufen war und die Zeitschaltuhr des Backofens im Dauerton piepste. Was Bernadette da erzählte, verlangte Solidarität. Und zwar geschlossen, zwischen allen Schwestern. Wenn sich Anno tatsächlich in diese Schwarz vergafft hatte, mußten sie sich eine Gegenwehr einfallen lassen. So kurz vor dem Ziel war ihr jedes Mittel recht.

Als Nancy am späten Nachmittag in Annos Schlafzimmer schaute, lag er ganz gegen seine Gewohnheit noch im Bett. Zunächst erschrak sie, dann sah sie aber, daß er still vor sich hinlächelte.

»Gibt es etwas Besonderes?« fragte sie, während sie sich einen Stuhl heranzog. Er strich mit der einen Hand über seine Bettdecke, und Nancys Blick blieb an den feinen Linien dieser Hand hängen. Sie betrachtete die durchscheinend wirkende Haut mit den blauen Adern und den Altersflecken, und unwillkürlich fühlte sie die Trauer des Vergänglichen.

»Man scheint mir noch allerhand zuzutrauen«, sagte Anno vergnügt und blinzelte Nancy zu, während er sich im Bett aufrichtete.

»Keine Frage«, bestätigte Nancy und beugte sich etwas zu ihm vor. »Was denn?«

Anno lachte herzhaft, es war ein Lachen aus tiefster Seele, und er hörte erst damit auf, als er einen Hustenanfall bekam. Es dauerte eine Weile, bis er sich wieder beruhigt hatte. Schließlich sagte er in einem ironischen Tonfall, der das Ganze relativieren sollte:

»Ich habe den Eindruck, meine Familie befürchtet, ich könnte es auf Ina Schwarz abgesehen haben!«

»Keine schlechte Idee«, sagte sie sofort und beobachtete, wie die Angespanntheit aus seinen Gesichtszügen wich und einem Ausdruck tiefer Zufriedenheit Platz machte. Es war ihm wichtig, dachte sie und stellte für sich fest, daß männliche Eitelkeit anscheinend wirklich nichts mit dem Alter zu tun hat.

»Meinen Sie wirklich?« sagte er, aber dann winkte er ab. »Ein totaler Blödsinn. Eine attraktive junge Frau wie sie und ich als uralter, knittriger Mann. Tolle Kombination, das!« Er seufzte. »So ist es halt, Nancy, das Alter macht vor keinem halt. Es sei denn, man stirbt vorher!«

»Ich finde die Idee trotzdem nicht schlecht«, widersprach ihm Nancy und versuchte dabei ihren knallroten Pullover über ihrem sich wölbenden Bauch straff zu ziehen. Es gelang ihr nicht, und sie prustete unvermittelt laut los. »Ehrlich, das wäre eine Gaudi, ach was, Gaudi, es wäre ein Hochgenuß, wenn die Familie das nächste Mal antanzt und Ina die Tür öffnen würde. Ich lache mich jetzt schon tot!«

Anno schlug die Bettdecke zurück und ließ die Beine aus dem Bett gleiten. Jetzt saßen sie sich in Augenhöhe gegenüber, dabei wirkte Anno in seinem dunkelblauen Schlafanzug seriös wie bei einer Vorstandssitzung. Nancy lachte noch immer so, daß ihr gewaltiger Busen auf und ab schwang.

»Die Familie würde mich entmündigen lassen und in die nächste psychiatrische Klinik abschieben.« Er fuhr sich mit der Hand durch sein weißes Haar. »Und wahrscheinlich sogar zu Recht!«

»Die hätten nur Angst ums Erbe«, rutschte es Nancy heraus. Erschrocken hielt sie inne, aber sie sah an seinem Blick, daß ihm der Gedanke nicht fern war.

Thekla hatte nach Bernadettes Anruf überlegt, mit wem sie die ganze Sache am besten besprechen sollte. Zunächst mit Gerhard, dachte sie, während sie hastig ihren Kuchen aß. Er würde wissen, wie die Sache zu verhindern sei, schließlich war er ein Mann. Dann aber kamen ihr Zweifel. Gerade deshalb würde er vielleicht nicht wissen, wie die Sache zu bremsen sei. Schließlich hatte er damit in seinen eigenen Belangen ebenfalls Unfähigkeit bewiesen.

Sie überlegte weiter und lud sich dabei noch ein zweites Stück Kuchen auf den Teller. Eigentlich war sowieso eher ein Rechtsanwalt gefragt als ein Geschichtsprofessor. Das bedeutete, daß sie als nächstes Renate informieren mußte. Sie klatschte sich einige Löffel Schlagsahne auf den Kuchen und griff zum Telefon. Wie sie geahnt hatte, fühlte sich Renate sofort herausgefordert.

»Ich habe es Hans-Jürgen auf der Fahrt noch gesagt! Wortwörtlich habe ich gesagt: ›Glaubst du, Papa könnte an dieser Schwarz etwas finden?‹ Ich hab's kommen sehen! Welche Niedertracht!«

»Was hat denn Hans-Jürgen darauf geantwortet?« wollte Thekla wissen.

»Irgendeine anzügliche Männerweisheit. Kannst du dir ja denken!«

Thekla konnte es sich nicht denken, wollte aber auch nicht nachfragen.

»Du mußt auf jeden Fall deinen Mann fragen, ob es da rechtliche Mittel gibt. Diese Schnepfe will sich ins gemachte Nest setzen, das ist doch sonnenklar!«

»Sieht so aus, ja!«

»Dein Göttergatte soll sich etwas dagegen überlegen. Das betrifft uns schließlich alle! Es ist unser Geld! Also letztlich auch seines!« Der letzte Satz entsprach zwar nicht ihrer Überzeugung, aber es war immerhin noch besser, als im Falle des Falles ganz außen vor zu stehen.

»Ich werde es ihm sagen, sobald er zurück ist. Weiß es Lydia schon?«

»Nein. Aber das kannst ja du erledigen. Und ruf mich bitte an, sobald sich Hans-Jürgen eine Strategie zurechtgelegt hat.«

Ina war froh, daß sich Caroline am Nachmittag mit einer Freundin verabredet hatte. So konnte sie die Arbeit in aller Ruhe nachholen, die sie am Morgen durch Nancys Besuch nicht erledigt hatte. Es war zwar schade, denn der Tag war zu schön und der Sommer zu kurz, als daß sie vor dem Computer sitzen wollte, aber gleichzeitig brauchte sie dringend Geld. Ihr Wagen hatte einige Probleme gehabt, durch den TÜV zu kommen, und die Rechnung der Werkstatt war ihr gestern ins Haus geflattert und lag ihr seitdem im Magen. Manchmal machte es sie schier verrückt, daß sie keine echte Perspektive sah, um aus diesem ständigen und furchteinflößenden »Von-der-Hand-in-den-Mund«-Leben herauszukommen.

Sie arbeitete schnell und präzise und konnte die Übersetzungen noch vor Büroschluß der auftraggebenden Firma fertigstellen und per E-Mail abschicken. Jetzt würde sie sich erst mal einen Kaffee machen. Da hörte sie das Fax. Ihr erster Impuls war, heute bloß an keine Arbeit mehr zu denken, und der zweite, sei dankbar, wenn überhaupt ein Auftrag kommt. Sie ging zum Gerät, zog sich den angekommenen Brief heraus und nahm ihn mit in die Küche. Dort las sie ihn, während sie mit Kaffeefilter und -pulver hantierte. Es war keine eilige Sache, Gott sei Dank. Eher unterhaltsam. Ein offensichtlich unpoetischer Mensch wollte von ihr einen Brief aufgesetzt bekommen, mit dem er seine neue Flamme beeindrucken konnte.

Obwohl Ina insgeheim bezweifelte, daß eine Frau einen Männerbrief schreiben konnte, dachte sie darüber nach. Er bot 100 Mark für ein gelungenes Schreiben, das konnte unter Umständen leicht verdientes Brot sein.

Zehn Minuten später saß Ina auf ihrem Lieblingsplatz im Garten, einem großen, unbehauenen Stein, und dachte nach. Sie hatte schon lange keinen Liebesbrief mehr erhalten. Und auch keinen geschrieben. Unwillig spürte sie, wie sich ihre Laune veränderte, je länger sie darüber nachdachte, und sie diagnostizierte Selbstmitleid, kam aber nicht dagegen an. Sie war schon so lange nicht mehr verliebt gewesen, daß sie sich kaum daran erinnern konnte. Dabei gab es nichts Schöneres, Kopfloseres und Kompromißloseres als dieses Gefühl. Ob mir das noch jemals passieren wird, fragte sie sich und dachte an ihre erste große Liebe zurück. Die Bedingungslosigkeit der Emotionen, die Unwichtigkeit aller anderen Dinge, keine Fragen an die Zukunft – sie war Abiturientin, lebte zu Hause und konnte sich in ihre Gefühle hineinfallen lassen, ohne sich weiter Gedanken machen zu müssen. Im nachhinein war dies wahrscheinlich ihre sorgloseste Zeit, obwohl Bernd, ebenfalls im nachhinein betrachtet, ein Schweinehund gewesen war, wenn auch ein charmanter. Ina lehnte sich auf ihrem Stein zurück, schloß die Augen und versuchte sich in die damalige Zeit zurückzuversetzen. Was hatte sie gefühlt, was hatte sie gedacht, was hätte sie ihm damals geschrieben? Aber sie konnte die spätere Erkenntnis nicht verdrängen, sah alles zu sehr aus dem Jetzt, und die Briefe an ihre alte Liebe wären nicht allzu einfühlend ausgefallen. Sie mußte einen anderen Weg finden. Ina stand auf und ging an den Computer zurück. Für klare Gedanken brauchte sie ganz offensichtlich ein nüchternes Arbeitsgerät. Im Garten klappte das jedenfalls nicht.

Lydia war von Renates Anruf völlig überrascht. Sie wußte zunächst überhaupt nicht, wie sie reagieren sollte. War es nicht völlig hirnverbrannt, was Renate ihr da aufgeregt erzählte?

»Sie hatte ihren Auftritt, na gut«, sagte sie, »aber es kann doch nicht euer Ernst sein, daß da was sein könnte! Die Frau ist doch höchstens 30 Jahre alt!«

»Ja und?« fragte Renate gereizt. Wie konnte Lydia nur so lahmarschig sein? »Die hat noch 50 Jahre vor sich, da machen sich ein paar Millionen gut, meinst du nicht?«

»Gehören da nicht zwei dazu?« fragte Lydia vorsichtig.

»Du glaubst, daß Papa …?« Renate brach in höhnisches Lachen aus. »Das wäre der erste alte Mann, dem die Aufmerksamkeit einer jungen Hübschen nicht schmeicheln würde. Jetzt hör aber auf!«

»Ja, vielleicht schmeicheln. Aber deswegen gleich –«

»Wehret den Anfängen!«

»Was willst denn *du* mit einem Bibelzitat!«

Klar, Lydia, die Klosterschülerin, dachte Renate, was soll die schon von der Welt verstehen. »Nun, jetzt weißt du jedenfalls Bescheid«, schloß sie das Gespräch und legte auf.

Julia hatte den ganzen Nachmittag bei ihren alten Freunden in Lindau verbracht. Sie fand es klasse, mal wieder am See zu sein, und sie genoß den Anblick des steinernen Löwen und des Leuchtturms an der Hafeneinfahrt, während sie mit zwei Freundinnen auf der Promenade in der vordersten Reihe eines Straßencafés saß. »Ist es eigentlich wahr, daß man den Löwen drehen mußte, weil sich die Schweizer darüber beschwerten, daß ihnen der Löwe seinen Hintern entgegenreckte?«

»Nein, er saß von Anfang an in dieser Richtung. Bloß, jetzt sind sich die Eidgenossen nicht sicher, ob er ihnen die Zunge herausstreckt«, witzelte Susan und stieß gleich darauf Julia in die Seite. »Schau dir mal den an, der ist doch nicht schlecht, oder?«

Drei Jungs schlenderten an ihnen vorbei, einer davon mit einem Skateboard unter dem Arm.

»Zumindest hat er 'ne geile Hose an«, Nicolette zwinkerte ihren Freundinnen zu.

»Der Schwarzhaarige?« Julia lehnte sich leicht vor.

»Quatsch, der grüne!«

»Jetzt hör aber auf«, Julia lachte los, »der ist doch völlig abgedreht! Das kann doch nicht dein Ernst sein!«

»So oder so, es ist sowieso schon zu spät. Die sind weg!« Nicolette griff nach ihrem Glas.

»Sei froh, dann haben wir auch keinen Streß!« Susan prostete ihr zu. Julia betrachtete ihr leeres Glas und drehte sich nach der Bedienung um. »Trinken wir noch so einen Saft?«

»Wenn du uns dabei ein bißchen was von den Typen in Heidelberg erzählst?«

Julia zuckte grinsend die Schulter. »Wenn mir so richtig was zum Erzählen über den Weg gelaufen wäre, wüßtet ihr das längst. Es sind ein paar ganz Nette dabei, aber kein einziger richtiger Knaller!«

»Wenn du auch nicht auf Grün stehst!?« Nicolette zog die Augenbrauen hoch. »Dabei sah das doch ausgesprochen frech aus!«

»Ja«, Julia zog das Wort absichtlich in die Länge, »aber grüne Haare sind auch nicht mehr das Allerneueste.«

»Wahrscheinlich waren sie auch noch ziemlich jung!« Susan versuchte nun ebenfalls, die Bedienung auf sich aufmerksam zu machen. Aber das Café war hoffnungslos überfüllt, es herrschte ein Kommen und Gehen, und immer schob sich irgendein neuer oder aufbrechender Gast dazwischen. Susan konnte winken, wie sie wollte, sie wurde vom Kellner einfach nicht wahrgenommen.

»Garantiert würden sie es noch nicht einmal merken, wenn wir einfach gehen würden«, meinte Julia und ließ ihren Blick die Promenade entlangschweifen. Sie saßen ziemlich am Anfang dieser an das Hafenbecken grenzenden breiten Fußgängerzone, und die Menschen fluteten an ihnen vorbei. Weiter vorn versuchte ein Pflastermaler sein Glück, aber allzuviel Beachtung schenkten die Leute seiner Kunst nicht. Kaum einer blieb stehen, noch weniger warfen eine Münze, es sah eher so aus, als wichen manche nur widerwillig der bunten Kreidemalerei auf dem Boden aus.

»Irgendwann latschen sie der Madonna noch mitten durchs Gesicht«, sagte Julia mehr zu sich selbst, da fiel ihr auf, daß die drei Jungs anscheinend am Ende der Promenade umgekehrt waren und nun von der anderen Seite her wieder auf sie zukamen.

»Die drei Typen von eben kommen wieder«, machte sie Nicolette und Susan aufmerksam.

»Jetzt laß doch noch mal sehen.« Nicolette ließ von der Bedienung ab, die sowieso nie in ihre Richtung schaute, und konzentrierte sich auf die drei Jungs. Sie unterhielten sich offensichtlich angeregt, wichen dann und wann entgegenkommenden Leuten aus, aber als sie auf ihrer Höhe waren, schauten sie doch, wenn auch wie zufällig, zu den drei Frauen am runden Tisch. Nicolette, Susan und Julia schauten ebenfalls. Die drei gingen weiter, aber langsamer, und gleich darauf diskutierten sie.

»Jetzt bin ich mal gespannt, wie sie *das* anfangen.« Susan lehnte sich in ihrem roten Plastikstuhl zurück und spielte mit ihrem leeren Glas.

Nicolette drehte sich wieder suchend nach der Bedienung um, und Julia winkte ab. »Das Ganze kann doch nur peinlich werden!«

»Wieso denn?!?« Susan zuckte die Schulter. »Jetzt wart's doch mal ab. Jetzt müssen sie sich erst mal was einfallen lassen. Sie können uns ja schlecht zum Tanz auffordern!«

Julia verdrehte die Augen, aber immerhin hatte die Bedienung endlich ein Einsehen und nahm die Bestellung von drei weiteren Tomatensäften auf.

»Wenn sie jetzt gleich zum drittenmal hier vorbeilaufen und herglotzen, krieg ich einen Krampf!«

»Jetzt hab dich doch nicht so!« Nicolette sah Julia spöttisch an. »Susan hat doch recht, laß uns doch mal anschauen, was ihnen zu dem Thema einfällt! Könnte doch auch lustig werden!«

Julia seufzte. Sie hatte eigentlich keine Lust, mit Wildfremden Konversation zu betreiben. Lieber hätte sie noch ein bißchen mit ihren Freundinnen über Dinge gequatscht, die Kerle nichts angehen.

»Na, wer sagt's denn.« Susan verzog den Mund zu einem schiefen Grinsen. »Da kommen unsere Helden!«

Die drei hatten tatsächlich wieder umgedreht und steuerten jetzt direkt auf den Tisch zu.

Bernadette hatte auf ihren Vater gewartet. Sie wollte vor ihrer morgigen Abreise noch mal in aller Ruhe mit ihm reden, um ihm dabei schonend sein Alter und – wenn möglich – auch die Situation der Familie klarzumachen. Rastlos war sie während seines Mittagsschlafs vom Garten in das Haus und zurück gewandert und hatte dabei stets den geschlossenen Vorhang seines Schlafzimmers im Auge gehabt. Über zwei Stunden hatte sie Zeit, sich alles genau zurechtzulegen, und darüber nachzudenken, wie sie es anfangen wollte und wie sie es möglichst diplomatisch verpacken könnte. Aber je länger sie nachdachte, um so stärker wurden ihre Zweifel, ob sie ihn überhaupt allein lassen und somit den Fängen dieser Schwarz ausliefern sollte. Als der Vorhang endlich zurückgezogen wurde, begann ihr Puls zu rasen. Ihr Vater war für sie noch immer die höchste denkbare Autorität, und es war ihr noch nie leichtgefallen, ein Gespräch unter vier Augen mit ihm zu führen. Zudem waren die Einladungen dazu in der Vergangenheit stets von ihm ausgegangen, und es waren durchweg unerfreuliche Anlässe gewesen.

Bernadette eilte schnell zum nächsten Spiegel, zupfte sich die auf Kinnhöhe geschnittenen blonden Locken zurecht und zwang sich eine heitere Miene aufs Gesicht. Dann stellte sie sich in den Türrahmen zur Küche, so daß sie, sobald die Schlafzimmertür aufgehen würde, wie zufällig ins Zimmer kommen könnte. Sie wartete eine Weile, und die Ungeduld nagte an ihr. Endlich hörte sie etwas. Sie eilte vor, doch mit Nancy als Vorhut hatte sie nicht gerechnet. Nancy tänzelte wie eine Primadonna aus der Tür hinaus, so daß die ganze Masse ihres Körpers in Aufruhr geriet, alles an ihr schwang und wippte, bebte und zitterte. Bernadette blieb stehen. Ihr Vater folgte Nancy auf dem Fuß und lachte lauthals. Dieser Mann war hochgradig infantil. Wie konnte sie jemals Respekt oder gar Angst vor ihm gehabt haben?

»Vater, ich muß mit dir sprechen!«

Er hob die Arme, tänzelte wie ein verhinderter Torero um Nancy herum und beachtete Bernadette mit keinem Blick. Nancy schnalzte mit den Fingern über dem Kopf, drehte sich ständig schwungvoll um ihre eigene Achse, warf dabei den Kopf zurück, und erst als sie lauthals »olé« rief, blieben beide völlig außer Atem, aber immer noch lachend, stehen.

»Jetzt haben wir uns eine Sangria verdient«, rief Nancy.

Anno nickte und schaute dann unvermittelt Bernadette an. »Gibt's einen Grund, daß du so ein Gesicht ziehst? Gefällt dir das Wetter nicht? Die gute Stimmung? Oder magst du keine Sangria?«

»Ich möchte mit dir reden, Vater«, entgegnete Bernadette ungerührt.

»Nun gut.« Anno betrachtete sie aufmerksam. »Geht's um dich? Um mich? Ums Erbe?«

»Vater!«

»Dachte ich mir! Also, bitte nimm Platz!« Er wies zum Eßtisch.

»Ich dachte eher an dein Arbeitszimmer!«

»Nun, aus dem Alter sind wir doch raus! Vor wem sollten wir Geheimnisse haben? Deinen Mann hast du abserviert, dein Töchterchen schaut sich die Lindauer Burschenwelt an, und Nancy weiß sowieso alles!« Er setzte sich auf seinen angestammten Platz und drehte sich nach Nancy um. »Nancy, könnten Sie uns etwas Süßes auftischen? Mir wäre nach einem Stück Kuchen oder so etwas!«

»Tut dir das denn gut?« fragte Bernadette, während sie sich ihm gegenüber hinsetzte.

»In meinem Alter tut man, wenn der Verstand noch klar ist, überhaupt nichts anderes mehr als das, was einem guttut!«

Das ist ein idealer Auftakt, dachte Bernadette und beschloß, die Dinge frontal anzugehen.

»Wir machen uns etwas Sorgen um dich, Vater!«

»Was für Sorgen, und wer ist wir?«

Nancy deckte den Tisch, und Bernadette beschloß, mit den wichtigen Details zu warten, bis sie außer Hörweite war.

»*Wir* sind deine Töchter, deine Schwiegersöhne und deine Enkel. Deine Familie eben!«

»Ach! Interessant! Und die Sorgen?«

Bernadette spähte nach Nancy. Die zeigte wenig Ambitionen, ihr Arbeitstempo zu beschleunigen.

Bernadette seufzte. »Wir machen uns über deine Zukunft Sorgen, Vater!«

»Donnerwetter! Da macht ihr euch Sorgen? Es ist doch so ziemlich klar, wo meine Zukunft hinführt …« Er streckte den Daumen nach unten, in Richtung Boden.

Nancy grinste.

Bernadette überlegte, wie sie darauf reagieren sollte.

»Ich möchte ernsthaft mit dir reden!« Sie stockte. »Von der Würde des Alters.« An seinem Gesichtsausdruck sah sie, daß dies der falsche Weg war. »Ich meine, an Mutters Seite wärst du in Würde alt geworden!«

Er sah sie mit undurchdringlicher Miene an. »Diese Chance ist ein für allemal vertan!«

Bernadette schwieg, Nancy rauschte in Richtung Küche ab. Anno lehnte sich in seinem Stuhl zurück, verschränkte die Arme und betrachtete sie. Bernadette fühlte sich zunehmend unbehaglich.

»Ich dachte, du wolltest mir etwas Wichtiges mitteilen«, hob er schließlich wieder an.

Bernadette suchte nach ihren so sorgfältig vorbereiteten Argumenten und diplomatischen Redewendungen. Keine einzige wollte ihr jetzt noch einfallen. Nancy kam mit einer gut gefüllten Kuchenplatte zurück und stellte sie unsanft mitten auf dem Tisch ab.

»Zwetschgenkuchen, Bienenstich und Obsttorte«, sagte sie und wies mit der Tortenschaufel auf die einzelnen Stücke. »Ausnahmsweise einmal nicht selbstgebacken!« Dazu lachte sie so vieldeutig, daß Bernadette unwillkürlich darüber nachdachte, ob Nancy überhaupt fähig war, einen Kuchen selbst zu backen.

Anno wies auf die Obsttorte, und während Nancy das Stück auf seinen Teller lud, nickte er Bernadette zu. »Na gut, damit ist die Audienz beendet, nehme ich mal an. Wie macht sich deine Tochter denn in der Schule?«

»Vater! Sie studiert!«

»Um so besser! Ich bin über jeden in der Familie froh, der sich selbst am Leben erhalten kann!«

»Ihr sitzt wohl auf dem trockenen! Können wir uns dazusetzen?«

Es war weder der mit dem Skateboard noch der mit den giftgrünen Haaren. Der dritte, gegen die beiden anderen eher unscheinbar, war also der Wortführer. Da weder Nicolette noch Susan darauf reagierten, fühlte sich Julia angesprochen.

»Bitte, wenn ihr Platz findet«, sie wies mit einer vagen Handbewegung über den kleinen Tisch, an dem sie selbst schon recht gedrängt saßen.

»Locker!« Er sah ihr grinsend in die Augen. »Laß mal sehen!« Damit drehte er sich suchend um und rempelte dabei fast die Bedienung an, die eben mit den drei bestellten Tomatensäften an den Tisch kam.

»Stellen Sie das doch schon mal an einem freien Sechsertisch ab«, wies er sie ohne Zögern an.

»Sie machen wohl Scherze!« Auf ihrer Stirn standen kleine Schweißperlen, und sie sah nicht aus, als ob sie zum Scherzen aufgelegt wäre.

»Aber Sie müssen doch wissen, ob gleich irgendwo etwas frei wird. Wenn nicht Sie, wer dann?« Sein Tonfall wurde zunehmend schmeichlerisch.

Die Bedienung stand unentschlossen mit ihrem Tablett da. »Die Leute dort drüben wollen eben bezahlen.« Sie nickte mit dem Kopf zu einem größeren Tisch.

»Ist doch wunderbar!« Er schenkte ihr ein gewinnendes Lächeln. »Darf ich Ihnen das eben abnehmen?« Ohne weiter zu warten, nahm er ihr das Tablett ab und drängte sich an vielen Gästen vorbei zu dem Tisch.

»So geht das aber nicht«, fauchte die Bedienung, rieb sich die Hände an ihrer ohnehin bereits angeschmutzten, ehemals weißen Schürze ab und folgte ihm auf dem Fuß.

Julia sah, wie an dem Tisch verhandelt wurde, dann wurden die drei Gläser mit dem Tomatensaft abgestellt; eine erhobene Hand bedeutete ihnen, daß sie nachkommen sollten.

»Der ist ja von der ganz schnellen Truppe«, sagte Nicolette, und ein Hauch von Bewunderung schwang in ihrer Stimme mit.

»Glück gehabt«, schwächte Susan ab.

»Der ist immer so!« Der Junge mit den grünen Haaren zuckte die Schultern. »Unser Feldmarschall eben! Genannt Nap!«

»Nap?« Julia stand auf. »Was soll denn das für ein Name sein?«

»Kommt von Napoleon, ist doch klar! In Wirklichkeit heißt er Niklas!«

»Auch nicht besser!« Julia griff nach ihrem Geldbeutel und schlängelte sich mit den anderen zwischen den vollbesetzten Stühlen hindurch zu dem großen Tisch, an dem eben die Gäste bezahlten und Niklas wartete. Er zwinkerte Julia zu. Sie stellte sich neben ihn und wartete, bis ihr Stuhl frei wurde. Irgend etwas war an ihm. Er sah nicht besonders attraktiv aus, das nicht. Er hatte auch nicht die Figur, die einen dahinschmelzen ließ. Er war nicht besonders groß, kaum größer als Julia selbst. Und er war auch weit von der sonnenverwöhnten Ausstrahlung eines kalifornischen Beachboys entfernt, auf die Julia eigentlich stand. Aber er hatte ausdrucksvolle blaugraue Augen und ein Grübchen in der Wange, wenn er lächelte. Und, im Vergleich zu seinen Freunden, sehr männliche Gesichtszüge. Und er hatte irgend etwas Undefinierbares an sich, das sie zu interessieren begann.

Ina verzweifelte an ihrem Liebesbrief. Es wollte ihr einfach nichts aus der Feder laufen. Alles, was sie bisher geschrieben hatte, fand sie gezwungen, witzlos, geistlos, mühsam.

»Reim dich, oder ich schlag dich!« Sie stapelte die Seiten, aber gleichzeitig wußte sie, daß es das nicht war. Schließlich schaltete sie den Computer aus und ging wieder in den Garten.

Wo könnte sie sich eine Anregung holen? Es gäbe die Klassiker, aber möglicherweise auch etwas im Internet. Es käme auf einen Versuch an. Dazu müßte sie jedoch wieder ins Haus zurück, und sie hatte sich eben erst auf ihre Liege gelegt. Es war einfach ein zu schöner Tag, um ihn mit einem Computer zu verbringen.

Das Telefon schreckte sie auf. Dummerweise hatte sie das Handy drinnen liegen lassen. Sollte sie nun oder nicht? Ina blieb liegen und wartete ab. Eigentlich müßte ja jetzt der Anrufbeantworter anspringen, damit blieb ihr immer noch genügend Zeit, im Fall der Fälle an den Apparat zu springen. Aber nach ihrer eigenen Durchsage wurde aufgelegt. Auch gut, dachte Ina, und rekelte sich in der Sonne. Kann nicht wichtig gewesen sein. Kurz darauf klingelte es wieder. Anscheinend wollte da jemand partout nicht aufs Band sprechen. Ina rang kurz mit sich, stand schließlich aber doch auf, ging hinein und meldete sich mit »Schreibbüro Schwarz«.

»Kann ich den Auftrag, den ich Ihnen eben durchgefaxt habe, noch stornieren?«

»Wie bitte?« fragte Ina irritiert.

»Ja, hier ist Thomas Bauer, und ich habe Sie eben um einen Liebesbrief gebeten. Zwischenzeitlich ist mir selbst einer eingefallen!«

»Ja?« Ina wanderte mit dem Handy langsam zu ihrem Liegestuhl zurück. »Mir nicht! Lassen Sie doch mal hören!«

»Wie?«

»Ja, mir ist absolut nichts Brauchbares eingefallen, und ich habe schon angefangen, an mir zu zweifeln. Aber wenn Ihnen jetzt etwas eingefallen ist, würde mich das interessieren.«

»Sie meinen …?« Seine Stimme klang tief und angenehm, und Ina legte sich auf ihre Liege.

»Ja, warum nicht?«

»Ist es …« Er räusperte sich. »Meinen Sie nicht, daß so ein Liebesbrief etwas sehr Persönliches ist?«

»Er wäre ja schließlich auch persönlich gewesen, wenn ich ihn geschrieben hätte. Oder etwa nicht?«

»Nein. Natürlich nicht!« Er schwieg kurz. »Ich wollte damit ja auch nur sagen … nun ja, eigentlich haben Sie recht. Da ich Ihren Liebesbrief ja auf jeden Fall gelesen hätte, können Sie meinen genausogut hören!«

»Das finde ich auch!« Ina lächelte vor sich hin und schloß die Augen. Die Sonne wärmte angenehm, die Blätter ihres Lieblingsbaums rauschten leise, sie glaubte die Bienen summen zu hören. Der richtige Tag, um eine Liebeserklärung zu bekommen, und sei sie auch nur fiktiv.

»Wenn die Sonne aufgeht, denke ich an dich, denn du bist der erste Gedanke meines Tages. Und wenn die Nacht beginnt, denke ich an dich, denn du bist das erste Gesicht meines Traumes. Und wenn ich zwischen Wachen und Träumen schwebe, denke ich an dich, denn du bist die Luft, die ich atme.«

Ina hatte den Atem angehalten, und sie spürte trotz der Wärme eine Gänsehaut.

»Faxen Sie mir das durch?« fragte sie leise, während sie sich die Oberarme rieb.

»Aber nicht weiterverwenden!« sagte er, und seine Stimme klang, als würde er lächeln. »Gefällt es Ihnen denn?«

»Das haut jede Frau um!«

»Sie auch?« Es klang gespannt.

»Ich liege schon!«

Jetzt lachte er wirklich.

»Na, gut. Das läßt mich ja hoffen!«

Nachdem sie sich verabschiedet und Ina aufgelegt hatte, überlegte sie, was er mit diesem Satz wohl gemeint haben könnte. Sicherlich war er tierisch verliebt und hoffte nun, daß seine Angebetete dahinschmolz. Oder aber er erhoffte überhaupt nichts und wollte nur ausdrücken, was er fühlte. Sie spürte, wie sich Leere in ihr ausbreitete. Manchmal wäre es schon schön, jemanden zu haben, der einen verstand und mit dem man alles teilen konnte. Doch wo sollte sie einen geeigneten Partner finden? Durch ihre Gartentür würde er nicht hereinspazieren, und für Reisen oder Restaurants hatte sie kein Geld. Und Vereine lagen ihr nicht. Und nicht jeder, dem sie gefiel, gefiel auch ihr. Es war müßig, darüber nachzudenken.

Renate hatte nach Theklas Anruf sofort in der Kanzlei angerufen, aber Hans-Jürgen erklärte ihr knapp, daß er gerade in einer wichtigen Besprechung mit einem Mandanten sei und alles Private doch sicherlich bis zum Abend warten könne. Renate haßte es, von ihrem Mann auf diese Weise abgefertigt zu werden, zumal vor Zeugen. Aber sie hatte auch keine treffenden Argumente gegen seine Abfuhr, denn Anno würde seine Entscheidung sicherlich nicht in dieser Sekunde treffen. Andererseits war sie viel zu ungeduldig, um lange warten zu können. Sie schaute auf die Uhr, er würde in frühestens drei Stunden zu Hause sein. Sie lief zehn Minuten durchs Haus, dann rief sie erneut an. Er klang jetzt deutlich verärgert.

»Du wirst dir ja wohl mal zehn Minuten für deine Frau nehmen können!« herrschte sie ihn an. Sie spürte ihren altbekannten Jähzorn aufglimmen und beschloß, jetzt nicht mehr locker zu lassen. Sie hatte ihn nicht geheiratet, um auf der Wartebank zu sitzen.

»Ich habe einen Mandanten da, Renate. Ich sagte dir das doch schon!«

»Er wird auch wieder gehen. Und dann rufst du mich zurück!« Sie legte den Hörer auf und nahm ihre Wanderung wieder auf.

Tatsächlich klingelte wenig später das Telefon. Es war Hans-Jürgen, der sie rüde zurechtwies. Renate hörte sich seine Vorwürfe kurz an, dann unterbrach sie ihn. »Es ist höchst lächerlich, sich so aufzuführen! Es geht um eine Familienangelegenheit, also wirst du wohl Zeit haben!« Und sie schilderte ihm kurz, was Thekla ihr berichtet hatte.

»Ihr habt sie ja nicht mehr alle!« war sein Kommentar, aber dann entschied er sich doch, Renate über die verschiedenen Möglichkeiten aufzuklären.

»Schlimmstenfalls heiratet er sie, dann gehört nach seinem Tod die Hälfte seines Vermögens ihr. Die Steigerung dessen wäre, wenn er sie heiraten und gleichzeitig als Alleinerbin einsetzen würde, dann dürfen wir uns alle zusammen ein Viertel des Erbes teilen, während sie drei Viertel in die Tasche steckt. Oder, eine nette Variante, er heiratet sie nicht, setzt sie aber als Alleinerbin ein, dann bekommen wir ebenfalls nur den Pflichtteil, sprich die Hälfte des gesamten Vermögens. Bloß, Renate, warum sollte er das tun?«

»Weil er ein Mann ist!« entgegnete sie wie aus der Pistole geschossen.

»Ach so!« Sein Ton klang spöttisch. »Äußerst aussagekräftig und einleuchtend!«

»Dann erklär doch du mir mal, warum du so unbedingt nach Paris wolltest!«

»Weil ich ein Mann bin!«

»Na, toll!« Es herrschte kurz frostiges Schweigen, bevor Renate leise hinzufügte: »Und weil ich das Gefühl nicht loswerde, daß er uns eigentlich nicht leiden kann. Nicht wirklich!«

»Du meinst den angeheirateten Teil der Familie? Also uns Männer?«

»Ich meine uns alle. Auch uns Töchter.« Sie überlegte. »Ich bin mir wirklich nicht sicher, wie er in Wahrheit zu uns steht. Liebe war in unserer Familie nie ein Thema.«

Es war wieder kurz still, dann sagte Hans-Jürgen langsam: »Das merkt man noch heute!«

Julia hatte sich die ganze Zeit über angeregt mit Niklas unterhalten, fast hätte sie vergessen, daß sie zu sechst am Tisch saßen. Inzwischen hatte der Ansturm auf das Straßencafé nachgelassen, die Tische links und rechts leerten sich, und auch die Szene wandelte sich, die Freizeitshorts und breiten Ledersandalen verschwanden aus dem Straßenbild, die ersten waren, abendlich gekleidet, offensichtlich bereits auf dem Weg in die Restaurants. Ein kühler Wind war aufgekommen, und die ersten dunklen Wolken zeigten sich über dem See.

Niklas hatte eine Frage nach der anderen gestellt, und Julia hatte ihm in der kurzen Zeit ihr halbes Leben erzählt. Vor allem interessierte ihn ihr Großvater, und sie schilderte ausführlich ihre Kindheit in der Villa am See, erzählte aber auch haarklein den zurückliegenden Geburtstag. Niklas hatte zugehört und zwischendurch lauthals losgelacht. Schließlich unterbrach er sie: »Ich glaube, ich muß dich mal mit zu meiner Familie nehmen. Da wirst du sehen, daß deine dagegen noch völlig harmlos ist!«

»Na?« Zweifelnd zog Julia die Stirn kraus.

Er schwieg und schaute ihr lächelnd in die Augen.

Der Blick ging ihr durch und durch. Mist, dachte Julia, ich fange an, mich zu verlieben. Dabei weiß ich überhaupt nichts über ihn. Außer, daß seine Familie noch verrückter ist als meine. Das sind ja schöne Voraussetzungen.

»Ich könnte dir den Beweis noch heute abend liefern!«

Julia antwortete nicht darauf. Sie überlegte. Eine weitere überspannte Familie war nicht unbedingt das, was sie sich für einen Abend mit Niklas wünschen würde.

»Keine Lust?« fragte er nach.

»Lust schon«, erwiderte sie spontan und griff verlegen nach ihrem Glas. Es war leer. Schon wieder. Aber einen weiteren Tomatensaft wollte sie sich nicht bestellen.

»He, Jungs, was ist? Wollen wir hier festkleben?«

Julia schaute auf und stellte dabei fest, daß sie noch immer nicht wußte, wie die beiden anderen am Tisch hießen. Es war der mit dem Skateboard, der nun zum Aufbruch drängte. Julia warf Niklas einen Blick zu, der zuckte die Schulter.

»Und?« fragte er. Julia nickte. »Na, gut!« Er winkte der Bedienung und sagte gleichzeitig zu seinen Freunden: »Wir beide klinken uns aus!«

»Ach?« Susan stupste Julia leicht mit dem Ellenbogen an. »Sag bloß!«

»Er will mir seine Familie vorstellen«, flüsterte Julia und zwinkerte ihr zu.

»Ach!« Susan zog die Augenbrauen hoch. »Das sind ja tolle Neuigkeiten!«

Zwanzig Minuten später saßen sie in Julias Wagen. Niklas war mit dem Mountainbike in die Stadt gekommen, das er später abholen wollte.

Sie fuhren von der Insel weg in Richtung Hoyerberg, einer Anhöhe mit Blick auf Lindau und über den See. Niklas dirigierte sie in eine kleine Seitenstraße hinein.

»Bist du hier aufgewachsen?« wollte Julia wissen.

»Meine Mutter ist hier aufgewachsen. Wir fahren eben zum Haus meiner Großmutter. Du wirst schon sehen!«

»Liegt ein Wolf im Bett?«

»Noch nicht!« Er betrachtete sie mit amüsiertem Gesichtsausdruck von der Seite. »Mach langsam, hier ist es!«

Julia parkte an der Straße und betrachtete vom Wagen aus die für die bürgerliche Umgebung eher seltsame große Villa aus hellgrauem Holz, halb verdeckt durch hohe Bäume und verwilderte Büsche.

»Ist deine Großmutter ein Fan von Astrid Lindgren? Oder ist sie es vielleicht gar selbst?«

Niklas freute sich offensichtlich über ihr Erstaunen. »Das ist erst der Anfang. Jetzt komm mal mit!«

Sie betraten durch ein quietschendes Eisentor den völlig verwilderten Garten. Einzelne große Steinplatten führten zum Haus. Manche waren ausgetreten, andere waren so locker, daß sie sich bewegten, sobald man darauftrat. »Du mußt immer die Mitte erwischen, dann geht's ganz leicht!« Niklas ging voraus.

»Hat einen gewissen Charme«, grinste Julia und war gespannt, was da auf sie zukam.

Ein idealer Ort für Entführungen. Sie überlegte schnell, ob es sich in ihrem Fall lohnen würde. Und ob Anno Lösegeld für sie bezahlen würde.

»Meine Großmutter könnte in manchem vielleicht ganz gut zu deinem Großvater passen!«

»Ach, ja? Wie alt ist sie denn?«

»84!«

Julia überlegte. Sie sah Großvaters gepflegtes Anwesen vor sich und war sich nicht so sicher, ob die Rechnung aufgehen würde.

»Es hätte nur einen Haken«, fuhr Niklas fort.

»Ja? Klar, vom Alter her wäre es ideal, aber die Lebensauffassungen? Und ob sie sich leiden könnten?«

»Vor allem aber«, Niklas bog für Julia einen Zweig zur Seite, »wäre dein Großvater meiner Großmutter entschieden zu alt!«

»Zu alt? Er ist 85! Nur ein einziges Jahr älter als deine Großmutter!«

»Wer sich als alte Frau keinen jungen Mann leisten kann, hat im Leben was falsch gemacht«, dozierte Niklas und drehte sich im Gehen nach Julia um.

»Was???«

»Sagt sie! Paß auf, diese Platte hier wackelt gefährlich!«

Sie waren an der großen hölzernen Tür angelangt, und bevor Julia nachfragen konnte, drückte Niklas bereits auf den Klingelknopf. Zweimal kurz und einmal lang. Julia fiel die Musik auf, die sie bislang eher unbewußt wahrgenommen hatte. Französische Chansons würde sie sagen, war sich aber nicht sicher. In diesem Moment wurde die Tür aufgerissen, und ein gutaussehender Mann um die Dreißig, groß und kräftig gebaut, stand im Türrahmen.

»He, Niklas, alter Junge! Was hast du uns denn da mitgebracht?«

Julia kam sich vor wie eine Sahnetorte, sagte aber nichts. Niklas stellte sie gegenseitig kurz vor und ging dann hinein. »Ist Chansonabend angesagt?« fragte er, während er an Claudio vorbeiging. Julia wußte nicht so richtig, wie sie sich verhalten sollte. Ihm einfach folgen? Abwarten?

»Komm nur. Sie beißt nicht!« Claudio grinste sie an. Für einen Mann hatte er erstaunlich volle Lippen, und seine Augen waren nicht nur ausdrucksvoll, sondern, wenn Julia nicht alles täuschte, auch geschminkt. Trotzdem: was hieß da, sie beißt nicht?

Julia ging etwas zögerlich hinter ihm her. Die Musik wurde lauter, und sie hörte eine erotische, rauchige Stimme: »... faß mich an – liebe mich – wenn du da bist – freu ich mich –«

Sie schaute sich um. Die Eingangshalle war mit indischen Tüchern geschmückt, überall hingen große Spiegel in verspielten goldenen Rahmen, die durch ihre geschickte Anordnung unendliche Weiträumigkeit vortäuschten, und es hing ein Duft nach Räucherstäbchen in der Luft. Niklas war bereits durch eine offene Tür verschwunden, und Julia hörte laute Begrüßungsrufe.

Gleich darauf erschien eine Frau, in ein buntes Chiffonkleid gehüllt, im Türrahmen. »Wie niedlich, du hast eine Freundin mitgebracht«, sagte sie und rauschte auf Julia zu, die eine Hand zur Begrüßung ausgestreckt, in der anderen eine silberne Zigarettenspitze. »Claudio, Darling, stell Gläser auf den Tisch und hol den Champagner, es gibt etwas zu feiern!« Wie sie so energiegeladen, schmal und mit silberner Löwenmähne, auf sie zukam, war Julia überzeugt, daß es sich hier um Niklas' Mutter, aber sicherlich nicht um seine Großmutter handelte. »Das freut mich aber, mein Kind«, sie reichte Julia die Hand, die sich zwar klein und kühl, aber sehr fest anfühlte. Erst jetzt, so ganz aus der Nähe, war zu sehen, daß das Gesicht vor ihr tatsächlich das einer alten Frau war. Eine Puderschicht, dunkel geschminkte Augen und rot geschminkte Lippen hatten sie, unterstützt durch das diffuse Licht, auf die Entfernung mindestens zwanzig Jahre jünger erscheinen lassen.

»Es freut mich auch«, erwiderte Julia, wobei sie überlegte, ob sie klarstellen sollte, daß sie mitnichten Niklas' Freundin sei. Aber irgendwie hatte sie das Gefühl, daß sie es überhaupt nicht so ernst meinte. Und während sie noch überlegte, hörte sie dem Lied zu, das in unverminderter Lautstärke durchs Haus hallte. »... die Nacht hat alle Schatten verwischt – hab keine Angst vor der Dunkelheit – sie gibt uns ihr Schweigen und macht mich bereit –« Julia hatte diesen Titel noch nie gehört, und es machte alles noch unwirklicher, als es ihr ohnehin schon schien.

»Bitte, komm doch herein!« Niklas' Großmutter hatte ihre Hand noch nicht losgelassen, sondern zog sie jetzt sanft, aber bestimmt zu dem Raum, in dem Niklas schon verschwunden war. Claudio lächelte ihr zu und ging an ihr vorbei in die andere Richtung. Julia sah sich in einem der zahlreichen Spiegel, wie sie an der Hand dieses traumgleichen Wesens dahinzuschweben schien, und fühlte sich außerhalb jeglicher Realität. Was machte sie hier? Was war das alles?

Der Raum, in den sie geführt wurde, war überraschend groß. Die Fenster reichten, wie Kirchenfenster, schmal und fünf nebeneinander, von der Decke bis fast zum Boden. Das Licht fiel, gedämpft durch die Bäume und Büsche vor den Fenstern, auf eine riesige Wohnlandschaft aus hellem Leinen und brach sich auf der anderen Seite in einer Galerie aus alten Spiegeln, die zwischen und über erlesenen alten Möbelstücken aufgehängt waren. Mit den dicken Persern, die den ganzen Boden bedeckten, und den vielen ultramodernen Gemälden, die an der Stirnseite des Raumes hingen, wirkte alles fremdartig wie aus einer anderen Kultur. Dazu die Musik, der Geruch nach Sandelholz und die alte Dame, die sie jetzt losgelassen hatte und sich mit erhobenen Armen mehrmals um ihre eigene Achse drehend auf Niklas zutanzte, so daß ihr Kleid weit um sie herumschwang und sich in mehrere Farben aufblätterte. Niklas saß breitbeinig in einem der Sessel und lächelte ihr entgegen. Julia blieb stehen und betrachtete die Szenerie. Eines stand fest: Niklas hatte recht. Das hier übertraf die Verhältnisse bei ihrem Opi bei weitem. Ob Claudio schwul war? Er sah zumindest so aus. Ob er auch zur Verwandtschaft gehörte? Ein Enkel? Vielleicht ein Cousin von Niklas?

In diesem Moment kam er an ihr vorbei, stellte einen Eiskübel mit einer Flasche Champagner auf dem Tisch ab, öffnete ein reichhaltig geschnitztes Büfett und förderte vier Champagnergläser zutage. Julia warf Niklas einen Blick zu, der erwiderte ihn mit einem Augenzwinkern und klopfte neben sich auf den Sitz. Was er damit sagen wollte, war Julia klar. Sie ging auf ihn zu, wich seiner Großmutter aus und ließ sich auf das Sofa neben Niklas' Sessel sinken. Gleichzeitig fiel ihr ein, was Niklas gesagt hatte: Seine Großmutter bevorzuge junge Männer. Sie betrachtete Claudio verstohlen. Aber gleich so jung? Der war doch gut und gerne fünfzig Jahre jünger. Eher mehr. Sei nicht so spießig, sagte sie sich gleich darauf, bei Männern akzeptiert man so etwas doch auch. Trotzdem konnte sie es nicht recht glauben.

»So, jetzt laß die Korken knallen, mein Freund!« Die alte Dame gab Claudio einen leichten Klaps auf den Hintern. Julia betrachtete ihn und fand, daß sein Männerpo in der engen Jeans tatsächlich äußerst verlockend war. Nicht nur für eine Achtzigjährige.

Inzwischen war ein anderes Lied angelaufen, doch noch immer von derselben Sängerin. Julia sah zu, wie Claudio die Flasche entkorkte und die Gläser füllte und hörte gleichzeitig dem Text zu: »... sie nennen mich die Verruchte – weil mir egal ist, was du bist – ob du schwarz bist oder Pelikan – ich schaue mir nicht deine Hautfarbe an – ich liebe dich nur so, wie du bist –« Es traf zu, fand Julia, und so betrachtet, hatte Niklas' Großmutter recht. Sicherlich galt sie in ihrer Umgebung als exzentrisch, aber was hatte es schon zu bedeuten, wenn andere sich als normal empfanden, bloß weil sie, wie Schafe in der Herde, einheitliches Verhalten demonstrierten und vor Langeweile starben?

Julia entspannte sich zusehends.

Niklas' Großmutter hob das Glas und prostete allen zu. »Du darfst mich Romy nennen«, sagte sie dabei zu Julia.

»Gern«, nickte ihr Julia zu. »Romy von Romy Schneider? Oder der wirkliche Name?«

Romy lachte laut. »Sicherlich nicht. Ich war nie eine so unglückliche Gestalt, und ich will auch nicht so unglücklich sterben. Nein, Romy von Romy Haag, dem Sänger, den du da eben hörst!«

»Aha«, sagte Julia, weil ihr dazu nichts einfiel. »Ich dachte, es sei eine Frauenstimme«, fügte sie nach einer Denkpause an.

»Ein Transvestit!« klärte sie Romy auf und wies auf Claudio. »Claudio schminkt sich im Normalfall auch nicht. Er tut es nur mir zuliebe, wenn es gerade paßt. Ein Spiel eben!«

Claudio und Niklas lachten, und Julia nahm einen Schluck aus ihrem Glas. Das enthob sie einer Reaktion oder gar einer Antwort. Vielleicht war ein bißchen normal eben doch ganz schön.

»Jetzt erzählt doch mal von euch«, begann Romy, während sie sich zu Niklas in den Sessel setzte.

Er legte den Arm um sie und pustete in ihre silbernen Locken. »Sei nicht so entsetzlich neugierig. Und außerdem gibt es da nicht halb soviel zu erzählen wie von euch«, sagte er mit einem schrägen Grinsen. Julia war nicht entgangen, daß er ihr dabei einen Blick zugeworfen hatte. Vielleicht wollte er sie ja auch einfach nur herausfordern.

»Hast du deiner kleinen Freundin von uns erzählt?« Romy lächelte Julia mit schiefgelegtem Kopf an.

»Noch nicht!«

»Das solltest du aber!«

Caroline hatte die Ereignisse vom Sonntag morgen noch längst nicht verdaut. Das wurde Ina klar, als sie ihre Tochter an diesem Abend zu Bett brachte. Nach ihrem obligatorischen gemeinsamen Kakao und der Gutenachtgeschichte – Ina hatte eine Mäusefamilie erfunden, von der Caroline nun allabendlich ein neues Abenteuer hören wollte –, gab ihr Ina einen Kuß und wollte das Licht ausmachen und gehen. Doch unvermittelt fing Caroline an zu weinen. Erschrocken blieb Ina bei ihr sitzen und nahm ihre Hand. »Was ist denn los? Ist heute was passiert?«

»Laß mich nicht alleine, Mama, ich habe gestern so einen bösen Traum gehabt!«

»Einen bösen Traum? Was hast du denn geträumt?«

»Von dieser Frau bei Anno, die mich weggejagt hat. Sie hat mich die ganze Nacht wie eine böse alte Hexe verfolgt. Und sie kommt heute nacht bestimmt wieder!«

Das fehlte ihr noch, daß diese idiotische Familie ihrer Tochter die Nachtruhe raubte, dachte Ina und legte sich neben Caroline. »Komm, ich bleibe bei dir liegen, bis du eingeschlafen bist. Dann kann sie nicht kommen!«

»Und wenn sie doch kommt?«

»Sie hat Angst vor mir, sie wird nicht kommen!«

Ich sollte die alle das Fürchten lehren, diese geldgeile Mischpoke, dachte sie dabei. Irgendeinen Streich sollte ich ihnen spielen, etwas, das sie aufschreckt und das sie nie vergessen werden. Während Caroline in ihrem Arm einschlief, musterte sie das Kinderzimmer. Der Schrank mußte dringend durch einen neuen ersetzt werden. Die Türen klemmten, und er war einfach alt und häßlich. Sie hatte ihn nach Carolines Geburt vom Sperrmüll geholt und mit Märchenfiguren bunt bemalt, aber das täuschte auf Dauer nicht über seinen miserablen Zustand hinweg. Und auch der kleine Kindertisch war kein Ersatz für einen richtigen Kinderschreibtisch. Die aber waren, wenn sie stabil sein und auch noch mitwachsen sollten, unglaublich teuer. Genau wie die dazu passenden kindgerechten Drehstühle. Sie ließ ihren Blick zur Wand gleiten. Auf der zartgelben Rauhfasertapete hing ein Poster neben dem anderen. Pferde waren Carolines große Leidenschaft, aber ob sie ihr jemals richtigen Reitunterricht würde bezahlen können, war fraglich. Zunächst bräuchte Caroline mal ein größeres Fahrrad, das alte war wirklich schon viel zu klein. Und neue Schuhe standen an.

Ina holte tief Luft, sie fühlte, wie sich etwas in ihrem Bauch zusammenkrampfte. Es war wirklich schwer, alles alleine zu schaffen. Und dann kommen solche Idioten daher und vergiften auch noch

Carolines Träume. Als ob sie durch die finanzielle Situation ihrer Mutter nicht schon genug benachteiligt wäre. Aber aus der Höhere-Fabrikantentochter-Sicht konnte man ja ungestraft in so einer kleinen Kinderseele herumbohren. Sie hätten wahrlich einen Denkzettel verdient. Einmal so richtig um etwas bangen müssen, das würde ihnen in ihrer unsäglichen Arroganz sicherlich guttun. Sie dachte über das nach, was Nancy ihr erzählt hatte, und schlief darüber ein.

Ein strahlender Tag war angebrochen, als Nancy am Dienstag morgen den Frühstückstisch auf der Terrasse deckte. Julia half ihr und erzählte unentwegt von ihrem Erlebnis mit Niklas. Nancy fand die Geschichte einmalig und bat sie, das Ganze während des Frühstücks nochmals Anno zu erzählen. Möglicherweise könne man die beiden ja mal einladen, das gäbe sicherlich einen riesigen Spaß.

Als sie schließlich zu viert am Tisch saßen und Julia von Romy und Claudio erzählte, hatte Bernadette allerdings eine völlig andere Auffassung. Allein die Idee, eine 84jährige mit ihrem 30jährigen Liebhaber in der Villa als Gäste zu haben, nahm ihr jeglichen Appetit. »Das ist doch eine völlig verdrehte Alte«, sagte sie zu ihrem Vater, der sich gerade genüßlich ein Marmeladebrot strich.

»Och, ein bißchen Abwechslung tut uns sicherlich gut. Ich für meinen Teil finde, daß dies eine interessante Kombination ist! Ich würde mir wirklich gern anschauen, wie das funktioniert!«

»Vater!« Bernadette war entsetzt. Auch, weil sie heute abreisen mußte und die Dinge in ihrer Entwicklung nicht mehr kontrollieren konnte.

»Wenn wir die beiden schon einladen, sollten wir dann nicht auch Ina Schwarz einladen?« fragte Nancy scheinheilig.

Bernadette hielt die Luft an. »Vater, paß auf, daß dies hier nicht zum Tollhaus wird«, platzte sie mit einem giftigen Blick zu Nancy heraus.

»Nur, weil wir Gäste bekommen? Aber Bernadette!« Anno schüttelte mit deutlichem Mißfallen den Kopf. »Wollen wir auf unsere alten Tage spießig werden? Wie alt bist du jetzt, mein Kind?«

»45«, antwortete Julia für ihre Mutter.

»Mit 45 sollte man doch noch offen für die Welt sein«, tadelte Anno und schaute Julia an. »Und?« wollte er wissen, »was ist mit diesem Niklas? Was ist das für ein Typ? Was macht er?«

»Studiert Maschinenbau in Stuttgart. Ist aber bald fertig!«

»Das lobe ich mir. So einen Schwiegersohn hätte ich brauchen können. Aber was haben mir meine Töchter beschert? Einen Geschichtslehrer, einen Kinderarzt, einen Rechtsanwalt und –« er warf Bernadette einen Blick zu, »einen Garnichts!«

»Ich will ihn ja nicht gleich heiraten, Opi!«

»Aber du triffst ihn wieder?«

»Er holt mich nachher ab!« Julia schaute schnell auf ihre Armbanduhr und nahm sich noch ein Croissant aus dem Brotkorb.

Ihr Großvater nickte ihr zu: »Na, also!«

Ina jätete Unkraut in ihrem Garten. Das tat sie sonst nie und auch jetzt nur, um sich über die Situation hinwegzutäuschen, daß keine Arbeit für sie vorlag. Kein einziger Auftrag war heute hereingekommen. Am Morgen hatte sie Rechnungen geschrieben, das Haus geputzt, schließlich gekocht und während des Mittagessens versucht, Caroline gegenüber eine heitere Miene aufzusetzen.

»Mein Lieblingsessen, Mami, das ist aber toll«, hatte sich Caroline gefreut, nachdem ihr Schulranzen mit Schwung in die Ecke geflogen war.

Es gab Reibekuchen mit Apfelmus, das war zum einen tatsächlich Carolines Lieblingsessen, zum anderen aber einfach billig.

»Magst du heute nachmittag nicht mal wieder zu Nancy?« hatte sie ihre Tochter gefragt.

»Zu denen gehe ich nie wieder!« Caroline zersägte ihren Reibekuchen wütend mit der Gabel. »Nie wieder gehe ich dorthin! Und das Kleid ziehe ich auch nicht mehr an! Nie wieder!«

»Das Kleid kann doch nichts dafür!«

»Aber es war dabei!«

Ina nahm sich vor, demnächst einmal gemeinsam mit ihr zur Villa zu gehen. Es wäre wirklich zu schade, wenn sich das nicht mehr einrenken ließe, denn Caroline war immer gern dort gewesen, und Nancy wäre sicherlich traurig.

Für den Nachmittag war ein Kindergeburtstag angesagt, und Ina fuhr Caroline dorthin. »Was kann man der Laura denn schenken?« wollte sie von ihrer Tochter wissen.

»Ach, weißt du Mutti, die Laura hat alles. Ihr Vater hat viel Geld. Ich glaube, sie braucht nichts!«

Ina tat, was sie in einem solchen Fall immer tat, sie kaufte eine Kinokarte als Gutschein und hängte sie an einen bunten Ballon. Das war nicht viel, aber freute die Kinder meistens trotzdem.

Dann fuhr sie zurück, schaute nach einer neuen E-Mail und in ihr Fax und ließ ihre Unzufriedenheit, ihren Frust und ihre Ängste schließlich am Unkraut aus. Als das Telefon klingelte, schöpfte sie neue Hoffnung, aber es war kein Auftraggeber, sondern Nancy.

»Hast du Lust, morgen abend zu uns zu kommen?« fragte sie unumwunden. »Wir bekommen ein originelles Paar zu Besuch!« Und sie berichtete, wobei sie sich selbst dauernd durch lautes Lachen unterbrach, was Julia während des Frühstücks erzählt hatte.

»Und die beiden kommen jetzt so einfach?« wollte Ina erstaunt wissen.

»Niklas hat das eingefädelt, das ist der neue Schwarm von Julia. Ein netter Kerl übrigens, wirst ihn kennenlernen. Hat eine gute Aura!«

»Eine gute Aura?« Ina hielt das Handy mit zwei Fingern, weil ihre Hand erdverkrustet war, und ging langsam wieder in den Garten hinaus.

»Ja, ein ruhiger, besonnener Typ. Hat was!«

»Gefällt er dir oder Julia?« Immerhin kam ihre gute Laune zurück. Das war ja auch schon etwas. Nancy lachte so laut, daß Ina das Telefon vom Ohr weghalten mußte.

»Er gefällt sogar Anno!« sagte sie schließlich.

»Das ist tatsächlich erstaunlich!« Nach allem, was sie von Anno wußte, hatte er für seine Geschlechtsgenossen selten mehr als milde Herablassung übrig.

»Er studiert Maschinenbau«, fügte Nancy erklärend an.

»Na, dann!«

Am Mittwoch entlud sich am späten Nachmittag ein Gewitter, das sich bereits Stunden zuvor durch dunkle Wolken und fernes Grollen angekündigt hatte. Ina stand vor ihrem Kleiderschrank und überlegte, was sie für den Abend anziehen sollte. Es sollte weder zu provokativ noch zu elegant sein. Schlicht, aber trotzdem edel. Draußen donnerte es, und ein Blitz jagte den nächsten. Der Regen prasselte gegen die Scheiben, und es war empfindlich abgekühlt. Caroline hatte sich zu ihr geflüchtet und saß mit angezogenen Beinen auf ihrem Bett.

»Warum darf ich denn eigentlich nicht mit?« wollte sie wissen.

»Du darfst ja mit, aber Gabriela holt dich ab und bleibt dann bei dir. Das habe ich dir doch schon erklärt!«

»Ich mag Gabriela aber nicht!« Caroline zog einen Schmollmund.

»Natürlich magst du Gabriela. Das sagst du jetzt bloß!«

»Und wer trinkt mit mir meine heiße Schokolade?«

»Das machen wir gleich nachher zusammen!«

Damit war wenigstens ihr gemeinsames Gutenachtritual gerettet. Trotzdem wollte Caroline noch nicht aufgeben, es war ihr anzusehen, wie sie nach neuen Argumenten suchte. »Ich möchte aber nicht alleine zurück!«

»Du bist ja nicht alleine!« Ina zog ein einfach geschnittenes schwarzes Kleid aus Rohseide aus dem Schrank. Sie hielt es vor sich hin und drehte sich zu Caroline um. »Wie findest du das?«

»Geht so!«

»Geht so?« Ina schaute es nochmals prüfend an. »Ich hab's ewig nicht angehabt, aber es hat einen klassischen Schnitt, damit kann man eigentlich nie schief liegen!«

»Mutti, es ist doch viel zu lang!«

»Zu lang? Es geht bis zum Knie, das trägt man jetzt wieder so!
Ich probier's am besten mal an!«

Caroline legte sich auf den Bauch und stützte ihren Kopf mit
den Händen, während sie ihrer Mutter zusah. Ina schloß den
Reißverschluß. Wenigstens paßte es noch wie angegossen, das
hieß, daß sich ihre Figur während der letzten Jahre tatsächlich
nicht verändert hatte. »Na also. Geht doch!« Sie stellte sich auf die
Zehenspitzen und drehte sich vor dem Spiegel.

»Dazu brauchst du aber hohe Schuhe«, stellte Caroline fachmännisch fest.

»Irgendein Paar werde ich schon noch auftreiben«, lächelte Ina,
während sie den Reißverschluß wieder öffnete. »Und nachher,
wenn der Regen aufgehört hat, gehen wir in den Garten und stellen einen schönen Blumenstrauß zusammen. Hilfst du mir da?«

»Nur, wenn du meine Lieblingsblumen nicht abschneidest!«

»Aha, und das wären?«

Caroline überlegte. »Die am Gartenzaun und die roten vorne
am Haus, die Rosen, die Margeriten und – eigentlich alle!«

Als Bernadette hörte, daß dieses Treffen tatsächlich stattfinden
sollte, war sie versucht, sofort von Stuttgart zurück an den Bodensee zu fahren. Aber sie hatte am Donnerstag morgen einen Termin
bei ihrem Physiotherapeuten, auf den sie so lange hatte warten
müssen, daß sie ihn nicht absagen wollte. Und den Streß, Mittwoch nacht von Lindau nach Stuttgart zu fahren, wollte sie sich
nicht antun. So hoffte sie, daß Julia sie über alles ausführlich unter-
richten würde, und spitzte ihre Schwestern an. Renate erzählte ihr
bei dieser Gelegenheit, welche Möglichkeiten Hans-Jürgen aufge-
zählt hatte.

»Hört sich ja sehr beruhigend an«, fand Bernadette mit spötti-
schem Unterton. »Vor allem wenn man Vater erlebt, wie er plötzlich so liberal und weltoffen tut. Ich hoffe sehr, daß alles im Sande
verläuft!«

»Thekla meint, daß wir uns demnächst mal alle zusammen-
setzen sollten!«

»Zum Kriegsrat oder was?«

»Sie findet es nicht zum Lachen!«

»Ich auch nicht. Aber warte ab, was Julia morgen erzählt. Möglicherweise ist ja wirklich alles harmlos, und wir sehen Gespenster!«

Bernadette hörte Renate durchs Telefon schnauben und konnte sich in etwa ihren Gesichtsausdruck vorstellen. »Das Gespenst hat für mich schon einen Namen und gleicht eher einer weißen Frau, einer klassischen Unruhestifterin. Und ob deine Julia die Situation mit unseren Augen sieht, möchte ich bezweifeln. Womöglich findet sie alles sehr witzig!«

»Warten wir es ab!«

Ina traf als erste ein. Sie parkte vor dem Anwesen und stieg gemeinsam mit Caroline aus, die den Blumenstrauß hielt. Der Regen hatte aufgehört, und die Wolken waren einem unwirklich gleißenden Licht gewichen. Alle Farben wirkten seltsam grell, von den nassen Blättern tropfte das Wasser, und an manchen Stellen schien die Erde zu dampfen. Ein Geruch nach feuchtem Gras lag in der Luft. »Darf ich gleich ans Wasser, Mama?« wollte Caroline wissen, kaum daß Ina geklingelt hatte.

»Jetzt warte doch erst einmal ab, Caroline. Schließlich sind wir zum Abendessen eingeladen worden und nicht zum Baden!«

»Aber ich bin doch das einzige Kind!«

»Genau! Und keiner kann auf dich aufpassen!«

»Auf mich braucht man nicht mehr aufzupassen, ich bin schließlich schon …« Das laute »Halllooo«, das vom Haus herüberschallte, schnitt Caroline das Wort ab.

Nancy hatte den Toröffner gedrückt, kam ihnen aber trotzdem entgegen. »Toll, daß ihr schon da seid!« rief sie heftig gestikulierend. »Anno wird sich freuen. Das heißt, er steht gerade noch in der Küche. Aber Julia und Niklas warten schon. Na, Caroline? Schön, daß du wieder da bist!«

Sie drückte Caroline so heftig an sich, daß die zwischen ihren Brüsten zu versinken drohte.

»Ich wollte eigentlich nie mehr herkommen«, sagte Caroline, als sie wieder Luft bekam.

»Da freue ich mich aber, daß du deine Meinung geändert hast!«

»Nur, wenn ihr alleine seid!«

»Es sind alles nette Leute da. Du kannst also unbesorgt hereinkommen!« Sie reichte Caroline die Hand, und Ina ging hinter den beiden aufs Haus zu.

Dieser Zwischenfall mit Annos Tochter saß ganz schön tief, stellte sie zum wiederholten Mal für sich fest. Das war wirklich unnötig gewesen.

Nancy führte Ina direkt in die Küche. Tatsächlich, dort stand Anno und schabte mit einem Messer Teig in einen großen Topf mit sprudelndem Wasser. »Wenn man Spätzle nicht ganz frisch macht, schmecken sie nicht«, sagte er dazu, legte Brett und Messer weg, rieb sich die Hände an dem weißen Tuch trocken, das er sich um den Bauch gebunden hatte, und reichte Ina die Hand. »Freut mich sehr, daß Sie gekommen sind. Ich bin gleich soweit!«

Ina nickte und schaute ihm zu. »Sie machen das sehr geschickt«, sagte sie nach einer Weile. »Ich glaube nicht, daß ich das so gut könnte!«

»Es ist keine Kunst. Eher Handwerk«, sagte er, und Ina schaute zu, wie die feinen Teigröllchen ins Wasser rutschten. »Ich hoffe, Sie haben Hunger mitgebracht!«

»Und wie!«

»Das freut mich! Ich mag Frauen nicht, die halbverhungert in ihren grünen Salaten herumstochern!«

»Das wird Ihnen bei mir nicht passieren! Ich esse gern und reichlich!«

Er warf ihr einen skeptischen Blick zu. »Irgendwie sehen Sie nicht so aus!«

Ina mußte lachen. »Bin ich Ihnen etwa zu dünn?«

Er musterte sie so ausführlich, daß es Ina schon unangenehm wurde. Schließlich nickte er anerkennend. »Ich finde, Sie sehen sehr gut aus – aber eben nicht gerade wie Nancy!«

Romys Auftritt war gelungen. Sie kam pünktlich zwanzig Minuten nach der verabredeten Zeit und rauschte, mit Claudio im Gefolge, auf die Terrasse, wo Nancy an einer langen Tafel den Aperitif reichte. »Mein Gott, ist das ein traumhaftes Anwesen«, flötete sie, während sie die Hände zusammenschlug. »Sie müssen der glücklichste Mann der Welt sein«, sagte sie zu Anno, der aufgestanden war, um sie zu begrüßen. Romy blieb derweil wirkungsvoll stehen, was ihr nicht schwerfiel, denn sie sah in ihrem cremefarbenen Kleid mit dem sich aufbauschenden langen Rockteil tatsächlich wie eine der legendären Filmdiven aus. Um den Hals hatte sie ein tiefrotes Seidentuch gelegt, farblich passend zu ihrem Lippenstift und den hochhackigen Sandalen, und in den Ohren trug sie, wie am rechten Ringfinger, matt schimmernde Perlen. An ihrer linken Hand funkelte dagegen ein großer Brillantring. Anno bückte sich, ganz Gentleman, zum formvollendeten Handkuß über ihre Hand und führte sie zum Tisch, wo er ihr den Stuhl zurechtrückte.

Inas Blick glitt von Romy zu Claudio, der langsam nachkam und Anno jetzt die Hand schüttelte. Er sah sehr gut aus, wie ein typischer italienischer Beau oder Gigolo. Jedenfalls gab er, in seinem leichten schwarzen Anzug mit dem betont lässigen, aber edlen T-Shirt darunter, optisch den perfekten Begleiter für Romy ab. Dagegen kam sich Ina schon old-fashioned vor.

Sie begrüßten sich und stellten sich gegenseitig vor. Nancy füllte gutgelaunt die Sektschalen mit der Sommerbowle, die sie zum Aperitif vorbereitet hatte, und trug anschließend kleine, heiße Blätterteigtaschen auf. Alle griffen zu, und Romy begann, wenig damenhaft, Anno auszufragen. Anno schien nichts dagegen zu haben, denn er plauderte aus seinem Leben, erzählte, wie er seine Fabrik aufgebaut hatte, welche Erfolge er hatte verbuchen können, welche Mißerfolge er hatte einstecken müssen, und deutete schließlich auf Niklas. »Einen wie Sie hätte ich in der Familie haben müssen. Einen Maschinenbauingenieur, dann wäre die Fabrik heute noch in Familienbesitz. Aber meine Töchter brachten mir allesamt untaugliche Männer!«

»Tatsächlich?« schmunzelte Niklas.

»Samt und sonders«, bekräftigte Anno temperamentvoll.

»Weshalb hat keine Ihrer Töchter Maschinenbau studiert? Mädels können so was auch«, führte Niklas an.

Anno stutzte, dann überlegte er offensichtlich. »Wenn ich mich recht erinnere, hatte Thekla, meine Älteste, so etwas sogar vor. Bloß damals konnte ich mir nicht vorstellen, daß eine Frau mehr als einen Haushalt führen könnte!«

»Und heute?« wollte Romy wissen.

»Heute weiß ich nicht mehr, was ich glauben soll«, wich er aus.

»Das sieht Ihnen irgendwie nicht ähnlich«, warf Claudio ein.

»Nun«, Anno schaute Julia an, »vielleicht habe ich damals einen Fehler gemacht. Aber laß das bloß nicht deine Mutter hören, die würde gleich Thekla anrufen, und die würde mir damit sofort auf die Nerven fallen!«

Interessant, dachte Julia. Normalerweise geht man doch davon aus, daß Leute im Alter starrsinnig und dickköpfig werden. Bei Opi scheint es andersherum zu sein, er wirkt direkt aufgeschlossen und aufgeklärt. »Ich verrate es nicht«, sagte sie und lächelte ihm zu.

»Sie ist nicht ohne Grund meine Lieblingsenkelin«, sagte er daraufhin in verschwörerischem Tonfall zu den anderen und legte den Zeigefinger auf die Lippen.

Ina genoß es. Alles wirkte harmonisch und sorgenfrei, so als könne einen, was sich draußen vor dem großen Tor abspielte, nicht wirklich berühren. Sie fühlte sich auf eine seltsame Art frei. Auch Caroline schien glücklich zu sein. Sie stand zwischen Julia und Niklas und klaute den beiden abwechselnd die Blätterteigtaschen vom Teller.

»Wie groß ist denn Ihre Familie?« hörte sie Romy fragen.

Anno zählte seine Töchter, Schwiegersöhne und Enkelkinder auf.

»Und alle wollen erben?« Romy blinzelte ihm zu.

So etwas fragt man doch nicht, war Inas erster Gedanke, aber Anno nickte mit verschmitztem Lächeln. »Scheint so«, bekräftigte er gestenreich.

»Da habe ich meiner Familie einen Strich durch die Rechnung gemacht!« Romy hielt ihr leeres Glas hoch, und Nancy griff nach der Kelle. »Dafür ächten sie mich jetzt, und auch die Damenliga, mit der ich früher kegeln war, lädt mich nicht mehr ein. Ich passe nicht mehr ins Raster!«

»Scheint so«, wiederholte Anno.

Romy prostete ihm zu. »Dafür bin ich lebendig wie noch nie in meinem Leben. Udo Jürgens hatte mit seinem Song unrecht. Das Leben fängt nicht mit 66 Jahren an.« Romy tätschelte Claudios Oberarm. »Bei mir hat es erst mit 80 angefangen!«

»Dann müssen Sie aber noch mindestens 100 werden, damit sich das auch rentiert.« Anno beugte sich gespannt vor. »Indiskreterweise gestehe ich aber, daß es mich natürlich schon interessiert, wie Sie das angestellt haben!« Dabei schaute er sowohl zu Claudio als auch zu Romy, so daß nicht ganz klar war, wen von beiden er angesprochen hatte.

»Claudio ist mein Kümmerer«, erklärte Romy, als sei dies die natürlichste Sache der Welt.

»Ihr was?« fragte Anno und fuhr sich mit der Hand durch seine weißen Haare.

»Wir haben ein Abkommen«, mischte sich Claudio ein, und seine kastanienbraunen Augen glänzten. »Wir haben Spaß miteinander, wir kommen gut miteinander aus, ich bin für sie da, wir unternehmen alles zusammen, und ich erbe!«

»Aha.« Mehr fiel Anno dazu im Moment nicht ein.

»Glänzende Idee!« Nancy klatschte die flache Hand auf den Tisch, daß die Gläser klirrten. »Ein Kümmerer! Toll! Ausgezeichnet!«

»So etwas habe ich wirklich noch nie gehört«, warf Ina ein.

»Wir haben eine neue Gesellschaftsform erfunden«, erklärte Romy, und ihr Brillantring funkelte, während ihre Hände erklärend die Luft zerschnitten. »Mein Mann und ich haben uns auf das Berliner Testament verständigt, das bedeutet, daß die Kinder erst nach dem Tod des Letztversterbenden erben können. Und da sich meine beiden Söhne nach seinem Tod nur noch an meinen Geburtstagen zu mir bemüht haben, wahrscheinlich um zu sehen, wie lange es noch dauern würde, habe ich nicht vor, sie über den gesetzlichen Pflichtteil hinaus zu beglücken. Und meine Tochter wurde sowieso schon ausreichend von meinem Mann bedacht. Außerdem hat sie einen sehr guten Beruf und ist zudem noch ordentlich verheiratet, sie braucht mich nicht. Eine Tochter aus der ersten Ehe meines Mannes hat sich, nachdem sie ihren Pflichtteil beim Tode meines Mannes bekommen hat, seit Jahren nicht mehr bei uns sehen lassen, was lag also näher, als einmal im Leben völlig egoistisch zu sein und nur an sich selbst zu denken?«

»Ich habe nie etwas anderes getan!« Anno zuckte die Achseln.

Niklas lachte lauthals los, und Julia knuffte ihn in den Oberarm. Anno schaute Niklas an und schien zu überlegen, was den plötzlichen Heiterkeitsausbruch bewirkt haben könnte. »Also, ich finde die Idee mit dem … Kümmerer auch sehr witzig. Und originell.« Er versank wieder in Schweigen, und alle warteten gespannt.

»Und mutig«, fügte Ina hinzu. »Das ist doch ein außerordentlicher Schritt. Wenn ich mir nur mal die Nachbarn vorstelle, oder die Bekannten, die Verwandten und überhaupt alle, die einen über Jahre nur in der Rolle der Ehefrau gekannt haben …«

»Ja«, fiel Romy ein, »in der Rolle der Ehefrau, die im Hintergrund alles ordentlich regelte. Ja, das gab schon einen Aufschrei, als ich nach dem Tod meines Mannes plötzlich andere Interessen hegte als die einer trauernden Witwe, die nun gebrochenen Herzens für den Rest ihres Lebens das Grab ihres Ehemannes pflegen würde.«

»Mama, ich wünsche mir auch einen Kümmerer!« Caroline saß inzwischen halb auf Julias Schoß und hatte der Diskussion gelauscht. Bevor Ina schuldbewußt reagieren konnte, war aber ihre halblaut geflüsterte Anmerkung zu hören. »Aber nur so einen wie Claudio!« Alle lachten, und Claudio blinzelte ihr zu, was sie offensichtlich verlegen machte.

»So einen wie Claudio finden wir alle nicht schlecht!« donnerte Nancy und schwang die leere Kelle. Romy nahm es als Aufforderung und schob ihr erneut ihr Glas zu.

Anno sah zu, wie Nancy schwungvoll das Glas mit Bowle füllte. »Das müßte doch auch in die andere Richtung funktionieren«, überlegte er laut. »Eine Kümmerin!«

»Aber Opi«, Julia runzelte die Stirn, »du hast doch mit Nancy schon eine Kümmerin!«

»Das ist doch ganz etwas anderes!« Annos viele Falten vertieften sich, als sich jetzt ein breites Lächeln in sein Gesicht kerbte. »Ich möchte meine gierige Familie ja auch nicht enterben. Aber einen Streich würde ich ihnen gern spielen!«

»Einen Streich?« Julia schaute ihn gespannt an. »Was denn für einen Streich?«

»Hmmm.« Anno zuckte die Achseln, und ein spitzbübischer Ausdruck legte sich um seine Augen. Und plötzlich blitzte in ihm der Bub von vor 80 Jahren auf. »Ich weiß nicht, ob es ratsam wäre, dir das zu erzählen!«

»Willst du mich beleidigen, Opi?«

Er grinste noch immer. »Natürlich nicht! Aber deine Mutter ist schließlich meine Tochter. Hoffe ich zumindest!«

»Opi!«

»Ja und? Sind meine Töchter nicht alle höchst unterschiedlich geraten? Hast du dir darüber schon mal Gedanken gemacht?« Er schaute Julia schräg an.

Sie zog die Augenbrauen hoch und setzte ihr erklärendes Schulmädchengesicht auf: »Das läßt sich durch die unterschiedlichen Gene erklären, Opi. Ein bißchen mehr hiervon und ein bißchen mehr davon, und schon ist alles ganz anders!«

»Habe ich das nicht eben gesagt? Ein bißchen mehr hiervon und ein bißchen mehr davon?«

»Sie wollen doch nicht etwa andeuten ...« Romy hatte sich sensationslüstern über den Tisch gebeugt. »Das ist ja höchst aufschlußreich!«

»Ich habe nichts gesagt, außer daß ich mir auch eine Kümme-

72

rin vorstellen könnte. So, wie Sie das machen, Romy, das ringt mir Respekt ab. Alle Achtung! Das einzige, was ich mir eben dachte, und das ist wahrscheinlich exakt das gleiche, was Sie sich schon weit vor mir gedacht haben, ist ...«

»Ist?« Romy war atemlos.

»Das haben wir uns verdient!« Anno lachte laut los und klatschte zur Bekräftigung in die Hände.

Alle lachten mit, nur Julia befürchtete insgeheim eine ungute Wendung.

Bernadette war aufs höchste alarmiert, als Julia sie am nächsten Morgen in aller Frühe anrief. Bei einer Langschläferin wie ihrer Tochter konnte das nur bedeuten, daß irgend etwas aus der Bahn geraten war. Sie war eben dabei gewesen, sich in der Küche ihren kleinen, bescheidenen Frühstückstisch zu decken, als das Telefon klingelte. Ihr erster Gedanke, ihr Physiotherapeut könnte den Termin absagen, ließ ihr Blut pochen. Dann hätte sie genausogut in Lindau bleiben können. Julias Stimme am anderen Ende der Leitung empfand sie allerdings als weitaus beunruhigender.

»Du wirst es nicht glauben, Mama«, hörte sie ihre Tochter sagen, und es klang für diese Stunde ungewöhnlich fröhlich, »Opi wandelt wieder auf Freiersfüßen!«

»Bitte?« Bernadette verschluckte sich, und jetzt brach ihr der Schweiß aus. »Was meinst du damit?«

»Nun, er hat Ambitionen!«

Bernadette ließ sich auf den nächsten Stuhl sinken. »Was heißt das genau?«

»Romy hat ihm so gut gefallen, daß –«

»Romy?«

»Ja, die mit Claudio, die Großmutter von –«

»Ich weiß schon, wen du meinst, ich dachte nur, Romy sei ihm sicherlich zu alt.«

»Opi ist für Romy zu alt. Dies mal vorweg!«

»Ich hab's befürchtet!« Bernadette bemühte sich, einen klaren Gedanken zu fassen, aber es schwirrte alles durcheinander. Was konnte das für sie, die Töchter, bedeuten? Hatte er tatsächlich irgendwelche festen Absichten? »Aber mit wem?« überlegte sie laut.

»Keine Ahnung, er tat recht geheimnisvoll!«

»War diese Schwarz auch da?«

»Sie ist sehr nett, und sie vertragen sich gut, ja!«

Bernadette schloß die Augen. Hans-Jürgen würde mit seinen lahmarschigen Überlegungen und Vorschlägen zu spät kommen. Sie hörte bereits die Glocken läuten.

»Das müssen wir verhindern, hörst du, Julia?«

»Aber warum denn? Es tut ihm doch gut!«

»Aber uns nicht! Und wir sind seine Familie! Er ist ein fürchterlicher alter Egoist!«

»Aber du auch, wenn du ihm das nicht gönnst!«

Als Julia auflegte, blieb sie kurz regungslos stehen. Ihre Gefühle waren gespalten. Einerseits belustigte sie es, ganz so, wie die anderen es prophezeit hatten, in ein Wespennest hineingestochen zu haben, auf der anderen Seite schämte sie sich für ihre Mutter, die ganz offensichtlich diesen Reigen der Erbengier mittanzte. Sie hatte insgeheim für sich gehofft, ihre Mutter würde sich über Opis Lebenslust freuen. Und jetzt wuchs die Enttäuschung, denn wenn sie es auch geahnt hatte, so hätte sie es nicht vor sich selbst zugeben: Ihre Mutter war überhaupt nicht anders als die anderen. Und das tat weh. Langsam drehte sie sich um.

»Na, was sagt deine Mutter?« Anno und Nancy hatten wie Verschworene hinter ihr gestanden. »Freut sie sich mit mir?«

»Ich befürchte eher, sie ist erschrocken, Opi!«

»Habe ich es dir nicht gesagt?« Anno legte den Arm um ihre Schulter und zog sie zum Frühstückstisch. »Mach dir nichts daraus. Wir führen sie ein bißchen vor, sie sollen sich gegenseitig gründlich kennenlernen. Und ich sie auch. Wer kennt schon seine Familie …«

Bernadette war außer sich. Und gleichzeitig versuchte sie sich zu analysieren. Warum regte sie das so auf? War das wirklich sie, oder war das der Einfluß ihrer Schwestern? Trotzdem war sie zu aufgeregt, um sich jetzt an den Frühstückstisch setzen zu können. Sie wanderte von der Küche ihrer Vierzimmerwohnung in das Wohnzimmer und zurück und versuchte dabei, sich über ihre Gefühle klarzuwerden. Als sie sich von Rainer scheiden ließ, hatte sie auf so manches verzichtet, denn sie fühlte sich schuldig. Nicht, daß sie einen anderen gehabt hätte, sondern weil sie ihn nicht mehr ertragen konnte. So ließ sie ihm den Bausparvertrag und auch die Sparkonten. Sie hatte das brennende Bedürfnis, frei zu sein, und machte zusätzlich beim Unterhalt Zugeständnisse. Wichtig war ihr die Zukunft ihrer gemeinsamen Tochter, der Rest interessierte sie zu diesem Zeitpunkt nicht. Heute, mit dem Abstand einiger Jahre, sah sie es freilich anders. Er hatte sich glücklich aus der Affäre gezogen, innerhalb kürzester Zeit wieder geheiratet, bis heute wußte sie nicht, ob er diese Frau schon vorher oder tatsächlich erst nach der Ehe kennengelernt hatte, und interessierte sich höchstens an Weihnachten noch für seine erste Tochter. Mit seiner zweiten Frau hatte er Zwillinge und mit ihr oder durch sie einen ungebremsten gesellschaftlichen Ehrgeiz entwickelt. Bernadette tat es manchmal für Julia weh, wenn er in einer der Stadtzeitschriften mal wieder preisgab, jede freie Minute mit seinen Kindern zu verbringen, sei es auf dem Golfplatz, im Reitverein oder zu Hause. Sie erinnerte sich dann mit Wehmut daran, daß Julia an den Wochenenden immer vor den ständigen Reibereien geflohen war und auch sonst nicht viel von ihrem Vater gehabt hatte.

Sie blieb am Fenster stehen und schaute durch den Vorhang hinaus. Sie wohnte im fünften Stock eines großen Mietshauses, das freundlich und modern gebaut war, aber eben doch als ein Silo zwischen anderen. Keine Wohnkultur wie früher im Kräherwald, wo alles gediegen und teuer und grün war. Hier zogen die Mieter die Pflanzen auf ihren kleinen Balkonen, denn von einem Garten konnten die meisten nur träumen.

Bernadette wandte sich ab und schaute in ihr Wohnzimmer. Sie hatte nichts aus ihrem Haus mitgenommen. Sie wollte mit nichts an vergangene Zeiten erinnert werden, für die Ledergarnitur hatte sie sogar einen kleinen Kredit aufgenommen. Bernadette wollte ein selbstbestimmtes Leben führen, nicht mehr fragen müssen, sich nicht beugen müssen. Doch sie hatte übersehen, daß manches nur durch Kampf zu gewinnen ist. Sie mußte mit den Jahren erkennen, daß sie zwar die Scheidung eingereicht hatte, aber trotzdem die Unterlegene war.

Bernadette rieb sich die Augen. Es war eben nicht alles so einfach, und wenn sie ehrlich war, hat sie das elterliche Erbe fest in ihre Zukunft eingeplant. Sie ging langsam durch das Wohnzimmer in Richtung Küche, blieb vor dem Regal stehen und nahm einige Fotos heraus. Ihre Tochter als Säugling, als Dreijährige, bei der Einschulung, der Konfirmation und vor ihrem ersten Auto. Das offizielle Hochzeitsbild ihrer Eltern, ein Foto der Familie an Weihnachten und ein Foto ihrer Mutter, als sie schon von ihrer Krankheit gezeichnet war und trotzdem noch lächelte. Bernadette wischte über das einzige Foto, das sie zeigte. Julia hatte es aufgenommen, deswegen war es etwas schief, aber es zeigte sie völlig ausgelassen lachend in einem Straßencafé. Die Erinnerung daran tat weh, denn sie schäumte damals über vor Glück und der Illusion einer neuen Liebe. Es dauerte zwei Monate, bis sie herausfand, daß er verheiratet war und mit ihr nur ein Spielchen spielte. Diese Erkenntnis bescherte ihr einige schlaflose Nächte, aber die Erfahrung zeigte ihr, daß sie noch mit jeder Faser ihres Körpers lebte und sie nicht, wie sie befürchtet hatte, durch die Jahre mit Rainer völlig abgestumpft war.

Bernadette nahm das Bild mit zu ihrem Frühstückstisch und setzte sich jetzt endlich. Sie hatte sich so weit beruhigt, daß sie nachdenken konnte. Wenn Anno tatsächlich eine junge Frau finden und auch noch heiraten würde, ginge zunächst einmal die Hälfte des Erbes an diese Neue. Das würde bedeuten, daß sich die Töchter den Rest teilen müßten. Sie wußte zwar nicht, wie groß das Vermögen ihres Vaters tatsächlich war, aber sie hatte nicht die Absicht, auch diesmal klein beizugeben. Anno war ihr Vater, und es war doch offensichtlich, daß es sich bei jeder Neuen um eine Erbschleicherin handeln würde. Nichts klarer als das! Bernadette schenkte sich mit energischem Schwung eine Tasse ein, bevor sie zum Telefon griff.

Ina hatte eine denkwürdige Nacht hinter sich. Als sie um sieben Uhr aufwachte und einen fürchterlichen Durst hatte, brauchte sie eine Weile, bis sich die Bruchstücke, die ihr so nach und nach in den Sinn kamen, zu einem Ganzen zusammengefügt hatten. Manches erschien ihr bereits so weit weg, daß sie sich fragte, ob es nicht vielleicht doch nur ein Traum gewesen ist. Romy, die gestern nacht so freimütig aus ihrem Leben erzählte, und Anno, der ihr so gespannt zuhörte, als verkünde sie das fünfte Evangelium. Und Nancy, die ihr ständig zublinzelte, was Ina nach einer Weile kaum noch ertragen konnte.

Als die Platte mit den Blätterteigtaschen leergegessen war und es auffrischte, bat Anno an den gedeckten Tisch ins Wohnzimmer. Alle lobten seine Spätzle und den Sauerbraten, aber so ganz bei der Sache schien er nicht zu sein. Dann und wann warf er einen nachdenklichen Blick zu Ina, so daß sie anfing, sich Gedanken darüber zu machen. Stimmte etwas nicht? Hatte sie seine Spätzle zuwenig gewürdigt? Oder war sonst etwas nicht in Ordnung?

Anno hatte einen schweren Rotwein dekantiert und sorgte ständig für Nachschub. Die Stimmung schlug hoch, Romy erzählte Anekdoten aus ihrem Leben mit Claudio, so daß sich alle vor Lachen schüttelten.

Beim Cognac dann, kurz vor Mitternacht, als alle die Gläser hochhielten und anstießen, sagte Anno plötzlich ohne jegliche Vorwarnung zu Ina: »Könnten Sie es sich vorstellen, meine Frau zu werden?«

Es war eine solch absonderliche Vorstellung, daß sich Ina die Situation fotografisch einbrannte. Sie sah es jetzt, in ihrem Bett liegend, wieder genau vor sich: Den sechsarmigen Silberleuchter mit den fast heruntergebrannten Kerzen, die Dessertteller mit den Resten eines Tiramisu, die weiße Leinentischdecke mit den Rotweinflecken, Annos Gesicht mit der Pergamenthaut über den hohen Wangenknochen und mit den schlohweißen Haaren und wie sie langsam das Cognacglas sinken ließ, ohne einen Schluck getrunken zu haben.

Ina stöhnte auf und zog sich die Bettdecke über den Kopf. Wie gerne würde sie das alles ungeschehen machen, das Bild einfach wegwischen. Aber es ließ sich nicht ungeschehen machen. Sie sah Nancys schwere Brüste vor sich, die vor dem Teller zu liegen kamen, weil sie sich vor Überraschung ruckartig über den Tisch geworfen hatte, und sie sah, wie Romy, wie aus einem der Gemälde herabgestiegen, regungslos mit ihrem Glas im Anschlag verharrte, während Julia rot anlief. Die beiden Männer warfen sich nur einen Blick zu, und Anno wartete auf Antwort. Ina starrte ihn an, und in ihren Ohren summte es. Es war genau das eingetreten, was Nancy ihr vor drei Tagen scherzhaft in ihrem Garten vorgeschlagen hatte. Oder war es überhaupt nicht scherzhaft gewesen? Hatte sie die Lunte gelegt?

»Ist das ein so ungeheuerlicher Gedanke für Sie?« fragte Anno, und sein Ton klang fast schüchtern.

Ina wollte ihn nicht verletzen, aber er war ein Greis. Das hatte sie auch Nancy schon gesagt. Sie fand ihn interessant, und er war für sein Alter auch äußerst gutaussehend, aber er war ein Greis. Ein Greis von 85 Jahren, der um ihre Hand anhielt. Ihr fiel dazu beim besten Willen nichts ein. Schließlich stammelte sie: »Es ist … es kommt völlig überraschend!« Und gleich darauf: »Warum denn eigentlich?«

Anno lächelte milde. »Aus Realismus und Boshaftigkeit. Deshalb!«

Ein Heiratsantrag ohne Liebeserklärung, der sich auf realistische Überlegungen stützt, war genau das, was sich Ina ihr Leben lang gewünscht hatte. Sie schüttelte langsam den Kopf. »Es kommt mir ziemlich irreal vor«, sagte sie schließlich. »Warum, um Gottes Willen, sollten wir aus Boshaftigkeit heiraten? Und warum überhaupt heiraten? Wir kennen uns doch überhaupt nicht!«

Sein Lächeln hatte sich wie eine Maske über sein Gesicht gespannt. »Ich weiß nicht, wie lange ich noch Zeit habe, Sie genau kennenzulernen. Was ich bisher kenne, gefällt mir eigentlich.

Zudem denke ich, daß wir das, was ich gesagt habe, nicht ganz so planmäßig verfolgen müßten. Ich denke nur an ein gewisses Störfeuer in meinen Reihen, das mir Spaß machen würde und von dem Sie natürlich auch profitieren sollten. Mit einer finanziellen Absicherung nach meinem Tod. Ich denke dabei auch an Ihre Tochter. Oder kommt der leibliche Vater seinen Pflichten nach?«

Ina griff nach dem Cognacglas, leerte es in einem Zug und stellte es hart ab. »Nein!«

»Nein? Dachte ich mir!«

»Ich sagte *nein* zu Ihrer Idee. Ich mache da nicht mit, weil ich…«

»Sprechen Sie nicht weiter, denken Sie darüber nach. Julia wird morgen ihrer Mutter verkünden, daß ich mich verlobt habe und daß das Verlobungsgeschenk schon vor der Tür steht!«

»Wie bitte?« Julia schaute ihren Großvater mit aufgerissenen Augen an, während Claudio zu lachen begann.

»Göttlich«, sagte er. »Grandios! Der Kümmerer, zweiter Akt!«

Eine der Kerzen zischte und begann auf das Tischtuch zu tropfen. Nancy schaute nicht einmal hin. »Was für ein Verlobungsgeschenk denn?« fragte sie.

»Keine Ahnung. Sehen wir morgen!« Annos Augen blitzten vor Vergnügen, und es war ihm anzusehen, daß er mit keiner weiteren Absage rechnete.

Ina drehte sich unter ihrer Decke herum und preßte ihr Gesicht ins Kopfkissen. Es war alles so abstrus und so abwegig, daß sie es einfach nicht glauben wollte. Etwas Schweres plumpste mit voller Wucht auf ihren Körper, sie fuhr hoch und schüttelte Caroline ab, die sich an ihr festhielt und laut lachte. »Habe ich dich jetzt geweckt?«

Ina befreite sich aus ihren Decken und kämpfte spielerisch mit ihrer Tochter, bis Carolines Kräfte nachließen und sie offensichtlich genug hatte. Ihr Kindergesicht war gerötet und wirkte durch die zarte Haut wie das einer Porzellanpuppe, die langen Haare hingen wirr um ihr Gesicht und klebten leicht an der feuchten Stirn, das weiße Nachthemd war völlig verrutscht. Was für ein Glück, daß ich sie habe, dachte Ina und flüsterte in ihr Ohr: »Kuscheln wir noch ein bißchen?«

»Komm ich dann nicht zu spät zur Schule?« wollte Caroline wissen und schlüpfte bereitwillig zu ihr unter die Decke.

»Bestimmt nicht«, sagte Ina und gab ihr einen Nasenstüber.

»Bei dir ist es viel gemütlicher als in meinem Zimmer, Mami. Bei dir hört man viel besser die Vögel singen!«

Sie lagen eine kurze Weile still nebeneinander und lauschten dem morgendlichen Gezwitscher aus dem Garten. Der weiße Vorhang aus festem Leinen mit dem eingewebten Blumenmuster, ein ehemaliger Bettüberwurf, ließ an der einen Seite einen dicken Sonnenstrahl herein, der sich auf den braunen Bohlen des Fußbodens ausbreitete und in dem man feine Staubkörner tanzen sah. Ina hatte das ganze Zimmer in Weiß gehalten, auch der alte Kleiderschrank aus braunem Nußholz mit dem integrierten Spiegel war von ihr mit weißem Lack überstrichen worden. Farbe brachten nur einige große Bilder in das Zimmer. Über dem Bett hing das Ölbild mehrerer riesiger Tulpen in kräftigem Rot und Orange, und an den anderen Wänden hingen je zwei überdimensional große Zitronen und zwei grüne Äpfel. Caroline hatte recht, Ina fand auch, daß dies das schönste Zimmer ihrer gesamten Wohnung war. Zumindest gelang es ihr morgens immer nur mit Müh und Not, es zu verlassen.

»Wie war es denn gestern?« wollte Ina von ihrer Tochter wissen. »Hat es Spaß gemacht mit Gabriela?«

Caroline rümpfte die Nase. »Es macht nie Spaß mit ihr!«

»Wieso denn? Was lief denn verkehrt?«

»Sie hat mich ins Bett gebracht!«

Ina begann erneut, Caroline zu kitzeln und zu knuddeln, bis diese vor Lachen nicht mehr konnte. »Hör auf, Mami, das ist gemein!«

Julia stand neben Nancy in der Küche. Sie hatten jede Menge benutzter feingeschliffener Gläser vor sich, die Nancy eines nach dem anderen vorsichtig im Wasserbad spülte und anschließend schaumbedeckt auf die Spüle stellte. Julia hatte sich ein Geschirrtuch gegriffen und wartete auf ihren Einsatz.

»Meinst du nicht, Opi macht da einen Fehler? Ich jedenfalls fühle mich überhaupt nicht wohl in meiner Haut!«

»Es ist ein Spiel für ihn!« Nancy griff nach der Handbrause, hielt erneut jedes der Gläser über das Becken und spülte mit starkem Strahl den Schaum ab.

»Aber es spielen doch auch noch andere Menschen mit! Und zudem hat Ina ja noch überhaupt nichts dazu gesagt!«

»Stimmt, hat sie nicht!« Nancy stellte das Glas unsanft ab. »Aber sie wird noch, da bin ich mir sicher!«

»Und was sage ich Mami?«

»Nichts. Du kannst schließlich nicht alles wissen!«

Julia band sich symbolisch das Geschirrtuch vor die Augen. »Meinst du so?«

»Ich meine, daß du ja auch wieder abreist. Mußt du nicht studieren?«

»Tjaaa«, Julia zögerte und blinzelte hinter ihrem Tuch hervor.

Nancy hielt in ihrer Bewegung inne. »Oder was?«

»Eigentlich mag ich nicht abreisen ...«

»Ach nein? Ein Kerl in Sicht, und schon ist das Studium passé?« Ihr Gesicht, rund wie ein Vollmond, in dem ihre Augen kleiner wirkten, als sie tatsächlich waren, rötete sich, bevor sie losprustete. Julia hatte abgewartet, denn sie war sich in der Sekunde tatsächlich nicht sicher gewesen, wie Nancy es meinte.

»Kerle sind nicht alles!« lachte Nancy laut und griff nach einem neuen Glas. »Zumindest bei mir waren sie es nie! Der eine wollte sich an meinem Busen ausheulen, und das täglich, und der andere fing an, mir nur noch Körner vorzusetzen! Von Liebe hatten sie allesamt keine Ahnung, und Sex beschränkte sich darauf, ihren Pullermann zu bewundern. Laß es bleiben!«

Julia trocknete ausführlich an ihrem Glas herum. »Man kann sie doch nicht alle über einen Kamm scheren, Nancy. Es gibt doch solche und solche! Du hast eben Pech gehabt!«

»Ich? Pech?« Nancy runzelte die Stirn und warf ihr einen skeptischen Blick zu. »Wart's ab!«

Für Thekla hatte der Morgen schon schlecht angefangen. Sie hatte am Vorabend, in ihrer Ungeduld, im Moment nichts Konkretes gegen die schleichende Entwicklung in Lindau unternehmen zu können, Kleider aussortiert. Da ihr Geldspenden zu undurchsichtig und schlichtweg zu teuer waren, dachte sie, auf diesem Weg ihren Obolus für die Armen und Verfolgten dieser Welt zu leisten. In ihrem eigenen Kleiderschrank tat sie sich schwer, denn die etwas älteren Kleider, die zwischenzeitlich zu klein für sie geworden waren, waren ein Anreiz, irgendwann mal wieder hineinzupassen. Außerdem, kaum hatte sie etwas aus den hinteren Ecken des Schranks ans Tageslicht gezerrt, wirkte es durchaus noch brauchbar. Was sollten die Menschen auf dem Balkan oder sonstwo auch mit Kostümen anfangen. Was die brauchten, waren Hosen und Pullover. Thekla schloß den Schrank und ging in das Gästezimmer, in dem noch Kleider von Barbara hingen. Sie nahm einen Schwung heraus, legte ihn aufs Bett und begann die Kleidungsstücke zu sortieren. Diese Unart ihrer Tochter, alle möglichen Dinge auf einen einzigen Bügel zu hängen, anstatt sich nach einem anderen umzusehen. Sie legte ein Stück neben das andere, dabei fiel ihr eine Lederjacke auf, von der ihre Tochter behauptet hatte, daß sie verlorengegangen sei. Oder sogar gestohlen. Kein Wunder, daß sie bei dieser Anhäufung von Hosen, Jacken und Röcken nichts mehr fand. Triumphierend legte sie sich die Lederjacke über den Arm und eilte zum Telefon. Barbara wird staunen, und sie wird ihr gleich mal klarmachen können, was sie von so einer eklatanten Unordnung in ihrem Haushalt hält.

Schwungvoll legte sie ihr Bündel über eine Stuhllehne, um wählen zu können, da rutschte ein Brief aus der Innentasche der Jacke und blieb ihr zu Füßen auf dem Boden liegen. Thekla bückte sich, um ihn wieder zurückzutun, aber in der Bewegung blieb ihr Blick am Adressaten hängen. Ein Brief an Gerhard in der Handschrift seiner Tochter mit der Adresse seines Büros, frankiert und mit dreimal unterstrichenem »Persönlich« vermerkt. Was konnte das zu bedeuten haben? Sie spürte ihr Herz klopfen, denn eigentlich wollte sie es gar nicht wissen. Eine unbestimmte Angst erfaßte sie, am liebsten hätte sie den Brief in die Jackentasche gestopft und die Angelegenheit schlagartig vergessen.

Aber nun war er da.

Sie ging vom Flur in die Küche, der Hort, an dem sie sich sicher fühlte, setzte sich an den Tisch und legte ihn vor sich. Nachdem sie ihn eine Weile angeschaut hatte, stand sie auf und setzte Wasser auf. Sie mußte ihn öffnen, das war klar. Und dann würde sie entscheiden, ob sie ihn zurücklegen oder verschwinden lassen mußte. Da Barbara sowieso von einem Verlust ihrer Jacke ausging, dürfte das keinen Unterschied machen. Über dem Wasserdampf öffnete sie vorsichtig den Falz, legte den Brief auf den Tisch zurück und bereitete sich mit dem kochenden Wasser einen Tee zu. Sie schaffte es einfach nicht, sich dem Inhalt sorglos zu nähern. Sie trank den Tee, am Herd lehnend, in kleinen Schlückchen und betrachtete das geöffnete Kuvert aus der Ferne.

Was könnte es zu bedeuten haben? Warum schrieb eine Tochter dem Vater einen Brief, zudem an die Büroadresse? Warum sprach sie nicht mit ihm oder drückte ihm den Brief zu Hause in die Hand? War es eine Abrechnung mit ihm? Müßte sie nun lesen, was sie alles ahnte oder was ihre Tochter ihr damals an den Kopf geschleudert hatte, ohne daß sie es tatsächlich zur Kenntnis nehmen wollte? Sie starrte den Brief an. Wollte sie das überhaupt? Hatte nicht damals die Verdrängungstaktik ihre Familie gerettet? Es hätte einen ungeheuerlichen Skandal gegeben, wenn alles an die Öffentlichkeit gelangt wäre. Der Uniprofessor ein Sexmonster. So war zumindest die Fassade heil geblieben.

Schließlich war die Tasse leer, und sie hatte keinen Grund mehr, sich weiter am Herd festzuhalten. Sie ging energisch zum Tisch, nahm den Brief heraus und blieb stehen. Zuerst überflog sie ihn, dann setzte sie sich, um ihn Zeile für Zeile, Wort für Wort gründlich zu lesen. Ihre Zunge wurde pelzig und die Mundhöhle trocken. Sie schluckte. Ihre Tochter erpreßte ihren eigenen Vater.

Ganz offensichtlich wollte sie auf diese Weise ihre Studentenkasse aufbessern. Thekla schaute sich die Liste an, die da vermerkt war. Einige Frauennamen, mit kompletter Adresse und Alter. Es ging also nicht um Barbara selbst, es ging um andere Frauen. Was hieß da Frauen, es waren knapp Volljährige.

Thekla griff sich an die Stirn, sie fühlte sich feucht an. Auch ihr dünnes Leinenkleid begann am Körper zu kleben. Es durfte einfach nicht wahr sein. Anstatt aus dem Vorgefallenen eine Lehre zu ziehen, hatte Gerhard ungestört weitergemacht. Andererseits, überlegte Thekla, was bewies das schon. Eine Liste mit Namen. Die konnte jeder schreiben. Ihre Tochter forderte 10 000 Mark, sonst würde sie die Mutter einweihen. Die ist jetzt eingeweiht, dachte Thekla, und schaute auf das Datum des Briefes. Zwei Monate her. Sicherlich hatte Barbara, nachdem sie die Jacke mitsamt dem Brief verloren geglaubt hatte, ein ähnliches Schreiben aufgesetzt und losgeschickt. Ob Gerhard tatsächlich Schweigegeld bezahlt? Und wenn ja, von welchem Konto? Konnte er eine solche Summe hinter ihrem Rücken aufbringen?

Thekla stand auf, ging an den Kühlschrank und öffnete die Tür. Unentschlossen schaute sie hinein. Wie konnte Barbara so etwas tun! Es verstieß nicht bloß gegen die guten Sitten! Es war völlig regelwidrig, zumal innerhalb der Familie! Es war schlicht das Letzte! Sie griff nach einer Tafel Schokolade, nahm sie heraus und betrachtete sie. Wie sollte sie sich verhalten? Gerhard zur Rede stellen? Das würde unendlichen Streß bringen. Einfacher war es da schon, Barbara auf den Zahn zu fühlen. Auf der anderen Seite könnte sie ausrasten und sonst etwas in die Öffentlichkeit ausposaunen. Das stand auch nicht dafür. Sollte sie sich mit ihren beiden andern Kindern, Irene und Klaus, beraten? Aber Irene würde wieder ihr die Schuld an allem geben, das hatte sie bei Barbaras Vorwürfen dem Vater gegenüber schon getan, und Klaus würde ihr die Adresse eines Scheidungsanwalts in die Hand drücken. Das wäre auch nicht das erste Mal.

Thekla riß die Verpackung auf, brach einen Riegel der Vollmilchschokolade ab und steckte ihn sich in den Mund. Reine Nervennahrung, das war gestattet. Sie setzte sich wieder an den Tisch und überlegte. Wenn sie tief in sich hineinhorchte und sich selbst gegenüber ganz ehrlich war, interessierte sie an dieser Geschichte die Frage, ob Gerhard gezahlt hatte, am meisten. Und sollte er tatsächlich so blöd gewesen sein, seiner eigenen Tochter 10 000 Mark in den Rachen zu werfen, war er unbestritten ein ausgemachter Idiot. Jetzt mußte sie es nur noch herausfinden.

Gerhard drückte zu, bis sie röchelte. Ihre Augen quollen heraus, sie wehrte sich und schlug um sich, aber sie hatte keine Chance, denn sie war nicht seine Gewichtsklasse. Er lag nackt auf ihr und preßte sie langsam zu Tode. Erst als die Arme schlaff zur Seite sanken und der Widerstand gänzlich verebbt war, auch das Krümmen des Körpers und das Zucken der Bauchdecke, ließ er von ihr ab und betrachtete sie. Sie sah seiner Tochter verflucht ähnlich. Wahrscheinlich war sie es. Er betrachtete sie genauer. Er hatte seine eigene Tochter umgebracht. Das hat sie davon, dachte er noch – da wachte er auf.

Er lag auf dem Sofa, das er sich vor nicht allzu langer Zeit unter den mißtrauischen Blicken seiner Sekretärin Heidi Zell in sein Arbeitszimmer hatte stellen lassen. Langsam richtete er sich auf und stellte fest, daß er kein bißchen aufgeregt war. Den Traum hatte er in letzter Zeit häufiger, er kehrte regelmäßig wieder, wie ein Fingerzeig oder, stärker noch, wie eine Bestimmung. Gerhard rückte seine Krawatte zurecht und fuhr sich durch sein schütter werdendes Haar. Es konnte nicht seine Schuld sein, wenn ihn die jungen Dinger bis aufs Blut reizten, einschließlich seiner Tochter. Mit diesem Brief, den sie ihm vor zwei Monaten geschrieben hatte, hatte sie den Bogen eindeutig überspannt. Er hatte ihr gleich gesagt, daß er nicht vorhabe, auch nur einen Pfennig an sie zu zahlen, und sie solle sich vor ihm hüten. Er machte ihr deutlich, daß er diesen Erpressungsversuch als eindeutigen Angriff werte und seine Antwort auf sie als Aggressor nur ein Akt der Notwehr sein könne.

Das war seine Rede gewesen, und seither träumte er davon. Sie aber hatte ihm einen zweiten Brief geschrieben, in dem sie ihm drohte, sie würde eine Anzeige in der Zeitung aufgeben, falls er nicht binnen drei Wochen mit der Kohle rüberrücken würde. Und damit er sich gleich vorstellen könne, wie das Ganze dann aussehen würde, lasse sie ihm, so schrieb sie weiter, mit diesem Brief auch gleich den genauen Entwurf zukommen. Gerhard zog ein zweites Blatt aus dem Umschlag und faltete es auseinander. Adressiert war es an die Zeitung, aber auch an verschiedene Fernsehredaktionen mit entsprechenden Talkthemen. Mit zusammengebissenen Zähnen las er:

Geschichtsprofessor erzwang Inzest
Hochangesehen und hochdotiert — und trotzdem ein Monster. Die Tochter hatte über Jahre unter ihm zu leiden, er liebt blutjunge Frauen. Studiert auch Ihre Tochter an der Essener Uni? Jetzt sind Sie gewarnt!

Gez. Barbara, die Tochter

Hans-Jürgen saß in seinem Büro und tat so, als würde er seiner Mandantin zuhören, die ihm langatmig eine Geschichte erzählte, die er schon aus den Akten kannte und die darüber hinaus bereits mit dem gegnerischen Anwalt ausgehandelt war. Sie würden einen Vergleich schließen, das war in diesem Fall die schnellste und sicherste Methode zum Geldverdienen, zudem die mit dem geringsten Arbeitsaufwand.

Während er seiner Mandantin dann und wann zustimmend zunickte, dachte er an seinen Schwiegervater. Es war zwar nicht so, daß er die Hysterie seiner Frau teilte, aber immerhin erkannte er als Mann die Macht der jungen Frau und die Eitelkeit des alternden Bockes. Und das beunruhigte ihn zutiefst. Nicht nur das: Die Kanzlei lief nicht mehr so gut, seitdem sich so viele Spunde in Mannheim niedergelassen hatten. Sie zogen mit ihren flotten

Sprüchen und ihren Jeans unter den Talaren die junge Kundschaft ab, genau die, die ihm bislang den Grundstock für die monatlichen Ausgaben gebracht hatte. Wenn jedoch der alltägliche Kram wie Scheidung und Schlägerei ausblieb, mußte er größere Fische an Land ziehen, was nicht so ohne weiteres zu machen war. Und was zusätzlich an ihm nagte, war die Spielschuld bei einem seiner Kameraden. Daß sie bei ihren Männerausflügen vor allem in die Kasinos gingen, brauchte keiner außerhalb dieser Runde zu wissen. Schon gar nicht die Frauen, das wäre nicht nur lästig, sondern sträflich, wenn nicht gar tödlich gewesen. Aber beim letzten Mal, während eines Miniausflugs nach Bad Homburg – sie hatten das als nachträgliche Geburtstagsfeier getarnt –, hatte er sich völlig übernommen. Er war am Roulettetisch so gewaltig auf der Siegerseite gewesen, daß er nicht wahrhaben wollte, als er rapide zu verlieren begann. Bei 15 000 Mark hörte er auf, fast besinnungslos von dem Wunsch, noch weiterzuspielen. Er mußte von seinen Freunden ausgelöst werden, was beschämend genug war, aber auch danach konnte er seine Niederlage nicht begreifen und brauchte Tage, um der Wahrheit ins Auge sehen zu können. Natürlich wußte er nicht, wie er diese gewaltige Summe zusammenbringen sollte. Vor seinen Freunden wollte er das Gesicht nicht verlieren, und vor allem konnte er ihnen gegenüber nicht zugeben, daß er nicht mehr auf der Seite der sorglosen Verdiener war. Also blieb nur ein Kredit. Er schwitzte bei dem Gedanken, Renate könnte dahinterkommen. Mit heruntergelassenen Hosen vor ihr zu stehen, dieser Gedanke war ihm mehr als unerträglich.

Er schnippte seinen Füller hin und her und schaute durch die Mandantin hindurch. Er war Ministrant gewesen, und seine Eltern hätten ihn am liebsten schwarzberockt im Zölibat gesehen, was die 20jährige aus dem Nachbarhaus allerdings zu verhindern wußte: An seinem 17. Geburtstag zog sie ihn am späten Nachmittag in den Beichtstuhl und entließ ihn in der Gewißheit, daß jetzt nur noch der schwarze Rock eines Anwalts in Frage käme. Er erklärte seinen Eltern am selben Abend in einem Anflug aufkeimender Männlichkeit, daß er während der vergangenen 17 Jahre seines Lebens nun wahrlich genügend Weihrauch eingeatmet habe und hiermit auf Marlboro umstiege.

Trotzdem saßen die katholischen Riten und Lehren tief, und zwischendurch schlich er zur Beichte in die Kirche. Nur jetzt beherrschte ihn ein Gedanke, der über Verschwendungssucht und das bloße Begehren deines Nächsten Weibes hinausging: Er wünschte sich, daß sein Schwiegervater ein Stelldichein bei Petrus hatte, bevor diese Sirene ihre Krallen in dessen Geldbeutel schlagen konnte. Und da dies kein frommer Wunsch war, schlug er zur Verblüffung seiner beredten Mandantin ein Kreuz.

In Augsburg schlenderte Lydia durch die Fußgängerzone und schaute sich die Auslagen an. Sie wollte sich, passend zum strahlenden Wetter, ein neues Sommerkleid kaufen und möglichst auch noch entsprechende Schuhe. Für den späteren Nachmittag hatte sie sich einen Friseurtermin geben lassen, und morgen früh wollte sie zur Kosmetikerin. Irgendwie fühlte sie sich stiefmütterlich behandelt und mußte das kompensieren. Das alte Gefühl der Nichtexistenz war während der letzten Tage wieder massiv ausgebrochen; es kroch jetzt erneut durch ihre Adern und vergiftete ihre Seele. Es war unerträglich, wie ihre Schwestern sie ausschlossen.

Es war ihr völlig klar, daß sie sie nicht für voll nahmen. Kurt verdiente als Kinderarzt nicht so viel wie Hans-Jürgen mit seiner gutgehenden Kanzlei mitten in Mannheim. Renate ließ sie das stets spüren, erzählte mal so nebenbei vom neuen Mercedes und der nächsten Fernreise. Auch die Erfolge ihrer Kinder waren ein beliebtes Thema. Lisa, Lydias erstes Kind, war dagegen unehelich auf die Welt gekommen, als Lydia 21 Jahre alt war. Das war für ein Klostermädchen natürlich eine Schande, wobei es sie heute wunderte, daß es in ihrer Unerfahrenheit nicht schon mit achtzehn passiert war. Trotzdem, Thekla, der das gleiche passiert war, hatte immerhin einen Mann vorzuweisen und war sofort nach der Zeugung standesgemäß verheiratet gewesen. Und wenn ihr Gatte auch zweifelhafte Ambitionen zu haben schien, so stand die Familie gesellschaftlich doch glänzend da. Renate bekam ihre vier Kinder vorbildlich im Abstand eines Jahres. Und selbst Bernadette hatte einen Vater zu ihrer Julia, wenngleich auch einen unausstehlichen. Nur sie, Lydia, hatte es nicht, und sie spielte auch zu diesem Zeitpunkt die Außenseiterrolle, die sie in ihrer Familie immer gespielt hatte.

Wenn sie als Kind in den Ferien nach Hause kam, war sie nie richtig integriert. Weder in die Zänkereien und Handgreiflichkeiten zwischen Thekla und Renate, noch wurde sie in die Intrigen eingeweiht, die Bernadette aushecke. Zu Weihnachten bekam sie ein goldenes Kreuz an einer Kette geschenkt, während ihre Schwestern die ersten Handtaschen unter dem Weihnachtsbaum liegen hatten. Sie haßte das Kloster und fand doch manchmal Schutz, wenn auch nur bei einer einzigen Nonne. Sie war ihre Klavierlehrerin und hatte viel Verständnis für sie, vor allem dafür, daß Lydia, die völlig unmusikalisch war, panische Angst davor hatte, im Speisesaal ans Klavier gerufen zu werden und vor allen anderen spielen zu müssen.

Es war der tägliche Spießrutenlauf für sie, denn wenn alle durch waren, kam die Reihe unweigerlich an sie. Ihre Klavierlehrerin, die während des Unterrichts den Totenglöckchen lauschte, die vom Klosterfriedhof herüberschallten, und mit faltigem Gesicht ein Vaterunser lächelte, erkannte ihre Not und hielt ihre Hand schützend über sie. Deshalb erzählte Lydia ihr alles. Von ihrer Nichtexistenz, von ihren Eltern, die sie eigentlich überhaupt nicht kannte, von der Villa am See mit den wunderbar knarrenden Bäumen und dem lockenden Wasser und von ihren Schwestern, die stets alles untereinander aufteilten und ihr nie etwas übrigließen. Als die Klavierlehrerin starb, hatte sie die einzige Freundin und Bezugsperson ihres Lebens verloren. Sie fühlte sich völlig nackt in einer kalten Umgebung und schwänzte zum ersten Mal den Unterricht, um ihr unter dem Gebimmel der Totenglöckchen und dem Gemurmel der Nonnen am frisch geschaufelten Grab ein heißes Lebewohl nachzuweinen.

Lydia stand vor der Boutique, in der sie schon so manche Mark gelassen hatte, und schaute die Blusen durch, die draußen auf einem Ständer hingen. Sie waren alle heruntergesetzt, und Lydia zog zwei heraus, um sie genauer anzusehen. Die eine war silbergrau mit schlichtem Ausschnitt und hellen, großen Knöpfen und die andere rot mit aufwendigen Applikationen. Sie betrachtete beide eine Weile, und während sie sie verglich, sah sie plötzlich ihre Situation darin widergespiegelt. Es war wie in ihrem eigenen Leben. Auf der einen Seite sie, im durchschnittlichen, leicht zu übersehenden Grau, auf der anderen Seite die Schwestern in herausforderndem Rot, siegesgewiß, fordernd. Lydia hängte die beiden Blusen zurück, als hätte sie sich die Finger verbrannt. Eines wurde ihr nämlich schlagartig klar: Sie hatte 49 Jahre ihres Lebens zurückgesteckt, war immer das Stiefkind, das Aschenputtel gewesen. Von nun an würde sie Rot tragen. Jetzt war ihre Zeit gekommen, und sie würde dafür kämpfen, daß auch sie endlich einen Platz im Leben erhielt. Sollten sich ihre Schwestern gegen Anno zusammenschließen, sie würde einen Weg finden, am Schluß zusammen mit Kurt über alle zu triumphieren: in der Villa am See!

Anno hatte sein Mittagsschläfchen beendet und blieb noch eine Weile mit geschlossenen Augen im Bett liegen. Er hatte den ganzen Tag über das nachgedacht, was er in der Nacht zuvor impulsiv ausgesprochen hatte. Er hatte es hin und her gewälzt, auf Pro und Kontra untersucht und war zu dem Ergebnis gekommen, daß es zwar ungewöhnlich, aber trotzdem eine gute Idee war. Er sah das Beispiel von Romy zu genau vor seinen Augen. Ihr glückliches Lächeln, ihre glänzenden Augen: die ganze Frau war über ihr Alter erhaben. Es war zwar unkonventionell, aber was zählten in einer Welt kurz vor dem Eintritt in die Dunkelkammer schon Konventionen. Ging es hier nicht um sein persönliches Glück?

Ursprünglich hatte er es tatsächlich als bloße Scheinaktion gegen seine Töchter und vor allem gegen seine Schwiegersöhne gesehen. Denn er konnte sich vorstellen, daß sich Hans-Jürgen mit seinen Möglichkeiten als Anwalt längst bis zu seinen verschiedenen Konten, Sparbüchern und Wertpapieren durchgetastet hatte und für ein verlängerndes Lebensglück seines Schwiegervaters wenig Sinn aufbringen würde. Und Gerhard hielt er für einen berechnenden Psychopathen, der die Villa wahrscheinlich am liebsten in ein Mädchenpensionat umbauen lassen würde. Bei Rainer hatte er sich eigentlich gewundert, daß er sich von Bernadette hatte vertreiben lassen, denn Anno war sicher, daß Rainer auf die Wirksamkeit einer Lieblingsenkelin wie Julia hoffte. Einzig bei Kurt glaubte er, eine Ausnahme machen zu können: Er und Lydia hatten wahrscheinlich noch nicht einmal erkannt, daß die Figuren bereits verteilt und die ersten Züge schon durchdacht wurden.

Anno stand auf und ging ans Fenster. Nancy lag in einem zeltförmigen Badeanzug draußen im Liegestuhl und sonnte sich. Er betrachtete sie eine Weile und fragte sich, welche Motivation sie zu der Rolle einer Kupplerin treiben könnte. Irgendwie hatte er im Gespür, daß sie eine Verbindung zwischen ihm und Ina Schwarz begrüßen würde. Und nicht nur das, wahrscheinlich förderte sie dies sogar. Wollte sie ihm etwas Gutes tun? Oder eher Ina? Oder ging es überhaupt nicht um Positives, sondern eher Negatives, nämlich gegenüber seiner Familie? Sein Blick glitt über sie hinweg über das Grundstück. Es war zu schön, um es kampflos aufzugeben. Es war tatsächlich ein Geschenk, hier leben zu dürfen. Er hatte es sich durch harte Arbeit, durch Findigkeit, aber auch durch ständige Risikobereitschaft erarbeitet. Was sollten sie damit tun? Durch vier teilen? Das Haus auseinanderreißen, das Grundstück in lange, schmale Handtücher aufteilen? Sie würden es verkaufen, an einen Meistbietenden aus Stuttgart oder sonstwo aus Schwaben, jedenfalls an einen, der die gelebte alte Villa abreißen und durch einen gläsernen Stahlbau ersetzen würde. Sie würden das Geld nehmen, größere Autos bestellen, Glaskästen an ihre Häuser bauen, Winterdomizile auf Teneriffa kaufen und vor den Nachbarn angeben. Annos Blick blieb an Nancys gewaltigem Bauch hängen. Und sie, was würde mit ihr passieren? Das Arbeitsamt würde ihr bescheinigen, daß sie für eine weitere Arbeitsstelle zu dick, zu laut und zu alt sei. Aus. Sie würde zuschauen, wie die eiserne Birne in die leeren Fenster sauste, sie würde das Dach einstürzen hören und den Staub aufsteigen sehen. Sie würde das Ende miterleben, wahrscheinlich auch ihr eigenes Ende.

Anno drehte sich vom Fenster weg und schaute geblendet in den nun völlig dunklen Schlafraum. Seine Augen nahmen nichts wahr, und trotzdem glaubte er für den Bruchteil einer Sekunde seine Frau auf seinem Bett sitzen und ihm zunicken zu sehen. »Blödsinn!« sagte er laut und rieb sich über die Lider. Es hätte keiner Erscheinung bedurft, formulierte er still. Er wußte auch so, was zu tun war.

Ina hatte den ganzen Vormittag an ihrem Schreibtisch verbracht. Sie sortierte Belege, versuchte Liegengebliebenes aufzuarbeiten und sich in die noch unerforschten Geheimnisse ihres Faxgerätes einzulesen. Denn daß es sehr viel mehr konnte, als sie nutzte, war klar. Auch die Gebrauchsanweisungen ihres Videorecorders, des Handys und ihres Telefons mit integriertem Anrufbeantworter lagen bereit. Sie würde Mittel und Wege finden, um sich von den drängenden Gedanken abzulenken. Kurz vor Mittag deckte sie im Garten den Tisch, richtete einen Sommersalat und stellte Wasser für Wienerle auf. Nebenher füllte sie die Waschmaschine, hängte Wäsche auf, schrubbte die Holzböden, wusch die Küchenschränke aus und fühlte sich entsetzlich hyperaktiv.

Caroline kam nicht rechtzeitig, sicherlich trödelte sie wieder mit ihrer Freundin herum. Ina ging in ihrem kurzen T-Shirt vor den Spiegel und betrachtete sich. Sie hatte wahrlich Glück mit ihrer Figur. Lange, schlanke Beine, keine Spur von Cellulitis, obwohl sie keinen Sport trieb. Sie drehte und wendete sich und kniff sich auch von hinten in die Oberschenkel. Nicht der Hauch einer Veränderung. Sie zog das T-Shirt aus. Ihr Busen war nicht besonders groß und hatte deswegen keine Schwierigkeiten mit der Schwerkraft, und ihre Hüften waren knabenhaft schmal. Sie entdeckte keinen Unterschied zu ihrer Figur von vor zehn Jahren. Eigentlich sollte sie sich darüber freuen, aber sie zog sich das T-Shirt hastig wieder über den Kopf. Welche Idee, einem solchen frischen Körper einen Körper von 80 Jahren an die Seite zu stellen. Ihre Phantasie reichte aus, um eine Gänsehaut zu bekommen.

Sie rieb sich die Oberarme und ging in den Garten. Daß sie überhaupt darüber nachdachte. Sicher, ursprünglich fand sie die Idee, dieser elenden Familie eines auszuwischen, geradezu genial. Und als Carolines Erlebnis noch frisch war, hätte sie wahrscheinlich nicht gezögert, sofort »ja« zu sagen. Aber es waren Tage vergangen, und sie hatte Abstand gewonnen. Sie träumte von einem jungen, muskulösen, sehnigen Männerkörper und nicht von faltiger Haut.

Vom Garten her hörte sie Caroline rufen und lief hinaus. Sie sah hübsch aus mit den locker zusammengenommenen Haaren und dem rotweißkarierten Kleid. »Na, mein Liebling, hast du Hunger?« Ina beugte sich zu ihr hinunter und gab ihr einen Kuß auf die Stirn.

»Was gibt's denn?« Caroline ließ den Schulranzen von der Schulter rutschen und kratzte sich hingebungsvoll am Schienbein.

»Würstchen und Salat!«

Sie erntete einen schiefen Blick von unten. »Kannst du nicht mal so was machen wie gestern die Nancy? Diese heißen Dinger?«

»Du meinst die kleinen Schinkenhörnchen?«

Caroline ging an ihr vorbei und setzte sich an den Gartentisch. »Ja, die waren lecker! Und den Claudio fand ich auch sehr nett!«

Richtig, Claudio! Ina ging in die Küche, um die Wienerle ins heiße Wasser zu legen. Wie fühlte sich eigentlich Claudio an der Seite einer 84jährigen Frau? Ob sie mit ihm ins Bett wollte? War das vorstellbar? Oder ob man das nur im umgekehrten Fall, Mann alt, Frau jung, für akzeptabel hielt?

Ina beschloß, Claudio danach zu fragen. Irgendwie hatte sie den Eindruck, daß er kein Problem damit hatte. Und da er Annos Ambitionen mitbekommen hatte, konnte sie auch sicherlich gleich offen mit ihm reden.

Ina war froh, einen Weg aus der Untätigkeit gefunden zu haben, und nahm das Telefon, während sie auf die Würstchen wartete. Sie rief die Auskunft an und hatte Glück. Romy hatte keinen Geheimanschluß, sondern im Gegenteil eine höchst einprägsame Nummer, die sich Ina auch ohne Papier und Bleistift merken konnte.

Sie wählte direkt, um nicht noch einmal darüber nachdenken zu müssen.

»Pronto.« Es war Romy. Über diese Möglichkeit hatte sich Ina im Vorfeld keine Gedanken gemacht, und sie kam ins Stocken.

»Wie nett, daß Sie uns anrufen«, freute sich Romy und lud sie spontan für den Nachmittag ein. »Bringen Sie doch Ihre Tochter mit, wir haben einen wunderschönen verwunschenen Garten, das wird der Kleinen sicher gefallen!«

Sie tauschten einige Höflichkeitsformeln aus, und Ina war froh, daß Romy überhaupt nicht nach dem Grund ihres Anrufes fragte. So sagte sie für den späteren Nachmittag zu und war gleichzeitig dankbar, ihrer Nichtbeschäftigung entfliehen zu können. Ein paar Stunden in einer neuen, sicher ungewöhnlichen Umgebung würden ihr guttun. Illusionen eben.

Caroline war hin und her gerissen. Auf der einen Seite war sie maßlos neugierig, auf der anderen hatte das Meerschweinchen ihrer Freundin Jella Junge bekommen, und sie hatten verabredet, daß eine große Taufe stattfinden sollte. Caroline war eine der vier Patinnen, und Veronique, ebenfalls ein Mädchen aus ihrer Klasse, brachte extra ein silbernes Taufbecken mit. Ina hoffte, daß die jungen Meerschweinchen die Zeremonie überleben würden, und rief noch schnell Jellas Mutter an, um sie auf die drohende Gefahr aufmerksam zu machen. Die tatsächliche Gefahr erwies sich aber erst im nachhinein, denn als Ina wieder auflegte, hatte ihr Jellas Mutter nicht nur eines der Meerschweinchenbabys aufgeschwatzt, sondern gleich deren zwei. Eines allein sei zu einsam und somit zu traurig, bekam sie zu hören, und dann erfolgte die mütterliche Verschwörung, die Tierchen in genau sechs Wochen frühmorgens in Carolines Zimmer zu stellen, so daß sie, wenn sie an ihrem siebten Geburtstag die Augen aufschlug, gleich ein wunderschönes Geschenk vorfände.

Als Ina auflegte, war ihr klar, daß das wunderschöne Geschenk an ihr kleben bleiben würde. Sie brauchte einen großen Käfig fürs Haus, für die Sommerfrische galt es ein Stück Garten einzuzäunen, sie mußte ordentliche Meerschweinchenhäuschen bauen und schließlich dafür Sorge tragen, daß aus zwei nicht im Handumdrehen acht wurden.

Ina lieferte Caroline ab, tauschte einen verschwörerischen Blick mit Jellas Mutter aus und fuhr zu der angegebenen Adresse. Dabei war sie sich überhaupt nicht im klaren, wie sie das Thema anpacken könnte. Sollte sie einfach beide fragen? Es wäre zumindest am ehrlichsten. Aber war es nicht auch verletzend? Gesetzt den Fall, Claudio würde sich aus ästhetischen Gründen davon distanzieren, wie müßte sich Romy fühlen? Sie beschloß, erst einmal abzuwarten.

Sie brauchte länger als vorhergesehen, denn der Verkehr ging nur stockend voran. Nicht zu fassen, dachte sie, während sich vor ihr mühsam ein Wagen nach dem anderen in die Hauptstraße einfädelte, wo kommen die bloß alle her? War für die Bürokraten der Stadt schon wieder Feierabend, oder waren es tatsächlich alles Touristen, die den Verkehr lahmlegten? Klasse Idee, in den Städten generell Tempo 30 einzuführen, fand sie; wenn es zwingend wäre, käme man wenigstens vorwärts.

Schließlich ging es doch weiter, und Ina parkte kurz darauf direkt vor Romys Haus. Mit einer Flasche Wein in der Hand sprang sie hinaus, öffnete das Gartentor und bemühte sich, wie vor wenigen Tagen noch Julia, die unregelmäßigen Steinplatten zu treffen. Als sie gerade die Klingel suchte, wurde die Tür vor ihr aufgerissen, und Romy stand vor ihr. »Oh, meine Liebe, ich habe gewartet, aber jetzt muß ich leider gehen!« Sie nahm Ina in die Arme, als seien sie die allerbesten Freundinnen, und erklärte ihr, daß sie total übersehen hätte, welcher Wochentag heute sei. Am Donnerstag habe sie immer ihren Italienischkurs an der Volkshochschule, und sie könne es sich leider nicht leisten, auch nur eine Stunde ausfallen zu lassen. Dann käme sie ganz einfach nicht mehr mit. »Macht es euch derweil gemütlich«, rief sie ihr mit einer Kußhand zu, während sie mit ihrem weiten, cremefarbenem Chiffonkleid über die Steinplatten einem eben am Gartenzaun haltenden Taxi entgegenwehte.

Ina sah ihr nach, dann drehte sie sich wieder zur offenen Eingangstür um und erschrak: Direkt vor ihr stand Claudio und lächelte sie an. »Wir werden schon klarkommen«, sagte er. »Kommen Sie erst einmal herein!«

Er trat zur Seite, um sie hereinzulassen. Ina fühlte sich befangen. Eigentlich wollte sie ja wirklich nur mit ihm reden, aber jetzt war ihr völlig unklar, wie sie das anfangen könnte. Und auch die Einrichtung der Eingangshalle wirkte seltsam auf sie. Diese vielen Tücher, Spiegel, der Geruch und die Musik. Sie kam sich vor wie in einer Operette, zumindest hatte es etwas Surreales. Nur Claudio wirkte seltsam klar in dieser formlosen Umgebung. Er ging ihr jetzt voraus und bat sie ins Wohnzimmer. Hier leben die beiden also, dachte Ina und konnte es sich nicht so richtig vorstellen. Die hohen Fenster erinnerten sie an eine Kirche, und unwillkürlich überlegte sie, ob Romy und Claudio hier wohl schwarze Messen feierten. Aber dann wischte sie den Gedanken weg. Er war blödsinnig, denn die Fenster waren weit geöffnet, Licht strömte herein, und der Garten dahinter sah wirklich nur nach kindlichem Abenteuer aus. Die Wohnlandschaft war hell, und es gab nichts, was dem nüchternen Auge hätte unheimlich erscheinen können.

»Überlegen Sie, was Sie sagen sollen?« sagte Claudio, und Ina fühlte sich unbehaglich. Hatte er sie durchschaut, oder war es eine Standardfrage? Sie beschloß, ihn genau dieses zu fragen, und er grinste. Dabei stand er ihr so nah gegenüber, daß Ina keine einzige Kleinigkeit entging. Er hatte eine unglaublich junge, glatte Haut und sah mit seinem römisch geschwungenen Mund, dem energischen Kinn und den dichten schwarzen Haaren, die trotz ihrer gezähmten Kürze wild wirkten, einfach verdammt gut aus. Sie stellte fest, daß sie brennend an dem Arrangement zwischen ihm und Romy interessiert war.

»Kaffee?« fragte er, und sie war sich bei dem nahen Blick in seine kastanienbraunen Augen nicht sicher, ob nicht ein kleiner Ausdruck von Spott darin lag. »Eiskaffee vielleicht?«

»Sehr gute Idee.« Ina wandte sich ab und trat an eines der geöffneten bodentiefen Fenster. Sie hörte, wie er den Raum verließ, und ging in den Garten. Ein gepflegtes Durcheinander der unterschiedlichsten Pflanzen empfing sie. In ihrer näheren Umgebung machte sie einen Bananenbaum aus, mehrere Palmen, aber auch eine Trauerweide und eine Birke.

Kein Wunder, daß Romy gemeint hatte, Caroline könnte ihren Spaß daran haben. Unter der Trauerweide hätte sie sich sicherlich bereits eine Wohnung eingerichtet und mit großen Blättern den Tisch gedeckt. Ina ging an der Hauswand entlang und blieb vor einem weiteren geöffneten Fenster stehen. Es gehörte zur Küche, und sie beobachtete, wie Claudio einen Sahnebecher aus dem Kühlschrank nahm, ihn in eine hohe Schüssel füllte und nach dem Mixer griff. »Kommen Sie ruhig herein«, sagte er. Anscheinend hatte er sie aus dem Augenwinkel heraus bemerkt. Ina kam seiner Aufforderung nach und setzte sich an den runden Bistrotisch, der zwischen zwei bequemen Korbstühlen direkt neben dem Fenster stand. Mit der Hand wischte sie über den kühlen Marmor der Tischplatte und überlegte, was sie nun sagen könnte, während sie die Küche musterte. Sie war in einem modernen Taubenblau gehalten, mit viel Edelstahl und Technik. Ina empfand sie als unerwarteten Kontrast zur verspielten, weiblichen Eingangshalle. Claudio nahm einen großen Löffel voll Schlagsahne und tauchte ihn so vorsichtig in den kalten Kaffee, daß die Schlagsahne oben schwamm, dann stellte er die beiden Gläser auf den Tisch. »Wollen wir hier bleiben?« fragte er und holte auf Inas Nicken hin aus einer Schublade zwei Röhrchen und zwei langstielige Löffel.

Irgendwie war es hier ein neutraler Raum, und Ina fand es angenehmer, als im Wohnzimmer auf der riesigen Couch zu sitzen.

»Sie wollen sicherlich einiges wissen«, begann er, kaum daß er sich ihr gegenüber hingesetzt hatte. Statt eine Antwort zu geben, griff Ina nach ihrem Löffel und strich ihn mit der Löffelspitze langsam durch die Sahne. »Brauchen Sie ein paar Tips in bezug auf Anno?«

Die Frage erschien Ina ziemlich provokant, und sie schaute auf. »Ich hatte eigentlich nicht vor, Ihr Beispiel auf mein Leben zu übertragen«, sagte sie, und während sie es noch aussprach, fragte sie sich, ob es nicht zu scharf gewesen war. Schließlich war sie Gast und, das mußte sie ehrlicherweise zugeben, tatsächlich in jeder Hinsicht neugierig.

»O la la!« Er schnalzte mit der Zunge. »Mag so sein. Könnte aber auch sein, daß andere es anders sehen!«

»Wie?!?«

»Nun, wenn mich nicht alles täuscht, war ich dabei, als Sie gestern nacht, das heißt...«, er schaute auf seine Armbanduhr, »... vor etwa 16 Stunden einen Heiratsantrag bekommen haben. Ich hätte das zumindest mal so interpretiert. Sie nicht?«

Ina sog am Röhrchen und überlegte. Er hatte verdammt recht. Es war ein Heiratsantrag gewesen, und seitdem war sie völlig neben der Rolle. »Ich auch«, sagte sie schlicht.

»Nun, sehen Sie!« Dabei ließ er es bewenden und fischte mit dem Löffel nach dem Vanilleeis, das unter der Sahne schwamm und sich bereits auflöste.

»Sehe ich was?« wollte Ina wissen.

Er schaute sie an, und sie hielt seinem Blick stand. »Sie müssen schließlich wissen, was Sie wollen«, sagte er mit einem leichten Lächeln in der Stimme.

Da wußte sie es schon nicht mehr. Was interessierte sie überhaupt das Gerede über Greise in weiblicher oder männlicher Form, wenn ihr hier ein Exemplar gegenübersaß, das alle Kriterien eines Kümmerers erfüllte? Ob er sich auch um Frauen unter 80 Jahren kümmerte?

Seine Augen kamen näher, schwebten über dem Eiskaffee, und Ina hing in ihnen fest, bis sie seine Lippen spürte. Sie fühlten sich härter an, als sie aussahen, und als sie den Mund öffnete, fiel sie fast vom Stuhl. Der Mensch konnte küssen! Kaum zu fassen! Ein Mann, der ihr nicht mit zuviel Speichel und zu lascher Zunge die Mundhöhle vollsabberte, sondern tatsächlich einer, der das Spiel beherrschte. Kaum zu glauben, das ließ Rückschlüsse zu. Sie hingen mehr als fünfzehn Minuten quer über dem Bistrotisch und küßten sich immer sinnlicher. Irgendwann rückten sie zusammen, ohne voneinander abzulassen, und Ina ertastete durch sein schwarzes T-Shirt hindurch seinen Oberkörper. Sie hatte so lange keinen Mann mehr gehabt, daß ihr sämtliche äußeren Umstände egal waren. Wenn er liebte, wie er küßte, war er es allemal wert. Zumindest in dieser Sekunde! Sie fühlte seine Hände auf ihren Brüsten und knöpfte kurz entschlossen ihre kurzärmelige Bluse auf. Sein Mund glitt hinunter zu ihrem Busen, seine Hände lösten den BH, dann versank sein Kopf zwischen ihren Brüsten. Sie saßen sich noch immer auf den beiden Stühlen gegenüber, sie hatte sein T-Shirt am Rücken bis zum Nacken hochgezogen und ließ ihre Finger an seiner Wirbelsäule entlang nach oben wandern, an den Schultern verharren, mit sanftem Druck ertasten und wieder nach unten fahren. Irgendwann geriet ihr das Streicheln außer Kontrolle, und sie spürte, wie sie sich mit allen zehn Fingern in seine Schulterblätter eingrub. Er hatte ihre Brustwarzen stimuliert wie keiner vor ihm, und sie wollte es jetzt wissen, und wenn es sein müßte, auf den Steinfliesen des Küchenbodens.

Er schien genau das gespürt zu haben, denn er zog sie hoch, fegte sein T-Shirt über den Kopf in eine Ecke, und sie drängten ihre nackten Oberkörper aneinander. Aber die Küsse waren es, die Ina am meisten verwirrten. Nie im Leben hätte sie geglaubt, daß ein Mann so küssen kann. Er topte alle bisherigen Erfahrungen und widerlegte ihre feste Meinung, daß Männer oberhalb der Gürtelschnalle völlig unbrauchbar seien.

Sie spürte seine Finger an ihrem Hosenknopf, und obwohl sie höllisch erregt war, war sie gespannt, wie er diese Hindernisse meistern würde. Sie hoffte, daß er sich jetzt nicht ungeschickt anstellen würde, denn sie wußte genau, daß es sie, ob sie wollte oder nicht, sofort abtörnen würde. Sie wollte in ihrem ganzen Leben keinen Dilettanten mehr an ihren Körper lassen, davon hatte sie wahrlich schon genug gehabt. Aber er wußte, wo er hingreifen mußte, und so beschäftigte sich auch Ina mit seiner Hose, und während sie alle weiteren Gedanken abschüttelte, lagen sie plötzlich nackt auf dem Boden. Und bevor Ina ein Gefühl für Kälte oder Wärme entwickeln konnte, war er zwischen ihren Beinen und küßte sie mit einer solchen Hingabe und Intensität, daß sie sich völlig fallenließ. Er schaffte es, sie bis in die Fingerspitzen unter Strom zu setzen, und als er, gerade zum rechten Zeitpunkt, als könne er in ihrem Körper lesen, langsam in sie eindrang, spürte sie ihn wie noch nie einen Mann zuvor. Es paßte, verdammt noch mal, dachte sie halb beglückt, halb erschrocken. Sein Körper war für ihren gemacht, das konnte nur Probleme geben.

Anno legte den Telefonhörer wieder auf. Anrufbeantworter mochte er nicht, und wenn Ina jetzt nicht erreichbar war, würde er sie eben später wieder anrufen. Vielleicht war es auch ganz gut so, denn eigentlich war er sich noch nicht sicher, wie er es formulieren wollte. Kommen Sie doch her, und lassen Sie uns mal über alles reden? Und wenn sie antworten würde: »Worüber sollten wir denn reden? Habe ich heute nacht nicht schon alles gesagt«, was dann? Und schließlich hätte sie recht, es war bereits ein klares »Nein« gefallen. Andererseits war er selbstbewußt genug, um zu wissen, daß er vieles zu bieten hatte. Aber er spürte auch das Handicap seines Alters, es hatte ihn unsicher gemacht. Konnte er sich einer so jungen Frau überhaupt anbieten? Waren die Zeiten nicht anders geworden? Würde sie gar über ihn lachen?

Er ging ins Wohnzimmer zurück, wo Julia und Niklas mit Nancy am Tisch saßen und Kaffee tranken. Sie schauten ihm aufmerksam entgegen. »Ich befürchte, ich werde das nicht so richtig vermitteln können«, sagte er, während er sich seinen Stuhl zurechtrückte.

»Was sagt sie denn?« wollte Julia wissen.

»Nicht viel.« Anno setzte sich und schenkte sich eine Tasse Kaffee nach, bevor er seine Enkelin aufklärte. »Sie war nicht da!«

»Schade.« Nancy klatschte ihm eine ordentliche Portion Schlagsahne auf den Apfelkuchen. »Wir hätten sie gleich mal herbitten können!«

»Nicht so viel!« Anno wehrte einen zweiten Löffel ab. »Ich kann in so einer entscheidenden Phase meines Lebens nicht auch noch dick werden!«

»Stimmt!« Julia hielt Nancy ihren Teller hin. »Opi muß attraktiv bleiben, gib es besser mir!«

»Ach, du etwa nicht?« Nancy warf Niklas einen vielsagenden Blick zu, dann schaute sie an sich hinunter. »Und was heißt da überhaupt, attraktiv bleiben? Will hier jemand behaupten, ich sei nicht attraktiv? Ich habe die attraktivsten Pfunde, die jemals durch Lindau getragen wurden, darauf lege ich Wert, und ich möchte es auch von euch bestätigt wissen!«

Niklas musterte sie mit fachmännischem Blick und nickte. »Nichts leichter als das! Ich habe wirklich noch nie so großartig angelegte Pfunde gesehen!«

Sein Grübchen in der Wange verstärkte sich, als er sie jetzt anlächelte, und der Schalk blitzte aus seinen blaugrauen Augen.

Julia warf ihm einen Blick zu und fand ihn unwiderstehlich. Nur, er schien nicht so richtig in Fahrt zu kommen. Heute nacht hatte er ihr, als sie sich vor seinem Wagen verabschiedeten, lediglich ein distanziertes Küßchen aufgedrückt und auch vorhin, zur Begrüßung, ein eher kameradschaftliches Bussi. Wenn sie nicht sein Typ war, was tat er dann hier? Vielleicht war er aber auch einer der Jungs, die erst mal Zeit brauchen. Oder hatte er in Stuttgart womöglich eine andere Braut sitzen und war nur noch nicht dazu gekommen, ihr das zu sagen? Oder noch schlimmer – wollte es nicht?

Julia beschloß, nichts zu überstürzen, und kam sich mit diesem Gedanken seltsam altmodisch vor.

Nancy war inzwischen dabei, Anno von seiner eigenen Idee zu überzeugen. »Frisches Leben wird Ihnen und diesem Haus guttun, und Ihre Familie wird sich allerlei einfallen lassen. Das wird ein Spaß werden!«

»Sie werden mir einen Psychiater schicken!«

»Ja, herrlich! Und dem werden wir eine Geschichte vorspielen, daß er nachher selbst einen Kollegen nötig hat!« Nancy schüttelte sich aus vor Lachen.

»Wolltest du nicht heute schon ein Verlobungsgeschenk besorgen?« Julia legte den Kopf schief.

»Wenn es nach meinem Plan gegangen wäre, ja!« Anno zuckte die Achseln.

»Was hast du dir denn gedacht?« Julia war maßlos neugierig, wieviel ihr Großvater wohl in eine neue Braut investieren würde.

»Ich dachte an etwas, das ein bißchen was hermacht und deine Tanten zur Verzweiflung treibt.« Er zog die Augenbrauen hoch und wartete ab.

Julia hatte seine Taktik zwar durchschaut, aber sie konnte es sich nicht verkneifen, gespannt »was denn nun?« zu fragen.

Er schaute kurz zur Decke und anschließend zu ihr. »Ich habe an einen Jaguar gedacht. Das Cabrio, meine ich, nicht das Tier!«

Julia fiel der Löffel aus der Hand.

Ina und Claudio lagen noch immer auf dem Küchenboden, jetzt seitlich und eng umschlungen. Sie hatten beide ihre Köpfe auf seinen ausgestreckten rechten Arm gelegt und schauten sich direkt in die Augen. Eine Weile sagten sie nichts, Claudio begann mit seinem linken Zeigefinger ihre Gesichtskonturen nachzuzeichnen. Sie schloß die Augen und horchte in sich hinein. Sie fühlte sich rundum zufrieden. Hier, auf dem harten Fußboden in Romys Küche. »Und wenn sie jetzt kommt?« fragte sie schließlich.

»Dann ist es eben so. Ich bin ihr Begleiter und nicht ihr Liebhaber!«

Sie hatte es nicht fragen wollen, aber sie hätte es sich auch schlecht vorstellen können. Alles, was eben geschehen war, hätte sie mit Romy teilen sollen? Ina war zu phantasievoll, um sich das ausmalen zu wollen. So blieb sie liegen und spürte, wie sie langsam auseinanderglitten.

»Kannst du es dir mit Anno vorstellen?«

Ina zog die Stirn kraus. »Ich habe keine Veranlassung, darüber nachzudenken!«

»Es gäbe sicherlich Arrangements, über die man nachdenken sollte!«

Ina bewegte sich ein bißchen von ihm fort und spürte, wie sie aneinander klebten. Ihre Körper waren feucht von Schweiß.

»Ich weiß nicht, was du meinst. Ich kenne keine solchen Arrangements.« Sie griff nach ihrem Busen. Ein nasser Film überzog ihn, sie glitt mit ihrer Hand zu Claudios Brust und fuhr ihm mit allen fünf Fingern durch seine geringelten Brusthaare. »Du hast einen schönen Körper«, sagte sie.

»Ich?« Er schaute sie groß an, dann lachte er laut. »Ha! So ein Witz! *Du* hast einen schönen Körper! Du kannst einen damit verrückt machen!«

Ina schaute an sich hinunter. Ja, sie hatte Glück gehabt, aber daß einer nach ihr verrückt gewesen wäre, hörte sie heute zum ersten Mal. Ihr Körper war eher knabenhaft schlank, hatte nichts von den Formen einer Brigitte Bardot. »Sollten wir nicht vielleicht mal ins Bad?« Sie zog ein Bein unter seinem hervor und spürte, daß es schon fast eingeschlafen war. Sicherlich würde sie morgen überall blaue Flecken haben, aber er war auch nicht ohne Schrammen und Male davongekommen, das war sicher.

Gemeinsam standen sie auf, und er ging ihr voraus ins Bad. Es war ganz aus weißem Marmor und fiel zum Garten hin stufig ab, so daß man von der eingelassenen runden Badewanne direkt durch die hohen Fenster hinausschauen konnte. An der anderen Seite waren moderne, runde Waschbecken aus Edelstahl angebracht, Bidet und Toilette verschwanden hinter einem gemauerten Vorsprung. Für Ina war es ein schier unvorstellbarer Luxus, der sich ihr bot, auch die weiße, runde Dusche, zu der Claudio sie jetzt führte.

»Ich hole dir nur noch schnell ein frisches Badetuch«, sagte er, während sie hineinging und sich die vielen Massagedüsen anschaute. Es war eine High-Tech-Dusche mit einem an der Innentür angebrachten Display und einem Bedienerfeld voller Symbole. Ina war es unbegreiflich, daß sich eine 84jährige Frau in so etwas zurechtfinden konnte. Claudio kam zu ihr herein, tippte einige Tasten an, drehte das Wasser auf, so daß es aus allen seitlich angebrachten Duschköpfen kam und nur ihre Köpfe aussparte, und begann Ina einzuseifen. Sie lehnte sich gegen die Glasscheibe und genoß seine Massage, und danach massierte sie ihn. Amüsiert stellte sie fest, daß ihre gezielte Säuberungsaktion bereits wieder

Wirkung zeigte. Sein Penis wuchs in ihrer Hand, und schließlich hob er sie hoch, und während sie ihre Beine um ihn schlang, wollte sie es selbst nicht glauben. Zuletzt hatte sie so etwas mit Kim Basinger in der Hauptrolle von »9 ½ Wochen« gesehen, aber selbst nicht für möglich gehalten. Was hatte sie bisher nur für schlaffe Liebhaber gehabt!

Romy hatte es sich in ihrem Garten auf einem kleinen Klappstuhl bequem gemacht. Geschützt durch die vielen Bäume und Zweige konnte sie so mit ihrem lichtstarken, aber handlichen Fernglas genau beobachten, was in ihrem Haus ablief. Es war ihr klar gewesen, und es kam ihr sehr entgegen. Claudio machte wirklich keine schlechte Figur, fand sie und bewunderte seinen Körper. Zudem zeigte er sich ausdauernd und geschickt. Kein Wunder, daß Ina dahinschmolz, welcher Mann konnte schon so ein Repertoire bieten. Sie lächelte vor sich hin und stellte ihr Fernglas schärfer. Das Glas der runden Dusche spiegelte zwar etwas, aber trotzdem war alles gut zu sehen, weil die winzigen Lichtstrahler an der Decke der Duschkabine allesamt eingeschaltet waren. Romy seufzte. Was hatte sie da nur für einen Prachtburschen an Land gezogen. Schade, daß ihr Mann sexuell so ein Tölpel war. Wie schön hätte ihr Leben sein können!

Anno hatte sich aufgemacht, er wollte Ina persönlich fragen. Nancy beschrieb ihm den Weg, er setzte sich in seinen Mercedes, der zwar schon etliche Jahre alt war, aber noch kaum Kilometer hatte, und fuhr los. Und weil er es genoß, mal wieder im Auto zu sitzen, fuhr er auch gleich einige Umwege. Zuerst auf die Insel, an der Inselhalle vorbei und durchs alte Stadttor in die Altstadt hinein. Das vertraute Kopfsteinpflaster brachte den Wagen zum Schwingen, Anno fuhr langsam und sortierte nach alter Gewohnheit Einheimische und Touristen. Die Einheimischen liefen meist über die Straße, ohne auch nur ansatzweise nach Autos zu schauen, denn die Insel gehörte ja ihnen. Die Touristen wichen aus und regten sich sichtbar darüber auf, daß in so schönen Gassen überhaupt ein Auto fahren durfte, zudem auch noch ein Mercedes – wenn auch ein betagter. Anno lächelte still vor sich hin. Er liebte die Stadt der Moschtköpfe, wenn auch seiner Meinung nach die meisten zur Fasnet keinerlei Verkleidung brauchten. Er fuhr bis zum alten Rathaus auf den Reichsplatz, blieb stehen, bewunderte, wie schon so oft, die herrliche Malerei auf der Fassade dieses geschichtsträchtigen Hauses, betrachtete den Lindavia-Brunnen am Rande des Platzes und überlegte, ob er in Ermangelung freier Parkplätze nicht einfach im Halteverbot parken und in einem der Restaurants an der Seepromenade das pulsierende Leben genießen sollte. Aber er dachte an Ina und daran, daß er heute eine wichtige Sache klären mußte, etwas, das er endlich wissen mußte, um es entweder aus seinem Kopf zu streichen oder zu entwickeln.

Er wendete und fuhr langsam zurück, bewunderte die Hafeneinfahrt von Lindau, fragte sich zum tausendsten Mal, warum ausgerechnet die Ämter die schönsten Flecken am See hatten, und fuhr, glücklich darüber, daß das Finanzamt zumindest ihm nichts mehr anhaben konnte, im Schrittempo am Stadttheater vorbei aus der Altstadt hinaus.

Auf der langen Brücke, die das Lindauer Festland mit der Insel verbindet, gab Anno Gas und fuhr schwungvoll in den Kreisverkehr ein, um kurz danach vor der geschlossenen Eisenbahnschranke zu stehen. Anno stellte den Motor aus, und Felix Wankel fiel ihm ein. Der in Annos Augen viel zu früh verstorbene berühmte Bewohner der Stadt hatte seiner Meinung nach schon gewußt, was er tat, als er sein delphinartiges Autoboot »Zisch« konstruierte: Auf dem Wasserweg wurde man wenigstens nicht ständig behindert.

Anno und Ina trafen gleichzeitig vor Inas Grundstück ein. Ina hatte Caroline abgeholt und erkannte den schwarzen Mercedes erst nicht, der ihr schräg gegenüber am Randstein einparkte. Caroline aber rief sofort: »Schau mal, Mutti, Herr Adelmann besucht uns, ist das nicht toll?«

Ina war sich nicht sicher, ob das toll war, aber sie stieg aus und ging über die Straße, um ihn zu begrüßen. Caroline hüpfte um sie herum, riß seine Wagentür auf und reichte ihm die Hand. Ina sah es mit Staunen, vor allem den kleinen Mädchenknicks, den sie andeutete. Das hatte sie noch nie gemacht, Ina war sich im Gegenteil sicher gewesen, daß sie weder Mädchenknickse noch Bubendiener kannte.

»Ich bin die Hofprinzessin, und du bist der König«, erklärte Caroline ihm, was für Ina die Welt wieder zurechtrückte. Daher wehte also der Wind, sie spielte Theater.

»Das ist aber ein überraschender Besuch«, sagte sie vorsichtig und wartete, bis Anno ausgestiegen war.

»Komme ich ungelegen?« Er reichte ihr die Hand, und sie drückte sie entschlossen. Gott sei Dank kein lascher, lauwarmer Händedruck, dachte er sofort, sondern eine feste, zupackende Hand. Das nahm ihn sogleich noch mehr für sie ein, auch ihre ganze Erscheinung war hinreißend. Sie vermittelte den Eindruck einer völlig glücklichen Frau. Ihr schwarzes Haar fiel ihr locker über die Schultern, sie trug überhaupt kein Make-up, nicht einmal Lippenstift, aber trotzdem, oder vielleicht gerade deshalb, wirkte sie mädchenhaft frisch. Anno konnte kaum den Blick von ihr lösen. Er räusperte sich. Wenn sie in ihren bescheidenen Verhältnissen so glücklich war, was konnte er ihr dann überhaupt bieten? War seine Idee vielleicht doch völlig daneben?

Ina bat ihn hereinzukommen und ging vor, um das kleine Gartentor zu öffnen. Es quietschte, und der bemooste alte Jägerzaun wies mehrere Lücken auf. Anno schritt hinter Ina her, sah aber eher ihren schmalen Rücken unter der Bluse und das wehende Haar als die Umgebung – trotzdem registrierte er, daß der Garten gepflegt und das Haus hergerichtet war. Auf den zweiten Blick war ihm aber sofort klar, daß Ina mit vielen Tricks gearbeitet und zahlreiche oberflächliche Schönheitskorrekturen vorgenommen hatte, um diesen ersten Eindruck zu vermitteln. Die Bausubstanz des Häuschens war augenscheinlich schlecht, die Fenster zu alt, um noch zugfrei zu schließen, das Dach notdürftig repariert. Hier fehlte an jeder Ecke das Geld, oder zumindest das Know-how.

»Sie wohnen hier sehr goldig«, sagte er zu ihr, während er vor dem Eingang stehenblieb. »Es hat etwas von einem Hexen-häuschen!«

»Stimmt, das sagt Nancy auch immer«, lachte Ina arglos. »Möchten Sie sich vielleicht dort unter dem Nußbaum auf die Bank setzen? Das ist eine unserer Lieblingsstellen! Oder an den Tisch? Das wäre vielleicht praktischer.«

»Gern.« Er drehte sich nach dem kleinen Gartentisch um.

»Und trinken?« fragte sie nach. »Hätten Sie Lust auf einen trockenen Weißwein?«

Sie schon, dachte sie dabei. Sie hatte unbändig Lust auf alles, was Leben hieß. Auch das war eine völlig neue Erfahrung, sie fühlte sich irgendwie neu und hatte Lust, vieles zu ändern. Seitdem ihre Tochter auf der Welt war, hatte sie eigentlich keine nennenswerte Affäre mehr gehabt. Es war jetzt wirklich an der Zeit, manches leichter zu nehmen. Wenn es mit Claudio auch nicht weiterlaufen würde, dachte sie, während sie in die Küche lief, dann hatte sie doch einen wichtigen Anstoß bekommen, ihr Leben zu ändern, zu erkennen, daß es neben dem Kind auch noch andere Dinge gab und sie einen Anspruch auf Leben hatte. Vor allem jetzt, da Caro-line aus dem Gröbsten heraus war. Sechs Jahre Babysitting muß-ten genügen, jetzt hatte Caroline zu lernen, daß sie, ihre Mutter, auch ihr eigenes Leben und Rechte hatte.

Anno hatte ihrem Vorschlag zugestimmt, und sie nahm eine der kostbaren Flaschen, die ihre Freundin aus Meersburg ihr mitge-bracht hatte. Es war ein Tag zum Feiern, wenn Anno auch nicht wissen konnte, warum.

»Darf ich die Gläser hinaustragen?« fragte Caroline, kletterte auf einen Stuhl, um an den Küchenschrank zu kommen, und drehte sich dort nach ihr um. »Du siehst so anders aus, Mutti, ist irgendwas?«

»Nein, ich bin Dornröschen und bin eben aufgewacht! Die Rosenhecke weicht zurück, und ich befreie mich aus meinem Gefängnis!«

»Hat dich dann wenigstens ein Prinz wachgeküßt?«

Anno sah sie kommen, Mutter und Tochter, fröhlich, barfüßig, Wein und Gläser schwingend. Ina stellte die Flasche auf den Tisch, den Weinkühler und den Korkenzieher dazu.

»Darf ich sehen?« fragte Anno und drehte die Flasche herum. »Meersburger Fohrenberg. Ein Gutedel. Sehr gut, da weiß ich auch gleich, woher der kommt!«

»Ach, ja?« Ina staunte und nahm ihrer Tochter die Gläser ab. »Woher denn?«

»Aus einer alten Traditionswinzerstube, die ein Zimmer ganz aus Birnbaum hat und deren Wirte über Generationen nicht nur ausgezeichnet gekocht, sondern auch immer kräftig in der Politik mitgemischt haben!«

»Ach!« Sie reichte ihm den Korkenzieher.

»Wir sollten mal zum Essen hingehen. Wenn Sie gestatten, lade ich Sie gern dorthin ein. Sie werden es nicht bereuen!«

»Hört sich gut an!« Ina setzte sich und lächelte in sich hinein. Ein Liebhaber und ein Gönner, und das alles am selben Tag. Jetzt sollte man das Ganze nur noch miteinander verbinden können, dann hätte sie den perfekten Mann. Und dann müßte sie die große Karriere machen, damit sie keinen von beiden mehr bräuchte – wenn sie nicht wollte.

»Gern!« fügte sie hinzu und nickte.

»Aber für heute abend könnte ich Ihnen, wenn Sie wollen, vielleicht einen anderen Vorschlag machen. In das Restaurant hoch auf dem Hoyerberg, beispielsweise, da genießt man nicht nur eine wunderbare Aussicht, sondern ich hätte da auch so einige Vorschläge, was die Speisekarte anbelangt, oder etwas weiter weg nach Bregenz, in das Schloßhotel in der Altstadt. Dort kocht der österreichische Koch des Jahres!«

»Wunderbar! Ich bin für alles zu haben! Aber ich koche übrigens auch nicht schlecht, und das Problem ist einfach, daß es für Caroline zu spät würde und ich niemanden für sie habe. Zumindest heute abend nicht. Und da Gabriela gestern schon hier war, wird es …«, sie stockte, denn eigentlich wollte sie »zu teuer« sagen, »… für das Kind zuviel.«

»Ich geh mit«, warf Caroline lauthals ein, während Anno im selben Moment »dafür habe ich vollstes Verständnis« sagte.

Beide schwiegen kurz.

»Wenn Sie bei uns in der Villa wohnen würden, hätten Sie das Problem nicht. Es wäre immer jemand für Caroline da!«

Ina hatte das gleiche gedacht. Die äußeren Umstände wären geradezu ideal. Sie war sich nur über die inneren überhaupt nicht im klaren.

»Ich weiß, was Sie sagen wollen«, wehrte sie ab. »Ich weiß nur nicht, wie das zusammengehen könnte. Ich kann Sie doch nicht einfach heiraten«, sie schaute schnell nach Caroline, die in der Nähe im Gras herumschlich, und senkte die Stimme. »Ich meine, da gehört doch mehr dazu, und ich bin nun mal überhaupt nicht in Sie verliebt!« Sie zögerte. »So leid es mir tut«, fügte sie an, um ihm etwas Nettes zu sagen.

»Das braucht es doch auch nicht!« Er griff nach ihrer Hand. Sie ließ es geschehen, obwohl es sie leicht erschreckte. Nicht daß er ihr doch an die Wäsche wollte, das wäre jetzt so ziemlich das letzte, was sie in dieser Hinsicht ertragen könnte. Aber er hielt sie nur leicht, und ihre Aufregung legte sich wieder. Im Gegenteil, es stellte sich mit der Zeit ein nettes Gefühl ein. Eher behütet als gefordert.

Ina hörte ihm zu. Er setzte ihr seinen Plan sehr detailliert, aber emotionslos auseinander. Dieser Sprache konnte sie folgen.

»Sie sehen also, es geht nicht um eine Liebesheirat. Noch nicht einmal um eine Hochzeit. Es geht, wenn es Ihnen so leichter fällt, um eine Rolle. Möglicherweise um die Rolle Ihres Lebens, denn nicht nur Sie würden in jeder Hinsicht davon profitieren, sondern auch Ihre Tochter. Wir gehen gemeinsam auf die Bühne und spielen ein großes Theaterstück. ›Ich bin noch nicht tot‹ könnte es heißen«, überlegte er, »oder: ›Das Erbe am silbernen Faden‹!«

»Wie wär's mit: ›Die Meute der Erben‹?« fiel Ina ein.

»›Die Meute der Erben‹!« Er wiederholte es langsam, dann ging ein Zucken durch sein Gesicht, bis er lauthals lachte. »Ja, genau so! Die Hundemeute, die sich gierig an jedem noch so kleinen Stück festbeißt, nur damit ein anderer es nicht bekommt, ja, genau, das ist das Bild! Sehr gut, wir werden es so nennen und die Rollen vergeben, wenn Sie mitspielen wollen. Ihre Gage werden wir aushandeln, so viel, daß Sie eine Zeitlang ausgesorgt haben, und ich werde das Geld für Sie nach Liechtenstein oder in die Schweiz bringen, was Ihnen lieber ist. Falls ich dann früher von der Bühne abtrete als erwartet, kann Ihnen finanziell nichts passieren. Denn wir werden natürlich nicht heiraten, das soll nur die Androhung der vollkommenen Katastrophe für meine ...«, er stockte, »... Erben sein!«

Ina hatte ihm zugehört. Sie räusperte sich und lehnte sich in ihrem Stuhl zurück. »Es ist verrückt«, sagte sie. »Wissen Sie, daß dieser Plan vollständig verrückt ist?«

»Das kann ich Ihnen sagen!« Er griff nach dem Glas. »Ich habe mein Leben lang nie etwas Verrücktes getan. Ich war immer der nüchterne Geschäftsmann, der seine Rolle spielte. Die des Geldes, der Macht und des Patriarchen. Manchmal frage ich mich, ob ich das wirklich war oder ob ich nur da hineingestoßen wurde. Und dann brach mit dem Tod meiner Frau alles zusammen, und Nancy kam ins Haus. Sie mit ihrer Künstlerattitüde, ihrer Abfallkunst und der Nichtbeachtung gesellschaftlicher Normen. Und jetzt denke ich plötzlich, ich war nie richtig verrückt, ich habe nie gelebt. Und bevor ich sterbe, möchte ich noch einmal richtig leben, alles auf den Kopf stellen, was ich bisher war. Und wenn Sie mir dabei helfen würden, wäre das der größte Abgang, den ich mir vorstellen könnte!«

Ina schwieg eine Weile. »Sie wollen sich aber nicht umbringen?« fragte sie vorsichtig.

»Umbringen?«

»Es klang so!«

»Das wird nicht nötig sein. Ich bin 85 Jahre alt und werde ganz von selbst abtreten. Aber mit Ihrer Hilfe auf meine Art!«

Als Ina an diesem Abend Caroline ins Bett brachte, las sie ihr vom Sams vor, dem kleinen Findling, der alles hinterfragte, alles sehr genau nahm und jedem Unsinn frech und selbstbewußt begegnete.

Vielleicht steckt in jedem von uns so ein Freiheitstier, dachte sie dabei, und wir sind nur völlig zugeschüttet. Von den Konventionen, von dem, was man angeblich tut und nicht tut, von unseren Traditionen. Zwänge über Zwänge. Wo stand es, daß man sein Leben nicht anders leben konnte? Bloß, weil sich die Ururgroßeltern schon diesen Zwängen beugten? Sie hatte Anno keine Zusage gemacht, sie hatte ihm aber versprochen, darüber nachzudenken. Und eigentlich, wenn sie ehrlich war, hatte sie sich schon entschieden. Sie würde den Panzer aufbrechen und sich, wie das Sams, ein Vergnügen daraus machen, die Leute mit der Nase darauf zu stoßen. Sie würde morgen Caroline fragen, was sie davon hielte, eine Zeitlang zu Anno und Nancy in die Villa zu ziehen.

Die ganze folgende Woche über wurde sich die Familie nicht darüber einig, wie gegen die Liebeslust des Vaters vorzugehen sei. In unzähligen Telefonaten versuchten sie zu klären, wie sie Ina Schwarz ausschalten könnten, aber keinem wollte ein wirksames Mittel einfallen. Seitdem Julia am Freitag vergangener Woche angerufen und erklärt hatte, daß es Opi mit Ina Schwarz wohl ernster meine, als ursprünglich von allen angenommen, schlugen die Wogen hoch. Die Töchter versuchten sich mit ihren Männern zu beraten, was wenig erfolgreich war, weil sie die Situation noch nicht als wirklich bedrohlich einstuften oder es zumindest ihren Frauen gegenüber nicht zugaben. Hans-Jürgen winkte ab, als Renate ihn wiederholt um seinen fachmännischen Rat bat. »Mach ein Abonnement mit der nächsten Konditorei aus und laß ihr täglich mehrere Sahnetorten schicken«, sagte er und warf ihr einen anzüglichen Blick zu. »Speck an den falschen Stellen bremst Männer ungemein!«

»Ach!« fauchte sie ihn an. »Umgekehrt etwa nicht?«

Auch Thekla kam nicht weiter. Gerhard gab ständig vor, keine Zeit für ein längeres Gespräch zu haben. Und sie befürchtete insgeheim, sie könne vom Problemfall Ina Schwarz abschweifen und unvermittelt nach dem Brief ihrer Tochter fragen. Deshalb bohrte sie auch nicht, sondern vertraute darauf, selbst eine Lösung zu finden.

Bernadette zerbrach sich den Kopf und versuchte alle Einzelheiten aus Julia herauszupressen, aber Julia war inzwischen schon wieder in Heidelberg und telefonisch kaum zu erreichen. So telefonierte Bernadette zwar mit ihren Schwestern, versuchte aber einen eigenen Weg zu finden, um die Dinge zu handhaben.

Nur Lydia und Kurt hatten sich ernsthaft zusammengesetzt, um sich über manches klarzuwerden. Kurt holte zu diesem Anlaß einen guten Rotwein aus dem Keller und stellte die großen, bauchigen Gläser auf den Tisch, die sie sonst selten benutzten, weil sie von Hand abgespült werden mußten.

Lydia stieß mit Kurt an und erzählte ihm von Bernadettes Anruf und Annos Entschlossenheit, sich diese Frau ins Haus zu holen. Und sie schilderte Kurt auch gleich noch, was ihr seit ihrem Einkaufsbummel in der Augsburger City im Kopf herumging. Sie war lange genug das häßliche Entlein der Familie gewesen. Sie wollte endlich zum Schwan werden. Und sie sah nicht ein, daß auch nur eine ihrer Schwestern im Kampf um das Erbe die Oberhand behalten sollte. Kurt hörte ihr eine Weile zu, dann fragte er sie, ob dies denn tatsächlich alles so wichtig sei, denn schließlich zerstöre es doch auch ihren Familien- und Seelenfrieden. Hier in Augsburg lebten sie gut, seien zufrieden, besäßen ausreichend Geld und hätten keinen Ärger. Doch wenn er an die Auseinandersetzungen mit ihrer Verwandtschaft dächte, grauste es ihm bereits jetzt. Aber Lydia ließ sich nicht von ihrer Sache abbringen. Im Finale würde sie die Siegerin sein, das hatte sie sich geschworen.

Die Telefonate gingen derweil hin und her, und schließlich schlug Thekla ein gemeinsames Treffen in Lindau vor, um die Sachlage besser einschätzen zu können. Es sollte möglichst harmlos wirken, am geeignetsten erschien ihnen ein Samstagnachmittag, ganz schlicht zum Kaffee. Alle zeigten sich spontan einverstanden, selbst Lydia, obwohl sie eigentlich andere Pläne hatte. Sie wollte sich unter irgendeinem Vorwand für eine ganze Woche bei ihrem Vater einquartieren, um mit ihm in aller Ruhe reden zu können: über ihre Kindheit, über die ständige Zurücksetzung durch ihn und Mutter und angespornt durch deren Vorbild auch noch durch ihre eigenen Schwestern. Und wenn sie ihm das begreiflich gemacht hätte, würde sie ihn fragen, ob er nicht glaube, daß nur eine Wiedergutmachung ihr seelisches Gleichgewicht und ihren Frieden und somit ja auch seinen wiederherstellen könne. Aber da dieses gemeinsame Treffen für ihre eigenen Pläne möglicherweise von Vorteil war und sie die anderen zudem nicht aus den Augen verlieren wollte, sagte sie zu.

Der Schock war groß, als Thekla und Renate zufällig gemeinsam vor ihrem Elternhaus in Lindau angefahren kamen und das Gartentor öffneten, um ihre Autos zu parken. Kaum gingen sie nebeneinander die Freitreppe hinauf, wurde auch schon die Haustür geöffnet. Ina stand lächelnd im Türrahmen. »Dachte ich mir doch, daß ich so etwas hörte. Herzlich willkommen daheim!«

Renate verschlug es den Atem, Thekla starrte Ina an, stürmte die letzten Stufen hoch auf sie zu, schrie: »Was heißt da: herzlich willkommen daheim? Es ist unser Zuhause!« und fegte an ihr vorbei ins Haus. »Vater!« rief sie dort, während sie Nancy keines Blickes würdigte. »Vater! Wo bist du! Erklär uns das bitte!«

Renate wußte nicht so richtig, wie sie an Ina vorbeikommen sollte, die noch immer lächelnd im Eingang stand. Aber als Ina mit einer einladenden Handbewegung »aber bitte, treten Sie doch ein«, sagte, war es auch um ihre Fassung geschehen.

»Eine bodenlose Unverschämtheit!« schnaubte sie und ging mit hochrotem Kopf an ihr vorbei ins Hausinnere.

Inzwischen war Anno ins Wohnzimmer getreten. Er trug einen dunkelblauen Blazer zur dunkelgrauen Hose, ein weißes Hemd mit dunkelroter Krawatte und passendem Einstecktuch. Er sah so hochoffiziell aus, daß Thekla im ersten Moment erschrak. Richtig, auch diese Schwarz hatte ein dunkelblaues Kleid mit Goldknöpfen an. Allerdings zu kurz und zu tief ausgeschnitten! Trotzdem! Hoffentlich hatte dieser Auftritt nichts Wesentliches zu bedeuten.

Thekla ging auf ihn zu, und ohne Gruß deutete sie mit dem Daumen über ihren Rücken. »Kannst du uns erklären, was das zu bedeuten hat? Wie kommt diese Person dazu, uns in unserem eigenen Haus ein ›Willkommen daheim‹ anzubieten?«

Anno lächelte und hob abwehrend beide Hände. »Welche Aufregung, meine liebe Tochter, bevor man sich überhaupt begrüßen konnte!« Er hielt ihr seine Wange hin, und Thekla hauchte einen Kuß darauf. »Trotzdem ...« wollte sie fortfahren, doch Anno schnitt ihr das Wort ab: »Genau, das wollte ich auch sagen: Trotzdem kannst du nicht behaupten, daß es *unser* Haus ist. Wir wollen doch bitte realistisch bleiben. Es ist *mein* Haus!« Ein leichter Anflug von Spott durchsetzte sein Lächeln, als er: »Noch!« hinzufügte.

Thekla verstand es als Warnung, obwohl sie am liebsten gegangen wäre und ihren Abgang mit einer zugeschlagenen Tür akzentuiert hätte. Aber sie traute sich nicht, denn dann wären die Dinge ohne sie weitergelaufen, das war ihr klar.

Renate stand zwischenzeitlich neben ihr. Ihr Kopf war mindestens so rot wie ihr Leinenkostüm, das sie im übrigen unvorteilhaft kleidete. Es war zu eng und völlig zerknittert. »Vater, findest du das richtig?« begann sie diplomatisch, wie Thekla zugeben mußte.

»Schon wieder kein Gruß!« Anno schüttelte den Kopf. »Haben wir euch eigentlich keinen Anstand beigebracht?«

Renate schluckte. Jetzt waren auch die Ohren rot. »Vater, was verstehst du unter Anstand? Daß uns dieses Weibsbild an der Tür begrüßt, als gehöre das alles ihr?«

»Könnte ja schließlich sein, oder nicht?« Anno lächelte süßlich, und Renate schnappte nach Luft. Thekla fühlte sich einem Herzschlag nahe.

»Hör bitte mit solchen Scherzen auf!« sagte sie und überlegte, ob sie ihn vielleicht gleich erschlagen sollte. Dann wäre zumindest die Erbfolge gesichert.

»Wollt ihr euch nicht setzen? Frau Schwarz hat die Kaffeetafel so hübsch gerichtet!«

Unwillig warf Thekla einen Blick darauf. Stimmt, so stilvoll hätte Nancy es nie fertigbekommen, dachte sie, aber alles in ihr weigerte sich, an einem Kaffeetisch zu sitzen, den diese Schwarz gedeckt hatte. Fühlte sie sich bereits als Stiefmutter? So ein Witz!

»Wie kommt sie eigentlich dazu, in deinem Haus die Kaffeetafel zu richten? Wäre das nicht Nancys Aufgabe gewesen?« wollte sie wissen, obwohl sich eben Ina Schwarz dazugesellte.

»Och«, sagte Ina, und ihre Stimme klang zuckersüß, »das habe ich gestern für meine Gäste auch schon getan.«

»Wir sind nicht Ihre Gäste!« Thekla bebte vor Zorn. »Vater, sag ihr, daß wir keine Gäste sind! Wir sind deine Töchter! Das ist ja wohl etwas anderes!«

»Was regst du dich eigentlich auf? Sie hat den Kaffeetisch gedeckt, das ist doch liebenswürdig? Sie hat Kuchen besorgt, das ist doch dankenswert? Und natürlich seid ihr Gäste, auch wenn ihr meine Töchter seid!«

Nancy stürmte herein, in jeder Hand eine Kaffeekanne. Ein Lachen überzog ihr Gesicht, ihre kleinen Augen blitzten. »Bitte zu Tisch«, rief sie. »Wann kommen die anderen?«

Thekla beachtete sie mit keinem Blick. »Wir verlangen, daß du diese Frau hinauswirfst!« sagte sie. »Zumindest setze ich mich mit der an keinen Tisch!«

Anno holte tief Luft, schüttelte den Kopf und trat zu Ina. »Darf ich dich an den Tisch begleiten?« Er bot ihr seinen Arm. Ina lächelte ihn an, nahm seinen Arm, und die beiden gingen und setzten sich an die beiden Fensterplätze. »Ich hoffe, meine beiden anderen Töchter verspäten sich nicht zu sehr!« sagte er zu ihr. »Das wäre wirklich sehr ärgerlich. Aber eigentlich auch nur ein Zeichen mangelnder Erziehung.« Er verzog sein Gesicht. »Und somit wohl irgendwo mein eigener Fehler!« Er lachte laut über seinen eigenen Witz, und Ina lachte mit. Thekla und Renate standen nach wie vor wie versteinert im Raum, da sprang Ina auf.

»Du entschuldigst mich«, sagte sie zu Anno und ging ohne ein weiteres Wort an Thekla und Renate vorbei zur Tür. Sie hatte richtig gehört, auch die anderen beiden Wagen waren eben durch das

Tor gefahren. Es dauerte nicht lange, und Bernadette und Lydia stürmten ähnlich aufgebracht wie kurz zuvor Thekla und Renate durch die Wohnzimmertür.

»Was ist denn das?« wollte Bernadette von Thekla wissen.

Thekla zuckte die Schultern und wies zu ihrem Vater. »Fragt ihn. Er spielt mit uns. Keine Ahnung, was er damit bezweckt!«

Für Ina waren die letzten Tage höllisch aufregend gewesen. Und der Gedanke an das heutige Zusammentreffen mit Annos Töchtern hatte sie mindestens ein Kilo Gewicht und zwei Lebensjahre gekostet. Zudem hatte sie ein dauerndes leichtes Ziehen im Magen und Durchfall. Es war schon leicht zu sagen, es sei alles wie im Theater. Aber sie war keine Schauspielerin, und sie hatte Mühe, nicht aus ihrer Rolle zu fallen. »Wollen Sie das wirklich?« hatte sie Anno noch am Morgen gefragt, denn bislang lebte sie unverändert in ihrem eigenen Haus, schlief bis zur Besinnungslosigkeit mit Claudio und siezte sich mit Anno.

»Ich will mal so einen kleinen Vorabcheck machen«, hatte er geantwortet. »Möglicherweise sind sie ja ganz gefaßt und freuen sich über mein neues Glück!«

»Das wäre Ihnen zu wünschen«, sagte Ina, obwohl sie keine Sekunde an eine solche Möglichkeit glaubte. Auch Anno schien es nicht wirklich in Betracht zu ziehen, das sah sie seinem nachdenklichen Gesicht an.

Er saß bei ihr in der Küche, denn ein Tief hatte das wochenlange sonnige Hoch verdrängt und forderte feste Schuhe und warme Pullover. Ina hatte einen Tee gekocht und dazu frische Croissants auf den Tisch gestellt. Sie war bester Laune, denn in einer Stunde würde Claudio kommen, und sie hätten gut zwei Stunden Zeit, bevor Caroline aus der Schule käme. Sie gierte förmlich nach ihm und beobachtete ihre eigenen Gefühle und Sehnsüchte mit Erstaunen. Weiß der Teufel, was an ihm ist, dachte sie zwischendurch, ließ es aber damit gut sein, denn sie wollte sich ihren eigenen Spaß nicht verderben. Sie hatte ein echtes Liebesabenteuer, einen Lover – nicht mehr und nicht weniger, beruhigte sie sich. Das war normal, das hatten weiß Gott viele Leute. Wahrscheinlich mehr Verheiratete als Ledige. Was also sprach dagegen.

Sie konnte sich wieder auf Anno konzentrieren, wenn auch nur mit Mühe. Was, wenn er länger bliebe als ursprünglich beabsichtigt? Es war nicht unbedingt nötig, daß die beiden sich die Gartentür in die Hand gaben.

»Also gut«, sagte sie schließlich, »ich werde das Spiel perfekt spielen. Die perfekte Gastgeberin, die perfekte Geliebte, die perfekte Zukünftige. Hoffentlich werde ich dadurch nicht zur perfekten Leiche!«

Anno lachte. »Ich werde Ihnen gleich morgen ein perfektes Konto eröffnen«, sagte er. »Damit Sie an Ihrer Rolle trotz allem Spaß haben!«

Ina schaute an ihm vorbei kurz zur Uhr und begann, die leeren Teetassen zusammenzustellen. »Ich werde auf jeden Fall Spaß haben. Bloß jetzt muß ich meine Tochter abholen, sonst wird es zu spät!«

»Dafür habe ich volles Verständnis!« Anno stand auf, drückte ihre Hand fest und wandte sich zum Gehen. Ina begleitete ihn bis unter die Tür, dort spannte er seinen Regenschirm auf. »Und vergessen Sie nicht«, er drehte sich nochmals nach ihr um, »wir duzen uns. Sonst fliegt die Geschichte auf, bevor sie angefangen hat!«

»Es wird mir leichtfallen.« Ina nickte ihm zu und schaute ihm nach, wie er über ihren Gartenweg bis zur Straße ging. Seine ganze Gestalt wirkte von hinten betrachtet gebrechlich, obwohl er sich bemühte, forsch und kraftvoll aufzutreten. Doch die Folgen seines Schlaganfalls waren gut zu sehen, er schonte ganz offensichtlich seine linke Seite. Möglicherweise hatte er sogar Schmerzen. Ina spürte ein großes Mitgefühl für ihn in sich aufsteigen. Sie wünschte ihm, daß er seine Töchter völlig falsch einschätzte. Daß sie ihm nach den ersten Minuten des befremdlichen Erstaunens alles Gute für einen glücklichen letzten Lebensabschnitt wünschten. Es würde eine herrliche Gewißheit für ihn sein, nicht seines Geldes und des Erbes wegen heuchlerisch umworben, sondern schlicht und tatsächlich einfach nur geliebt zu werden.

Am Gartentor drehte er sich um, und sie winkte ihm zu, bevor sie die Tür schloß. Dann ging sie in ihr kleines Badezimmer, um aufzuräumen und frische Badetücher bereitzulegen, und schließlich hängte sie das blaue Kleid, das sie in Annos Auftrag für den heutigen Abend gekauft hatte, von der Garderobe in den Schrank. Er hatte es in einem Bekleidungsgeschäft in Lindau passend zu seinem neuen Blazer ausgesucht, und Ina war darüber erstaunt. Sie hätte ihm manches zugetraut, aber sicherlich keinen Sinn für Damengarderobe. Möglicherweise täuschte sie sich in noch mehr. Sie suchte die passenden Schuhe in ihrem Schrank und stellte das Putzzeug parat, da hörte sie das Gartentor. Sie ging schnell an die Eingangstür. Claudio kam durch den Garten auf sie zu. Welch ein Unterschied zu Anno. Er kam zielstrebig daher, seine Kraft wie eine Bugwelle vor sich herschiebend. Ina spürte es förmlich. Sie erwartete ihn und verschränkte die Arme, während sie ihn beobachtete. Wie er sich wohl in einem Damenbekleidungsgeschäft ausnehmen würde? Oder ob er damit sogar Erfahrung hatte – dank Romy?

Merkwürdigerweise hatte sich Inas Aufregung gelegt, als sie Thekla und Renate im Garten stehen sah. Im Gegenteil, sie empfand es plötzlich als tiefe Genugtuung, den beiden eins auswischen zu können. Sie wußte zwar noch immer nicht, wer von den vieren Caroline die Tür gewiesen hatte, aber sie würde es schon noch herausfinden. Die Reaktionen erschienen ihr allerdings bösartiger, als sie erwartet hatte. Bloß war sie sich nicht sicher, ob es nicht vielleicht doch an ihrer Person lag. Ob die Töchter ihrem Vater ein gleichaltriges Lebensglück eher gegönnt hätten? Schon rein rechnerisch?

Sie setzte sich, nachdem sie Bernadette und Lydia am Hauseingang begrüßt hatte, ganz selbstverständlich wieder neben Anno an den Tisch. Bernadette, Thekla, Renate und Lydia standen noch immer zusammen, anscheinend waren sie sich völlig unschlüssig darüber, wie sie reagieren sollten.

»Wollt ihr euch nicht vielleicht endlich setzen?« fragte Anno. »Oder sollen wir den ganzen schönen Kuchen allein essen?«

Keine gab eine Antwort.

»Ich dachte, ihr wolltet zum Kaffeetrinken kommen? So habt ihr es doch angekündigt? Also, bitte: Hier steht er!« versuchte er es noch einmal, allerdings mit leichter Ungeduld in der Stimme.

Thekla drehte sich frontal zu ihm hin. Typisch, dachte Renate, Thekla, die Wortführerin. »Vater«, begann sie, »du stellst uns hier vor vollendete Tatsachen. Plötzlich sitzt Ina Schwarz an deiner Seite und damit ausgerechnet die Frau, die mit ihrem provokanten Auftritt bereits deine Geburtstagsfeierlichkeiten gestört hat. Merkst du nicht, worauf diese Frau abzielt?«

»Sie will dein Geld, sonst nichts!« fiel Renate ein.

»Ist dir das Andenken unserer Mutter überhaupt nicht mehr heilig?« empörte sich Lydia.

Nur Bernadette schwieg. Sie spürte, daß dies nicht der richtige Weg war. Sie mußte diese Frau auf andere Art ausschalten. Das ging weder mit Empörung noch mit Moral. Höchstens mit Gewalt.

»Vielleicht solltest du wirklich mit ihnen darüber reden«, riet Ina, ganz so, wie sie es zuvor im Falle einer familiären Eskalation besprochen hatten.

Er führte ihre Hand zärtlich an seine Lippen. »Du kannst ja so lange eine kleine Probefahrt machen und mich nachher, wenn dir der Wagen zusagt, hier zum Abendessen abholen.«

Davon hatte er nichts gesagt. Was für eine Probefahrt? Welcher Wagen?

»Nancy hat die Schlüssel verwahrt, sie wird dir die Garage öffnen.« Er winkte Nancy zu. Und wandte sich gleich darauf an Thekla. »Allerdings müßt ihr dazu eure Autos leider wegfahren, sollten sie in der Einfahrt stehen. Sonst kommt Ina nicht vorbei!«

Ina stand auf und drückte ihm einen Kuß auf die Stirn. Dabei überlegte sie fieberhaft, was er wohl gemeint haben könnte. Sie hatte ihren Wagen um die Ecke stehen, das hätte nicht eines solchen Aufhebens bedurft.

Auch die Blicke der vier Töchter waren eindeutig von Unverständnis und Mißtrauen geprägt. Sie traten zurück, als Ina bewußt leichtfüßig und beschwingt an ihnen vorbeiging. Nancy klimperte mit einem Schlüsselbund und hüpfte vor ihr her zum Ausgang. Ina hätte sie ja gern gefragt, aber es war ihr klar, daß sie jetzt einfach mitspielen mußte. So, als sei überhaupt nichts. Zumindest nichts unklar. Hinter ihr hörte sie, wie sich die Töchter in Bewegung setzten. Wohl eher von blanker Neugierde getrieben als von dem Wunsch, durch Wegfahren der eigenen Autos behilflich zu sein. Es stand auch keines im Weg, wie Ina gleich sehen konnte. Sie hatten alle ordentlich hintereinander in der Einfahrt geparkt.

Gute Erziehung ist eben doch etwas wert, grinste sie in sich hinein, da drückte Nancy auf die Fernbedienung des Garagentors. Es ging lautlos auf, und Ina traute ihren Augen nicht. Ein dunkelblaues Jaguar-Cabrio stand darin, mit heruntergelassenem Verdeck. Nancy streckte ihr die Schlüssel hin, und Ina war klar, daß die Frauen hinter ihr spätestens ab jetzt Mordgedanken hegten. Sie ging in die Garage, stieg ein, startete und fuhr den Wagen wie selbstverständlich hinaus. Anno stand am Hauseingang auf der obersten Treppenstufe. Sie warf ihm über die Köpfe seiner Töchter eine Kußhand zu, was ihr von Herzen kam, und fuhr aus der Einfahrt hinaus auf die Straße. Das Gefühl war mehr als unbeschreiblich. Noch nie hatte sie in einem solch teuren Wagen gesessen, geschweige denn ihn selbst gefahren. Außerhalb der Sichtweite der Villa fuhr sie rechts ran und richtete sich in dem Wagen ein. Sitzhöhe, Lehne und Spiegel. Dabei fiel ihr auf, wie viele andere Autofahrer und auch Fußgänger zu ihr herüberschauten. Ganz offensichtlich war ihr Marktwert durch den Jaguar gestiegen.

»Ich glaub's einfach nicht!« Thekla hieb sich mit der flachen Hand vor die Stirn. »Habt ihr das gesehen? Er schenkt ihr einen Jaguar! Der Mensch verschleudert unser Erbe, er ist eindeutig unzurechnungsfähig! Ein Fall für die Klapse!«

Lydia dachte darüber nach. Möglicherweise könnte man ihn entmündigen lassen. Aber nur, weil er einer jungen Frau einen Wagen schenkte? Da mußte wohl schon mehr kommen.

Renate war schon auf dem Weg zurück. »Jetzt soll er uns das mal erklären«, schnaubte sie.

Bernadette wollte es auch nicht glauben. Sie kämpfte seit ihrer Scheidung um jede Mark, seine eigene Enkelin fuhr ein erbarmungswürdiges Vehikel, und da hängte ihr eigener Vater einer anderen Frau einfach einen Jaguar um den Hals. Thekla hatte völlig recht, er wurde entweder langsam unzurechnungsfähig oder senil, was de facto aufs gleiche herauskam.

Als sie ins Wohnzimmer zurückkamen, saß Anno bereits wieder am Tisch. Er ließ sich eben von Nancy seelenruhig Kaffee einschenken und nahm sich ein Stück Obstkuchen von der Tortenplatte. »Euer Benehmen empfinde ich als äußerst beschämend.« Er blickte auf, um sie eine nach der anderen streng zu fixieren. »Frau Schwarz empfängt euch freundlich, hat Kuchen gekauft, den Tisch gedeckt, schenkt jedem ein Lächeln, und ihr stellt euch an, als hätte sie Pestbeulen im Gesicht!«

»Hat sie auch«, maulte Renate, »für uns zumindest!«

»Sei nicht kindisch«, wies Anno sie barsch zurecht. »Setzt euch. Und dann erklärt mir, wo euer Problem liegt!«

»Das kann ich dir genau sagen«, begann Thekla, noch während sie sich den Stuhl zurechtrückte. »Und muß das sein, daß Nancy hier herumtanzt, wenn wir Familienangelegenheiten besprechen?«

Nancy, die eben ein Stück Kuchen auf der Tortenschaufel balancierte, sah aus, als wolle sie es direkt in ihre Richtung schnalzen lassen. Aber sie beschränkte sich auf ein breites Grinsen und lud sich den Kuchen auf den eigenen Teller.

»Was soll das!« Anno hob eine seiner buschigen Augenbrauen, deren weiße Haare nur noch mit wenigen schwarzen durchsetzt waren. »Sprechen wir über das Wesentliche. Was habt ihr eigentlich gegen Ina Schwarz?«

Ina fuhr mit dem offenen Wagen durch Lindau, und es zog sie fast magnetisch in das Stadtviertel, in dem Claudio mit Romy lebte. Bevor sie in die Straße einbog, zögerte sie, aber sie mußte dieses Erlebnis einfach mit jemandem teilen. Selbst auf die Gefahr hin, daß Romy ebenfalls mitfahren wollte. Also parkte sie an der Straßenseite und ging zum Gartentor. Dort drehte sie sich nochmals nach dem Jaguar um. Sie hatte sich bisher nicht viel aus Autos gemacht, sie als reine Gebrauchsgegenstände gesehen, die funktionieren, Platz bieten und wenig Sprit verbrauchen sollten. Aber das hier war ein Schmuckstück von einem Auto, und sie fand, daß er einen zweiten Blick wert war. Sie öffnete die Gartentür, versuchte mit ihren hohen Schuhen die wackeligen Steinplatten möglichst in der Mitte zu treffen und stand endlich vor der Haustür. Dort klingelte sie lang, aber es tat sich nichts. Schon wollte sie gehen, da packte sie die Neugierde. Sie zog die Schuhe aus, nahm sie in die Hände und schlich ums Haus herum. Die vielen Grünpflanzen, Büsche und Bäume versperrten ihr jedoch so den Weg, daß sie nach ein paar Metern aufgeben wollte. Mehr als blödsinnig, sich womöglich noch das neue Kleid aus lauter Vorwitz zu ruinieren, dachte sie. Und zudem wolltest du doch Cabrio fahren und nicht hier durch fremde Gärten wandeln. Da hörte sie lautes Gelächter, und im selben Moment entdeckte sie einen schmalen Trampelpfad durch die kleine Wildnis. Interessant, sie war anscheinend nicht die einzige, die zeitweise sensationslüstern war.

Vorsichtig ging sie weiter, und ihr Herz schlug bis zum Hals. Noch konnte sie durch das grüne Dickicht nichts erkennen, aber nun war sie sich sicher, daß jemand auf der Terrasse saß. Was geht dich das überhaupt an, fragte sie sich, während sie vorsichtig einen Fuß vor den anderen setzte. Was, wenn sie entdeckt wurde? Eine größere Peinlichkeit war wohl nicht auszudenken.

Doch im selben Moment konnte sie endlich etwas erkennen. Es war völlig harmlos, wie sie sich gleich beruhigte. Claudio saß auf einem Stuhl, wenn auch in einer etwas seltsamen Pose. Tatsächlich, so beruhigend war das Ganze nicht, denn Claudio war nackt. Was tat er da so völlig ohne? Ina schob ein kleines Blatt vor ihrem Gesicht zur Seite, damit schob sich Romy in ihr Blickfeld. Sie saß tief in einem Korbstuhl und drehte ihr den Rücken zu. Soviel sie erkennen konnte, war Romy angezogen. Zumindest trug sie eine Bluse, den Rest konnte sie nicht sehen.

Ina spürte ihr Blut pulsieren. Was war das für eine seltsame Show? Gehörte das zu seinem komischen Vertrag? Sich einmal in der Woche nackt auf einen Stuhl zu setzen? Ob ihr so etwas auch bevorstehen könnte? Da würde sie nicht mitspielen, dessen war sie sich sicher. Nicht einmal außer Reichweite. Durchatmen, sagte sie sich, ruhig durchatmen. Mit Claudio hatte sie am Nachmittag noch zwei wunderschöne Stunden gehabt. Es befremdete sie, ihn jetzt so völlig entblößt zu sehen. Vor einer anderen Frau. Verdammt, dachte sie, das geht dich eigentlich nichts an. Romy war zuerst da. Gleichzeitig wäre sie gern hingegangen und hätte ihn dort weggezogen. Da sah sie, daß Romy ständig leicht in Bewegung war. Ihre Schulterpartie zuckte fast rhythmisch. Mein Gott, dachte Ina erschrocken, masturbiert sie etwa? Sofort fiel ihr alles ein, was sie in letzter Zeit über Alterssex gelesen hatte. Und er schaut zu? Sie würde ihn nicht mehr anfassen können, das war klar. Es schüttelte sie geradezu, und Ina hatte Mühe, ruhig stehen zu bleiben. Das war eindeutig zuviel! Sie wollte sich schon angewidert abwenden, da entdeckte sie neben Romys Korbstuhl einen Tonkrug mit länglichen, schmalen Gegenständen. Sie konzentrierte sich darauf. Was war denn das jetzt noch? Hilfsmittel für irgendwelche Praktiken? Sie spürte, wie ihr langsam schlecht wurde, da bückte sich Romy danach und zog schnell eines davon heraus. Mein Gott, es war ein Pinsel! Jetzt erkannte Ina auch den Aquarellblock vor ihr. Romy malte einen Akt, und Claudio war das Modell! Das war ja nicht zu überbieten! Wie konnte sie so blöd sein! Vor lauter Erleichterung wäre sie jetzt am liebsten hingelaufen und hätte beide geküßt. Kein Wunder, daß sie die Tür nicht aufmachen wollten. Sie ließ die grünen Blätter vor ihrem Gesicht vorsichtig zurückgleiten und machte sich auf den Rückzug. Aktmalerei! Daß sie nicht gleich darauf gekommen war!

Gerhard hatte Theklas Abwesenheit genutzt, um einige Dinge in seinem Sinne zu regeln. Als erstes mußte er seine Tochter aufspüren und ihr unmißverständlich klarmachen, daß sie niemals Geld von ihm sehen würde und daß es nicht ratsam für sie sei, ihn zum Feind zu haben. Zweitens brauchte er ein neues Mädchen, denn da Sabine auf Barbaras Liste stand, konnte er da nicht mehr hin. Und drittens mußte er herausfinden, wie Barbara an alle diese Namen gekommen war. Die 10 000 Mark, die sie in ihrem Brief forderte, beunruhigten ihn weitaus weniger als die Informationsquelle, die ihm geradezu unheimlich war.

Aber wie sollte er es angehen? Mit Gewalt? Er hatte seinen Traum vor Augen und angst, er könne tatsächlich einmal die Beherrschung verlieren. Er empfand sich eigentlich nicht als besonders gewalttätig, aber ein gewisses Potential an Aggressivität fühlte er in sich. Mal stärker, mal schwächer. Stärker bei Fußballspielen und wenn ihn Thekla zur Weißglut brachte und schwächer, wenn er in der Uni war. Das war sowieso seine Stätte des Friedens, auch wenn sein Fach, Geschichte, alles andere als friedlich war. Es zeigte eigentlich nur, daß die Menschheit aus der Geschichte nichts lernte.

Er hatte sich für diesen Tag einen Leihwagen genommen, denn Thekla hatte für die lange Fahrt an den Bodensee den großen dabei, und in ihre kleine Haushaltsgurke setzte er sich nicht. Außerdem wollte er von Barbara nicht gleich am Auto erkannt werden, wenn er vor ihrer Wohnung lauerte. Er mußte sie abpassen und zu einem Gespräch zwingen. Am Telefon konnte sie ihm entwischen, und brieflich ließen sich in einem solchen Fall keine Resultate erzielen.

Kaum war Thekla morgens losgefahren, da nahm er ein Taxi zum nächsten Autovermieter und suchte sich ein durchschnittliches, unauffälliges Auto aus. Es wurde ein Kombi, der war im Angebot und hatte eine Klimaanlage. Das erschien Gerhard für längere Wartezeiten wichtig. Er nahm den nächsten Weg zu Barbaras Wohnung, fuhr die Straße zweimal auf und ab und schaute nach ihrem schwarzen Golf. Als er ihn nicht finden konnte, suchte er die nächste Telefonzelle und rief bei ihr an. Keiner nahm ab. Also war sie tatsächlich nicht da. Es gab die Möglichkeit, zu warten, bis sie zurückkäme, oder einfach noch mal wiederzukommen. Letzteres erschien ihm angenehmer, so fuhr er zur Uni, um in Ruhe einige

Dinge aufzuarbeiten, und beschloß, am Nachmittag erneut hinzufahren.

Hocherfreut stellte er Stunden später fest, daß seine Rechnung aufging. Ihr Golf stand um die Ecke. Das Schicksal meinte es gut mit ihm. Er fuhr dicht an das große Mehrfamilienhaus heran, in dem sie oben unter dem Dach zwei Zimmer hatte, parkte und stieg schnell aus. Dann klingelte er nacheinander bei anderen Mietern, bis einer aufmachte. Unter einem Vorwand, unverständlich in das Haustelefon genuschelt, war er im Gang. Er beschloß, die fünf Stockwerke zu Fuß hoch zu gehen, um niemandem zu begegnen. Damit aber Barbara nicht gleichzeitig mit dem Lift herunterfahren konnte, blockierte er ihn im Erdgeschoß.

Im vierten Stock raste sein Herz. Er war 62 Jahre alt, untrainiert und falsch ernährt, das wurde ihm in solchen Situationen immer stärker bewußt. Aber an den Jahren konnte er nichts ändern, und an allem anderen wollte er nichts ändern. Er würde für manche seiner Vorlieben mit den Jahren ein bißchen mehr bezahlen müssen, aber schließlich arbeitete er ja auch dafür. Schwer atmend kam er im fünften Stock an. Er stellte sich zunächst mal neben Barbaras Tür, allerdings in der Sorge, ein Nachbar könne unvermittelt herauskommen. Dann überlegte er. Er hätte Blumen mitbringen sollen, dann wäre dem Blick durch den Spion sofort das Öffnen der Tür gefolgt. Gerhard schaute sich in dem Flur um. Eine rote Topfpflanze stand neben einigen Kakteen auf dem Fenstersims. Das war zwar nicht optimal, aber wenn man sie direkt an den Spion hielt, konnte sie möglicherweise als Rose durchgehen. Gerhard holte tief Luft, preßte die Topfpflanze gegen das Guckloch und klingelte. Er hörte, wie seine Tochter durch das Haustelefon »hallo!« rief. Daraufhin klopfte er. Sie öffnete, und bevor sie die Tür wieder zuschlagen konnte, hatte er seinen Fuß dazwischen und schob die Tür langsam auf.

»So, mein süßes Töchterlein, jetzt wollen wir uns doch mal unterhalten«, sagte er dabei. »Kein freudiges Wort der Begrüßung? Da bin ich aber enttäuscht!«

Hans-Jürgen war längst nicht so gelassen, wie er seiner Frau gegenüber getan hatte. Eine junge Frau war auf jeden Fall bedrohlich, denn es gab genügend Beispiele dafür, daß Frauen ganz schnell beschlagen wurden, sobald sie in die Reichweite von Geld kamen. Einer seiner Männerfreunde organisierte regelmäßig Meetings für Deutschlands Vorstände, und was der dabei zu erzählen hatte, war grandios. Kaum einer von denen hatte seine Nummer eins, die erste Ehefrau, noch dabei. Mehr als die Hälfte reisten bereits mit Nummer zwei an, die meist knapp unter Vierzig waren und, der Auskunft seines Freundes nach, schon deshalb zänkisch, weil sie am Beispiel anderer Vorstände sehen konnten, daß die bereits auf Nummer drei, Alter zwischen zwanzig und dreißig, umgestiegen waren. Diese Kategorie, so sein Freund, waren die nervigsten, denn sie hatten selbst im Leben noch nichts erreicht und beriefen sich in allem auf die Macht ihrer Männer, frei nach dem Motto: »Mein Mann möchte das aber so!«

Und dies befürchtete Hans-Jürgen nun bei Anno auch. Ina Schwarz war jung und äußerst attraktiv, das hatte er selbst gesehen. Sie würde den Rest des männlichen Verstandes, den Anno vielleicht noch besäße, genauso umnebeln, wie es die jungen Frauen mit ihren alten Vorständen taten.

Er hatte nicht die geringste Lust, sich mit einer reichen Witwe auseinandersetzen zu müssen. Vor allem um die Kohle, die er so dringend brauchte. Und die, so ehrlich war er sich gegenüber, auch dazu beigetragen hatte, daß Renate damals die einzig Richtige für ihn war. Daß sich Anno nicht an das durchschnittliche Sterbealter für Männer gehalten hatte, war ärgerlich genug. Aber daß eine junge Pflanze sie so kurz vor dem Ziel zum Narren halten würde, war ein Sakrileg und mußte verhindert werden. Er dachte wieder einmal an Petrus und schlug ein Kreuz.

Hans-Jürgen saß im Garten ihres Hauses in Mannheim und machte sich Notizen. Zunächst einmal mußte er sich über Annos Vermögensverhältnisse Klarheit verschaffen. Er stand auf und rückte den Sonnenschirm zurecht. Die Sonne wanderte schneller, als er denken konnte. Dann setzte er sich wieder. Auf legalem Wege ließ sich das nicht herausbringen. Auch im Rahmen eines Mandantenverhältnisses konnte er sich über die Schuldnerkartei beim Amtsgericht höchstens über erfolgte Zwangsvollstreckungen informieren, was bei Anno überflüssig war. Eine Art Guthabenkartei sah das Gesetz nicht vor.

Hans-Jürgen stand auf und ging über die Terrasse ins Haus, um sich ein Hefeweizen einzuschenken. Er genoß es, einen Tag für sich ganz allein zu haben. Sein Jüngster hatte sich für heute zwar angesagt, aber als er hörte, daß Renate nicht zu Hause sei, sich gleich wieder zurückgezogen. Wahrscheinlich wollte er seiner Mutter Geld abschwatzen und zudem die schmutzige Wäsche bringen, da war er nicht der richtige Gesprächspartner. Hans-Jürgen war es recht. Es war herrlich, einmal alle los zu sein. Keiner, der ihn mit kritischem Blick ansah, wenn er am hellichten Nachmittag ein Hefeweizen zog. Und keiner, der ihn darauf hinwies, daß das Gras schon wieder zu hoch sei. Und daß die Terrasse endlich neu gemacht werden müsse. Und es an der Zeit sei, Freunde zum Grillen einzuladen. Schließlich sei der Sommer kurz, und eine Gegeneinladung sollte möglichst noch in diesem Jahr erfolgen.

Hans-Jürgen tätschelte seinen nackten Bauch, als er über die zu renovierende Terrasse wieder ins hohe Gras trat. In den Boxershorts fiel es auf, daß er ein bißchen schwammig geworden war. So um die Hüften, was ihm überhaupt nicht gefiel. Mit 53 Jahren war er für die Altersfigur noch zu jung. Er würde sich mehr bewegen müssen und möglicherweise weniger Bier trinken. Aber die guten Vorsätze hielten nur bis zum Gartentisch, denn dort trank er sein kühles Bier und sagte sich, daß er, wenn er erst einmal in Lindau am See wohnte, jeden Tag nur noch Sport machen würde. Morgens schwimmen, radeln oder segeln, mittags Sportzeitschriften lesen und sich abends in den Kasinos von Lindau, Bregenz und Konstanz nach hübschen jungen Bräuten umschauen.

Er nahm das Blatt, auf das er bereits einige Gedanken geschrieben hatte, und las es nochmals durch. Im Grunde war es ganz einfach. Das Lösungswort hieß: bankintern. Wozu war er in einer verschworenen Männergemeinschaft, wenn es keinen Nutzen hätte?

Peter, sein Freund und Oberbanker, konnte sicherlich auf kleinem Dienstweg herausfinden, was Sache war. Dazu mußte er nur wissen, welches Annos Hausbank war, und das in Erfahrung zu bringen war für Hans-Jürgen kein Kunststück.

Ein Geruch nach Holzkohle und Spiritus stieg ihm in die Nase. Er lehnte sich zurück, trank den Rest seines Bieres. Gleich würde das Unheil über ihn hereinbrechen, und ein freundlicher Nachbar würde ihn über den hohen Gartenzaun hinweg zum Grillwürstchen einladen. Hans-Jürgen überlegte, ob er sich schon mal in Sicherheit bringen und in der Küche noch ein weiteres Weizenbier trinken sollte. Er betrachtete sein Haus, das als ehemaliges Fertighaus nach und nach erweitert worden, aber alles in allem keine reine Augenweide mehr war. Und das handtuchartige Grundstück, in dem man auf Gedeih und Verderb den nachbarlichen Launen ausgesetzt war. Grillten sie rechts oder links, roch die frisch gewaschene Wäsche danach. Musizierten sie, half nur Ohropax. Mähten sie am Samstag frühmorgens den Rasen, ging ihm die Galle über. Am schlimmsten aber waren die Goodwill-Attacken. Was? Frau nicht da? Komm rüber zum Abendessen. Auto am Samstag nicht gewaschen? Wohl keine Zeit gehabt? Wir schicken euch unseren Sohn. Neue Putzfrau? Aus Jugoslawien? Seid bloß vorsichtig. Neues Auto? Viele Scheidungen in letzter Zeit, was? Haha!

Hans-Jürgen zog sich von seinem leicht einzusehenden Platz im Mittelpunkt des Gartens auf die sichtgeschützten Steinstufen der Terrasse zurück. Schon immer hatte er diese Adresse hier als reine Übergangslösung gesehen. Die Villa am See war sein visionärer Ankerplatz. Er betrachtete sein leeres Glas und dachte über die veränderte Situation nach. Eines war ihm klar: Es genügte nicht, zu wissen, wieviel Anno in Aktien angelegt oder auf Sparkonten hatte. Um zu seinem Ziel zu kommen, mußte er einen Plan aushecken, wie diese Frau auszuschalten sei. Das bedeutete, daß Peter auch gleich mal *ihre* finanziellen Verhältnisse durchleuchten mußte. Notfalls würde er sogar einen Privatdetektiv anheuern. Denn sicherlich ließ sich etwas finden, das sie in Annos Augen indiskutabel werden ließ. Und wenn es nichts gab, mußte man eben etwas konstruieren.

Anno bewahrte die Ruhe, obwohl seine vier Töchter völlig außer sich waren. »Wovor habt ihr eigentlich Angst? Daß mich eine so junge Liebe schneller unter den Boden bringt, oder was?«

Keine sagte etwas, es war kurz erstaunlich ruhig. Das war natürlich auch eine Möglichkeit, dachte Bernadette. Wenn das bald genug geschah, würde zumindest alles beim alten bleiben. So schnell würde er sein Testament sicherlich nicht ändern. Kurz darauf schämte sie sich für diesen Gedanken, aber nicht lange, denn sie konnte an den Gesichtern ihrer Schwestern sehen, daß sie ähnliches dachten.

»Das könnte euch doch nur recht sein«, sagte Anno in die Stille hinein.

»Also, Vater!« protestierte Lydia lahm. »Du weißt doch, daß wir dich lieben. Wir wollen, daß du noch sehr lange lebst! Und dabei gesund bleibst!«

»Eben! Und eine so junge Frau belastet. Den Organismus, das Herz, den Geist – einfach alles. Das reine Gift!« fügte Thekla schnell an.

»Und das Erbe«, säuselte Nancy, während sie die leergegessenen Kuchenteller zusammenstellte.

Bevor Thekla sie scharf zurechtweisen konnte, klingelte das Telefon.

»Ich geh schon«, flötete Nancy und schob ihre Pfunde an den Stühlen vorbei. Anno schaute ihr grinsend nach.

»Nur, um das nochmals klarzustellen«, begann Thekla wieder, da wurde sie von Nancy, den Telefonhörer in der Hand, unterbrochen.

»Thekla, Barbara ruft Sie um Hilfe. Sie wird von Gerhard bedroht! Kommen Sie schnell!«

Thekla wich sofort alle Farbe aus dem Gesicht. Und das hier und jetzt! Ausgerechnet! Sie stand schnell auf, doch bis sie am Telefon war, war aufgelegt worden.

»Das ist doch einer Ihrer typischen Streiche!« herrschte sie Nancy an.

Nancy riß ihr den Telefonhörer aus der Hand. »Sagen Sie mir die Nummer Ihrer Tochter! Schnell! Wer weiß, warum sie aufgelegt hat. Oder auflegen mußte!«

Thekla sagte sie langsam vor, während Nancy wählte.

Inzwischen waren die anderen Schwestern aufgestanden und standen jetzt um Nancy und Thekla herum.

»Dieser Scheißkerl!« sagte Bernadette im Brustton der Überzeugung.

»Du hast kein Recht ...«, fauchte Thekla, aber Nancy schnitt ihr das Wort ab.

»Besetzt!« Sie schaute Thekla an. »Er hindert sie daran zu telefonieren. Wer weiß, was da gerade passiert!«

»Lassen Sie mich mal!« Thekla wollte ihr den Telefonhörer wieder abnehmen, aber Nancy riß ihn zurück.

»Schluß mit lustig!« sagte sie. »Wie heißen die Nachbarn?«

Thekla schüttelte stumm den Kopf.

»Dann die Polizei!«

»Sind Sie verrückt?« Thekla griff erneut nach dem Hörer, hatte aber keine Chance gegen Nancy.

Lydia legte ihre Hand auf Theklas Arm. »Nancy hat recht! Wenn sie hier anruft, ist etwas passiert oder passiert in diesem Moment! Wie kannst du da noch zögern!«

Barbara hatte sich vor ihrem Vater hinter das Sofa geflüchtet. Er stand breitbeinig davor, das Telefon in der Hand. »Das war überhaupt keine gute Idee«, sagte er langsam. »Außerdem brauchst du nicht zu glauben, daß dir das etwas nützt! Es liegen über 600 Kilometer zwischen deiner Mutter und dir«, er stockte kurz und grinste dann. »Und noch andere Klippen!«

»Sei doch vernünftig«, versuchte Barbara ihn zu beschwichtigen. Bloß nicht reizen, bloß nicht aufregen, dachte sie dabei. Er wirkte auf sie wie ein zu allem entschlossener Psychopath, dem nur ein Reizwort zum Angriff fehlte.

»Laß uns doch in Ruhe darüber reden«, fuhr sie fort und versuchte ihre Stimme ruhig klingen zu lassen. Möglichst ruhig und gleichförmig sprechen, sagte sie sich, so wie mit einem bissigen Hund oder einem kurz vor der Hysterie stehenden Pferd.

»Sag mir doch mal, was ich dir so Schlimmes angetan habe«, sagte er, und sie war im Zweifel, was er hören wollte. Sollte sie nun lügen und »es war doch gar nichts« sagen, oder wollte er sich an ihren Schilderungen aufgeilen?

»Das weißt doch du wohl am besten«, sagte sie und spürte in derselben Sekunde, daß es entweder zu provokativ oder die falsche Tonlage gewesen war.

Seine Augen verengten sich zu Schlitzen, und er kam zwei Schritte auf sie zu. Barbara überlegte, wohin sie ausweichen könnte, wenn er über das Sofa klettern würde, und spürte, wie die Panik in ihr wuchs.

»Freche Antworten kann ich schon mal überhaupt nicht leiden!« Er verharrte wie ein Tier vor dem Sprung.

»Laß uns doch darüber reden!« Barbara bewegte sich ebenfalls nicht. Sie befürchtete, daß ihn jede Art von Bewegung herausfordern könnte.

»Du wirst diese Erpresserbriefe sein lassen! Und für diese Idee mit dem Anzeigenblatt hätte ich nicht übel Lust ...« Er vollendete seinen Satz nicht, und Barbara ließ ihn ebenfalls in der Luft hängen. »Was ich aber wirklich von dir wissen will«, eine unnatürliche Röte begann sein Gesicht bis zur Stirnglatze zu überziehen, »ist, woher du diese Namen hast.« Er warf das Telefon auf die Sitzfläche des Sofas. Barbara stand hinter der Rückenlehne, mit dem Rücken fast an der Wand. Er ging am Sofa entlang, sie begann zur anderen Seite auszuweichen.

»Bleib stehen!« herrschte er sie an. »Komm nicht auf die Idee, vor mir davonzulaufen!«

Sein Atem ging schwer, und Barbara starrte ihn an. Ihr Vater war ein Monstrum. Ein unzurechnungsfähiges Monstrum! Sie verlor die Nerven und lief hinter dem Sofa vor, um zur Eingangstür zu gelangen. Bloß raus, dachte sie, nichts wie weg. Doch er war schneller, als sie gedacht hatte, und riß sie an den Haaren zurück, schleuderte sie zu Boden und warf sich auf sie. Sein Gewicht erdrückte sie fast, doch sein Gesicht so nahe über ihrem mobilisierte ihre Kräfte, sie drehte sich mit einem Ruck auf die Seite und bekam ein Bein vom Couchtisch zu fassen, der daraufhin umstürzte. Gerhard griff nach ihrem Armgelenk, aber sie entwand sich ihm und fühlte gleich darauf auf dem Boden, was sie gesucht hatte: den Aschenbecher aus massivem Glas. Sie umfaßte ihn, da spürte sie Gerhards Griff an ihrem Unterarm. Sie hob den Kopf und biß zu. Gerhard schrie auf, ließ los und schrie gleich noch einmal, denn Barbara hatte ihm blitzschnell und mit voller Kraft den kantigen Aschenbecher auf den Kopf geschlagen. Dann sackte er weg, sie wand sich unter ihm hervor, warf den Aschenbecher auf den Boden, rannte zur Eingangstür und riß sie auf. Erst dort drehte sie sich nach ihm um. Er lag bewegungslos, breit und irgendwie verdreht auf dem Teppich. Aus ihrem Blickwinkel konnte sie seinen Kopf nicht sehen, und sie traute sich auch nicht, zurückzugehen und nachzuschauen. Hatte sie ihn erschlagen? Oder trickste er? Lag er im Sterben, und sie würde wegen unterlassener Hilfeleistung angezeigt? Schlimmer noch, wegen Totschlags? Sie zitterte am ganzen Leib, während sie überlegte, was sie tun sollte. Hilfe holen? Arzt anrufen? Polizei? Das Telefon lag auf dem Sofa, sie hätte auf dem Weg dorthin an ihm vorbei gemußt. Das erschien ihr zu gefährlich. Sie wollte seine Hand nicht an ihrem Knöchel spüren.

Sie beobachtete ihn und überlegte, ob es für alle Beteiligten nicht sogar besser wäre, wenn er sterben würde. Das hätte fast etwas von biblischer Gerechtigkeit. Sie versuchte in sich hineinzuhorchen. Ihr Verstand sagte ihr, daß sie einen Arzt rufen mußte, ihr Gefühl riet ihr, die Dinge laufen zu lassen. Er hatte sie angegriffen, nicht umgekehrt. Immer war sie das Opfer gewesen. Sollte es jetzt andersherum sein.

Als die von Nancy alarmierte Polizei fünfzehn Minuten später eintraf und die Tür aufbrach, war die Wohnung leer. Sie schauten sich um, fanden aber nirgends einen Hinweis auf ein verübtes Verbrechen. Achselzuckend gaben sie über Funk Entwarnung, was direkt nach Lindau übermittelt wurde.

»Seht ihr«, sagte Thekla und wischte sich die feinen Schweißperlen ab, die unaufhörlich über ihre Stirn rannen. »Falscher Alarm!«

»Du kannst deinen Mann schützen, solange du willst, er ist ein Barbar! Und es geht um deine Tochter!« Renate ging kopfschüttelnd zum Tisch zurück. »Ich habe ja Verständnis dafür, daß du keinen Skandal willst. Aber schmeiß ihn endlich raus, diesen Widerling!«

»Er ist mein Mann, und wir sind eine Familie! Und der Rest geht euch nichts an! Oder prüfst du vielleicht nach, was dein Mann so treibt, wenn er mit seiner tollen Männergesellschaft unterwegs ist? Was? Ich sage da nur: Paris ...«

Auch Bernadette hatte sich wieder gesetzt. »Das ist doch wohl was anderes! Gekaufte Mädchen und eigene Töchter – das ist doch wohl ein Unterschied!«

Renate fuhr herum: »Wer sagt dir denn, daß Hans-Jürgen Mädchen kauft? Eine Unverschämtheit ist das von dir!«

»Was soll er denn sonst in Paris machen?« fragte Bernadette süffisant und zog die Brauen hoch. »Dann könnten sie ja auch gemeinsam nach Wanne-Eickel fahren. Oder nach Leck. Dort gibt's garantiert kein Nachtleben!«

»Ich brauch 'nen Schnaps!«

Nancy stellte eine Flasche mit Selbstgebranntem auf den Tisch und holte Gläser.

Alle schauten ihr zu, wie sie die Schnapsgläser randvoll machte und sie anschließend verteilte. Anno hob sein Glas und drehte es in Augenhöhe vorsichtig in der Hand. Dabei schaute er hinein, als handele es sich um die Glaskugel einer Wahrsagerin. »Na, ich weiß nicht«, begann er mit bedächtiger Stimme, »ob ich einem solchen Schwiegersohn auch nur einen Sou vererben will!« Er schüttelte langsam den Kopf. »Ich glaube eher nicht!«

Als Ina aufgekratzt von ihrem Fahrerlebnis zurückkam, stand Anno unter der Tür und rauchte ein Zigarillo. Er blinzelte ihr zu. »Da drinnen ist die Hölle los. Irgendwie habe ich den Eindruck, daß es nicht mehr lange dauern wird, bis sie sich gegenseitig die Augen auskratzen.«

»Ich verstehe sowieso nicht, daß sie sich so benehmen. Sie gewinnen dadurch doch nichts!« Ina hielt Anno die Autoschlüssel hin. »Ein wunderbares Auto. Ich hätte wirklich nie geglaubt, daß man von einem Auto schwärmen kann!«

Anno schaute sie von der Seite an. »Eigentlich wäre es mir ja auch lieber, du würdest von mir schwärmen ...«

Ina lachte und drückte ihm spontan einen Kuß auf die Wange. »Nichts leichter als das!«

»Vielen Dank! Das tut doch richtig gut!« Er legte seinen Arm leicht um ihre Schulter und deutete mit dem Kopf zur Tür. »Wollen wir?«

Ina nickte. »Auf in den Kampf. Soll ich jetzt dabei bleiben?«

»Du wirst den Wagen loben, ich werde geheimnisvoll tun, und bei passender Gelegenheit werden wir zum Abendessen entschwinden!«

Das Stimmengewirr legte sich sofort und machte eisigem Schweigen Platz, als die beiden Seite an Seite ins Wohnzimmer kamen. Nur Nancy kam sofort auf Ina zu. »Na, wie war's mit der Luxuskarosse?«

»Unbeschreiblich!« sagte Ina in möglichst leichtem Tonfall. »Er fährt sich himmlisch, sieht traumhaft aus, hört und fühlt sich gut an. Wie der perfekte Liebhaber eben.« Das war ihr herausgerutscht, denn sie hatte im gleichen Moment an Claudio gedacht. Um es wiedergutzumachen, lächelte sie Anno an. Der strich ihr leicht über die Wange. Thekla schnappte hörbar nach Luft. Das war ihr einfach zuviel. Er bootete sie alle aus, einfach mal so mit einem Fingerschnippen, und hier, vor ihren Augen, wurde die neue Prinzessin gekürt. Unwillkürlich schaute sie nach Inas Händen. War sie etwa auch schon beschmuckt? Womöglich aus der Schatulle ihrer Mutter? Wenn das der Fall wäre, würde sie ... was sie genau tun würde, wußte sie auch nicht, aber sicherlich zu drastischen Mitteln greifen. Wahrscheinlich den betreffenden Finger abhacken.

Anno lächelte in die Runde. Bernadette schüttelte den Kopf. Das Ganze kam ihr vor wie ein Theaterstück. Irgendwie war sie in die falsche Aufführung geraten. Was um Gottes Willen kam ihrem Vater in den Sinn, mit dieser Frau vor ihnen zu stehen, als ob sie zur Familie gehörte? Schlimmer noch, als sei sie mehr wert als die eigenen Töchter? Julia hatte recht gehabt. Anno wandelte augenscheinlich auf Freiersfüßen. Für einen Moment überlegte sie, was sinnvoller wäre, ihr oder ihm Gift in den Kaffee zu geben. Effektiver wäre es sicherlich bei ihm.

»Habe ich das eigentlich richtig verstanden, Vater, hast du dir einen neuen Wagen gekauft?« Lydia nahm mit vorgestrecktem Kopf den Kampf auf.

»Vielleicht ...« Anno lächelte und drückte Inas Arm.

»Tut es deiner nicht mehr oder wieso? Der Mercedes ist doch noch nicht so alt?«

»Es dreht sich dabei ganz und gar nicht um mich ...«, sagte er und ließ den Satz bedeutungsvoll in der Luft hängen.

»Sind wir wieder bei dieser Frau angelangt?« Lydia starrte Anno an und vermied es, den Blick auch nur andeutungsweise zu Ina abschweifen zu lassen.

»Diese Frau und ich gehen jetzt zum Abendessen. In ein Restaurant. Ihr könnt euch gern in der Küche bedienen, wenn ihr nachher aufräumt. Nancy hat heute abend nämlich etwas anderes vor!« Er warf seinen Töchtern einen Handkuß zu und zog Ina, die noch ein »auf Wiedersehen allerseits und gute Heimfahrt« in die Runde warf, zur Haustür.

Eine Weile war es still am Tisch. Jede überdachte die Situation aus ihrer eigenen Warte. Schließlich sagte Renate: »Wenn jetzt auch noch jede von uns ihr eigenes Süppchen kocht, kann es nur schiefgehen. Wir müssen wirklich zusammenhalten und an einem Strang ziehen. Diese Ina Schwarz ist unser gemeinsamer Feind, und so müssen wir das betrachten und auch angehen. Wir müssen sie auf irgendeine Art vernichten.«

»Oder, sagen wir einmal«, warf Lydia ein, »wir müssen zumindest verhindern, daß Vater unser Geld an sie verschleudert. Das fängt ja jetzt schon an! Was kostet so ein Jaguar?«

Bernadette zuckte die Achsel. »Ich schätze mal um die 130 000 Mark!«

»Das sind«, Thekla verzog das Gesicht, »realistisch gesehen, schon mal 130 000 weniger für uns! Wegen so einer dahergelaufenen Schlampe!«

»Wir sollten noch was trinken!« warf Renate ein. »Die Weinflasche ist leer. Wer geht?«

»Im Weinkeller steht auch der Tresor!« Sie schauten sich an.

»Wo ist Nancy?« fragte Thekla.

»Habe sie nicht mehr gesehen. Hoffentlich hat sie sich verzogen!«

»Die verzieht sich nicht, die platzt höchstens!«

»Was ist jetzt mit dem Tresor? Wer von euch hat die Nummern noch im Kopf?«

Sie schauten sich gegenseitig an. Keine war sich wirklich sicher, ob nicht eine der anderen etwas verheimlichen könnte.

»Gehen wir gemeinsam«, entschied Thekla. »Vielleicht fällt sie uns ja wieder ein, wenn wir davor stehen.«

»Ich denke, wir haben die Nummer nie gewußt!« Renate trank im Aufstehen ihr Glas leer und ging voraus zur Kellertür.

Gerhard war zu sich gekommen, nachdem Barbara bereits gegangen war. Er hatte höllische Kopfschmerzen und konnte sich im ersten Moment an nichts erinnern, wußte nicht einmal, wo er war. Jede Bewegung schmerzte, so blieb er noch einige Minuten liegen, bis sich seine Augen auf einen gläsernen Gegenstand vor ihm einstellten. Langsam wurde ihm bruchstückhaft klar, was geschehen war. Er rappelte sich hoch, nahm den Aschenbecher an sich und schaute sich nach Barbara um. Sie lag nirgends, also hatte er sie nicht umgebracht. War auch schlecht möglich, sagte er sich gleich darauf, denn schließlich hatte sie noch recht lebendig zugeschlagen. Er tastete seine Kopfhaut ab und betrachtete seine Finger. Blut. Das hatte er sich gedacht. Hoffentlich hatte sie ihn nicht ernsthaft verletzt. Zumindest pochte es bei jeder Bewegung. Trotzdem war ihm klar, daß er so schnell wie möglich hier fort mußte. Er quälte sich zur Tür und schaute von dort den Teppichboden an. Keine Blutspur zu sehen. Anscheinend war er mit der unversehrten Kopfhälfte zu Fall gekommen. Er hatte keine Ahnung, wie er aussah, aber sein Instinkt sagte ihm, daß er keine Zeit für einen Badezimmeraufenthalt hatte. Gerhard wollte so schnell wie möglich hier raus. Bevor er die Tür öffnete, schaute er durch den Spion, dann ging er schnell zum Lift. Der war aber gerade in Bewegung, anscheinend geradewegs zu ihm, Stockwerk fünf. Gerhard wich zur Treppe aus. Als er von dort aus Polizisten aus dem Lift kommen sah, die sich gleich darauf an Barbaras Tür zu schaffen machten, dankte er seinem Schutzengel und schwor seiner Tochter Rache.

Barbara hatte sich, ohne weiter zu überlegen, in ihren Wagen gesetzt und war losgefahren. Die nächste Bastion, die ihr einfiel, war Julia. Sie mußte unbedingt mit jemandem reden. Bei ihrer Mutter hatte sie schlechte Karten, das wußte sie, denn Thekla hatte nur den Ruf der Familie im Sinn und das Schlagwort: *Komme, was wolle, eine Familie muß zusammenhalten. Vor allem nach außen.* Barbara hatte unter dieser Maxime jahrelang gelitten. Im engeren Umfeld kannte sie niemanden, dem sie ihre Kindheitserlebnisse anvertraut hätte. Vor Irene und Klaus, ihren älteren Geschwistern, hatte sie sich in dieser Sache immer geniert. Manchmal hatte sie sogar den Eindruck, sie hielten sie für eine Aufschneiderin. Obwohl sie auf der anderen Seite mitbekommen hatte, wie Klaus ihrer Mutter zur Scheidung riet und Irene ihr heftige Vorwürfe machte. Aber auch das alles nur im Rahmen der Familie.

So fuhr sie noch immer völlig starr und abwesend vor Schreck nach Heidelberg. Sie würde Stunden brauchen, und sie hatte auch nicht angerufen. Aber es war ihr egal. Ihr Wagen erschien ihr im

Moment als der sicherste Ort, und solange er sich bewegte, konnte ihr von außen auch keine Gefahr drohen. Keiner konnte ihr zu nahe kommen. Sie fuhr vor sich hin und versuchte die Bilder abzuschütteln, die sie trotz allem verfolgten. Sie sah sich hinter dem Sofa und Gerhard davor. Und dann der Moment, als er sie an den Haaren zu Boden riß. Und schließlich der Schlag mit dem Aschenbecher. Was, wenn er wirklich tot war? Leblos in ihrer Wohnung lag, wenn sie nach Hause kam? Es schüttelte sie, und sie gab Gas. Julias kleine Studentenwohnung erschien ihr wie eine rettende Insel.

Thekla, Renate, Lydia und Bernadette standen in dem leicht modrig und nach Kartoffeln riechenden Keller um den Tresor herum und wußten nicht weiter. Thekla merkte sich die derzeit eingestellten Zahlen, dann drehte sie ein bißchen herum, aber es war sinnlos. »Dazu bräuchte man einen Fachmann«, sagte sie.

»Es wäre schon interessant zu wissen, was er drin hat!« Renate versuchte jetzt ebenfalls ihr Glück. »Fast wie am Roulettetisch«, sagte sie dazu.

»Glaubt ihr, er verwahrt Goldbarren oder so was?« wollte Lydia wissen.

»Warum nicht?« Thekla zuckte die Achseln. »Wertbriefe, Bankauszüge, was weiß ich. Jedenfalls irgend etwas, damit wir die Lage besser einschätzen können!«

»Warum fragen Sie ihn denn nicht einfach?«

Alle vier fuhren herum, Nancy stand am Treppenaufgang, ihre Gestalt füllte den gesamten Türrahmen aus, aber es hatte sie keiner kommen hören.

Selbst Thekla fühlte sich ertappt und brauchte einige Sekunden, bis sie kontern konnte. »Was schleichen Sie hier denn so herum?« fuhr sie sie an.

»Ich passe auf das Haus auf«, sagte Nancy und lächelte sanft. »Und wie man sieht, nicht unbegründet!«

»Raus!« schrie Thekla. »Ich werde dafür sorgen, daß Sie Ihre Stelle verlieren, Sie anmaßendes Frauenzimmer!«

»Tun Sie das!« Nancy nickte ihr zu. »Viel Erfolg dabei!« Damit ging sie die Treppe wieder hinauf.

»Das hätte jetzt nicht passieren dürfen«, flüsterte Bernadette, die sich in ihre Kinderjahre zurückversetzt und wie beim Marmeladeklauen erwischt sah. »Sie wird es Vater in jedem Fall erzählen!«

»Das wird sie wohl«, nickte Thekla grimmig und ging zu den Regalen mit den Weinen. Die eine Glühbirne an der Decke reichte nicht ganz aus, um den hinteren Teil des Raumes zu erhellen, außerdem schluckte auch der unebene Boden viel Licht. Thekla ging vor dem Weinregal in die Knie und zog eine Flasche nach der anderen heraus. Sie hielt sie nach oben ins diffuse Licht und versuchte, die Etiketten zu entziffern. »Die guten liegen unten. Ganz wie früher! Suchen wir uns einen aus. Einen möglichst teuren, bevor ihn diese Schwarz bekommt!«

Barbara war spät abends fast wie in Trance in Heidelberg angekommen. Sie hätte keinen Meter ihrer Fahrt rekonstruieren können, alles war wie ein böser Traum an ihr vorübergegangen. Ein Wunder eigentlich, daß sie überhaupt bis hierher gekommen war, fand sie, als sie jetzt vor Julias Studentenwohnheim einen Parkplatz suchte. Nach wenigen Minuten verlor sie die Geduld und stellte ihren Wagen im Parkverbot ab. Es war ihr alles egal, was um sie herum geschah. Sollten sie ihn abschleppen, was würde das an der Welt schon ändern. Sie klingelte unten und war angenehm überrascht, als nach dem zweiten Mal aufgedrückt wurde. Eigentlich hatte sie nicht damit gerechnet.

Julia hatte den halben Nachmittag über ihre Wohnung aufgeräumt, was nötig war, gründlich geputzt, was sie nur in Notfällen tat, gekocht, was sie selbst als mittlere Sensation betrachtete, und ihren kleinen Holztisch liebevoll mit Kerzen und roten Servietten für ein Abendessen zu zweit gedeckt. Dann hatte sie vor ihrem Kleiderschrank gestanden und sich gefragt, was gut, aber nicht aufgedonnert aussah, sexy, aber nicht gewollt. Sie probierte einige Stücke an, sah aber fast nur ihre Problemzonen an sich. Ihrer Meinung nach stimmten ihre Proportionen nicht. Den Busen fand sie zu klein, die Hüften zu breit. Von dem derzeit gängigen Figuren-ideal, groß, ordentliche Oberweite und ab der Taille knabenhaft schlank, fühlte sie sich weit entfernt, was sie nicht glücklicher machte. Das einzige, was sie wirklich gut an sich fand, war ihre Frisur. Sie war heute vormittag noch beim Friseur gewesen und hatte sich ihr schulterlanges dunkelbraunes Haar nach einem Foto, das sie in einer Frauenzeitschrift gefunden hatte, schneiden und färben lassen. Mittelscheitel, die vorderen Haare streng hinter die Ohren und locker nach hinten auftoupiert. Tiefschwarz hatte ihr der Friseur empfohlen. Damit kam sie sich im Spiegel zwar ein bißchen fremd vor, aber es gab ihr auch etwas. Sie fühlte sich schlagartig attraktiver und war sich sicher, daß sie es heute schaffen würde. Heute, da Niklas sie zum ersten Mal besuchen kam, würde sie ihn verführen. Es war ihr danach.

Als Barbara vor Julias Wohnungstür angelangt war und Julia mit einem freudigen Lächeln öffnete, war beiden sofort klar, daß etwas schieflief.

»Mich hast du wohl nicht erwartet«, sagte Barbara, nachdem sie das obligatorische Begrüßungsküßchen ausgetauscht hatten. Sie musterte Julia mit ihrer neuen Frisur und dem ausgeschnittenen langen Kleid, in dem sie vor ihr stand.

»Ehrlich gesagt, nein«, sagte Julia und überlegte krampfhaft. Was sollte sie tun, sich den Abend verderben lassen und Barbara hereinbitten? Auf der anderen Seite sah sie erbarmungswürdig aus. Die Augen in tiefen Höhlen, die Haut fahl, die Haare ungekämmt. Eigentlich fand Julia sie, die mit ihren 28 Jahren nur drei Jahre Ältere, von Natur aus sehr viel hübscher als sich selbst, aber davon war jetzt nichts zu sehen. »Komm rein«, sagte sie entschieden. »Irgend etwas ist doch passiert!«

»Ich glaube, ich habe meinen Vater erschlagen«, sagte Barbara tonlos, und Julia glaubte im ersten Moment, sich verhört zu haben. Sekunden später spürte sie, wie ihr eine Gänsehaut über den Rücken kroch.

»Hat er wieder …«, begann sie noch zwischen Tür und Angel, aber dann zog sie Barbara an der Hand in die winzige Wohnung.

»Komm, setz dich«, sie wies zu dem gedeckten Tisch. Barbara registrierte zwar, daß Julia Besuch erwartete, aber sie fühlte sich völlig gelähmt. Sie setzte sich und starrte Julia an. Ihr Blick wurde Julia unheimlich. Sie rückte ihren Stuhl neben sie. »Mensch, Barbara, was ist denn passiert? Kann ich dir helfen?« Wenn sie ihn erschlagen hat, geschieht es ihm gerade recht, dachte sie plötzlich.

Barbara holte tief Luft, dann erzählte sie völlig emotionslos und mit monotoner Stimme, was sich am Nachmittag in Essen zugetragen hatte.

Niklas hatte Mühe, in Stuttgart wegzukommen. Seine Freundin schien etwas zu ahnen, denn noch nie wollte sie so genau wissen, was er denn die halbe Nacht im Institut für Werkzeugmaschinenentwicklung zu schaffen hätte. Sie bereiteten einen Tag der offenen Tür vor, erklärte er geduldig und wahrheitsgetreu, das ginge jedenfalls bis spät in die Nacht, und der Prof hätte sie nach der Arbeit noch eingeladen. Da könne und wolle er nicht absagen. Er gab sich trotzig. Warum sollte er auch. Weil sie heute abend ebenfalls etwas vorgehabt hätte, ließ Angelika ihn wissen, und Joshua immerhin das gemeinsame Kind sei. Dagegen gab es zwar kein Argument, aber er wollte sich den Abend mit Julia trotzdem nicht verderben lassen. Er mache es wieder gut, versprach er, und küßte sie auf die Stirn. Gleich morgen übernehme er den Termin, mit Joshua zum Babyschwimmen zu gehen. Das wolle sie sehen, meinte Angelika nur, und er konnte endlich gehen.

Nachdem Barbara alles geschildert hatte, stand Julia auf und holte die Flasche Sekt, mit der sie Niklas überraschen wollte. 15 Mark, ein Vermögen, aber es schien ihr jetzt nicht der richtige Zeitpunkt, auf solche Nebensächlichkeiten zu achten. »Trinken wir erst einmal einen Schluck zur Beruhigung«, sagte sie. »Und danach rufe ich in Lindau an. Wenn du mit deinem Anruf Nancy erreicht hast, hat sie sicherlich etwas in die Wege geleitet. Hast du daran schon gedacht?«

Barbara schüttelte stumm den Kopf, und Julia griff zum Telefon. »Dann machen wir das lieber gleich!«

Niklas war inzwischen auf der Autobahn. Es war fast neun Uhr, und er würde einigermaßen zu spät kommen, aber er hatte keine Möglichkeit mehr gehabt, Julia zu informieren. Angelika hatte ihn nicht aus den Augen gelassen, bis er aus der Wohnung war, und ein Handy konnte er sich nicht leisten. Er drehte die Musik auf und kurbelte das Schiebedach zurück. Vielleicht würde er sich heute abend ja schlüssig darüber werden, was er überhaupt wollte. Romy, die ihm immer mal wieder Geld zusteckte, hatte ihn das auch schon gefragt. Sie hatte sich in Julias Gegenwart zwar nichts anmerken lassen, wie es sich für eine gute Omi gehörte, aber später wollte sie schon wissen, ob sie sich ihren Urenkel gleich wieder abschminken könne. Niklas wußte es selbst nicht. Das mit dem Kind war passiert, Angelika hatte gleich die Zügel in die Hand genommen, eine gemeinsame Wohnung gemietet, und seitdem war es eben so.

Bisher hatte er es nicht hinterfragt, und er fühlte sich auch nicht unglücklich. Andere waren mit 25 auch schon Väter und noch in der Ausbildung. Auch das war nichts Ungewöhnliches. Er fragte sich nur, ob er Julia heute über seine Situation aufklären sollte oder besser nicht. Eigentlich wollte er sich nichts verderben, und das veranlaßte ihn schon zur nächsten Frage an sich selbst, wie ehrlich er es eigentlich meinte. Und da war er sich auch schon nicht mehr sicher, mit wem eigentlich. Mit Julia oder Angelika.

Die vier Schwestern hatten sich eine Flasche nach der anderen aus dem Weinkeller der elterlichen Villa geholt, in der Hoffnung, guter Wein könne die Phantasie beflügeln und somit eine Strategie gegen Ina Schwarz herbeizaubern.

Schließlich hatten sie sich mehrere Möglichkeiten ausgedacht. Sollte Anno weiterhin ihr Geld an diese Person verschleudern, mußte ein Weg gefunden werden, um ihn zu entmündigen. Denn daß einer, der sein Leben lang wirtschaftlich gedacht und sparsam gehandelt hatte, plötzlich sein Geld aus dem Fenster warf, mußte

Gründe haben. Entweder war er fremdbestimmt oder geistig verwirrt. Und das kam ihrer Meinung nach aufs gleiche raus. Dafür brauchte man nun also einen Fachmann, der eine Entmündigung gezielt in die Wege leiten konnte.

Lydias Vorschlag, ihn doch einfach aus steuerlichen Gründen um vorzeitige Schenkungen zu bitten, wurde von den anderen weggelacht. Es hätte häufig genug Anlässe für eine finanzielle Unterstützung gegeben, lästerte Bernadette, aber er habe schließlich immer gesagt, dafür hätten sie ihre Ehemänner. »Geldbeschaffung ist erstes männliches Gebot«, rezitierte sie in tiefer Stimmlage, »erst danach kommt die Arterhaltung.«

»Zumindest hat er seine eigenen Sprüche ernst genommen«, befand Renate darauf lakonisch, und die anderen brachen in Gelächter aus und hoben die Gläser.

Die zweite Möglichkeit sei, Ina Schwarz auszuschalten. »Killer aus dem Ostblock kosten 10 000 Mark, die kommen, arbeiten präzise und verschwinden wieder. Wäre also denkbar!« Thekla zuckte die Achseln und schaute in die Runde.

»Wieso denn Ostblock, schick doch deinen Mann«, schlug Renate vor, doch Thekla fand den Vorschlag nicht besonders witzig.

»Man muß sie ja nicht gleich umbringen. Wie wäre es mit Drohungen? Schließlich hat sie eine Tochter. Die könnte man doch mal für einen halben Tag verschwinden lassen, das würde einer Mutter doch sicherlich den Rest geben.« Alle schauten verblüfft zu Lydia. Von ihr hätten sie einen solchen Vorschlag nicht erwartet.

»Keine schlechte Idee«, nickte Bernadette. »Bloß braucht man dazu auch jemanden, der so etwas ausführt. Aber sicherlich ist das der einfachste und effektivste Weg. Über die Kleine gegen die Mutter und damit für uns! Das ist ein zugkräftiger Slogan!«

In der Gewißheit, das Geschehen im Griff zu haben, deckten sie im Garten den Tisch für ein gemeinsames Abendessen. So waren sie um neun Uhr zu weit vom Telefon entfernt, um das Klingeln noch hören zu können.

Anno und Ina saßen auf der Terrasse eines Restaurants auf dem Hoyerberg und ließen nach ihrem Hauptgang den Blick über Lindau schweifen. Von dort oben hatte man eine herrliche Sicht, selbst Annos Villa lag einem gewissermaßen zu Füßen.

»Was die jetzt wohl aushecken?« fragte Ina und strich sich ihr Haar hinter die Ohren.

»Ich habe mir auch schon überlegt, daß ich den Tisch hätte verwanzen lassen sollen. So ein bißchen 007 würde mir möglicherweise ganz gut stehen!« Anno blinzelte ihr zu.

»Ohne Zweifel!« Ina nickte. »Dazu vielleicht noch eine versteckte Videokamera?«

Anno grinste. »Gute Idee!«

»Ob sie noch da sind, wenn wir zurückkommen?«

»Sie werden aus lauter Frust den Weinkeller plündern und sich nach reichlichem Genuß einig werden. Und zwar darin, daß ich wegen Alterstorheit zu entmündigen sei!«

Er schnitt mehrere Grimassen, die Ina zum Lachen brachten, und schob sein Gesicht mit seinen beiden Händen wie ein Clown wieder in Form, weil der Kellner herankam, die Weißweinflasche aus dem silbernen Weinkühler zog und die Gläser nachfüllte. »Dürfte ich Ihnen noch ein Dessert anbieten?« fragte er dabei. »Ich könnte Ihnen unsere Spezialität, frische Eispralinen mit Früchten der Saison, empfehlen.«

Ina stimmte zu, Anno entschied sich für ein Sorbet.

»Ist das Leben nicht herrlich?« sagte sie, nachdem sie wieder allein waren.

»Heute ja«, stimmte Anno zu.

Niklas' Überraschung, in Julias Wohnung noch eine Cousine anzutreffen, wich einer bestimmten Erleichterung. So mußte zumindest heute nichts entschieden oder besprochen werden, wovor er sich sowieso gern gedrückt hätte. Obwohl er, wenn er ehrlich war, schon ganz gern mit Julia geschlafen hätte. Möglicherweise war er sogar deswegen hierhergefahren. Aber da er nicht so gern in seinem Seelenleben grub, nahm er die Situation eben so, wie sie nun mal

144

war. Er hatte zwei Frauen vor sich, die eine offensichtlich für einen intimen Abend zu zweit gerichtet, die andere aus der Fassung. Das war fast wie zu Hause, wenn Angelika irgendeine Bedürftige aus ihrer Frauengruppe mitbrachte, die Zuspruch, Aufmunterung oder auch ganz einfach einen Mann brauchte. Was er sich natürlich nie so zu sagen traute, denn sonst wären sie geschlossen über ihn hergefallen.

Barbara taute langsam auf, obwohl die Ereignisse schwer auf ihr lasteten. Sie hatte Julia gebeten, Niklas nicht einzuweihen. Die Sache erschien ihr zu privat, eine reine Familiengeschichte. So bot sie Julia nach zwei Stunden an, sie mit Niklas allein zu lassen. Julia war hin und her gerissen, traute sich dann aber doch nicht, ihre Cousine in diesem Zustand wegfahren zu lassen. Sie bot ihr an, bei ihr zu übernachten, was bedeutete, daß sie, in dem Einzimmerapartment, keine Chance hatte, Niklas in irgendeiner Form näherzukommen. Sie fand sich schließlich damit ab, daß ja noch andere Abende und somit Gelegenheiten kommen würden. Als sich Niklas um Mitternacht verabschiedete, hatte er das Gefühl, überhaupt nichts verstanden zu haben. Warum Barbara ausgerechnet heute da war, war ihm völlig unklar. Daß sie was hatte, war dagegen offensichtlich. Was, hatte er allerdings nicht herausgebracht. Oder war sie von Julia als Anstandsdame eingeladen worden? Sozusagen als Schutzschild zwischen sich und ihm? Es kam ihm zwar etwas abwegig vor – so wie Julia sich zurechtgemacht hatte, sah sie eher nach Angriff aus –, aber bei Frauen wußte man schließlich nie.

Gerhard lag leidend im Bett, als Thekla am nächsten Tag nach Hause kam. Er hatte sich am Morgen für die nächsten Tage krank gemeldet und grübelte seitdem, ob er in eine Klinik fahren sollte oder nicht. Es war ihm nicht so klar, als was er das Ganze deklarieren könnte. Überfall? Die Polizei würde ein Protokoll aufnehmen und Einzelheiten wissen wollen. Womöglich präsentierten sie ihm nachher sogar noch einen Täter. Unfall? Selten schlug sich jemand einen Glasaschenbecher selbst auf den Kopf. Schlägerei? Wenn ja, mit wem und wo, und schon hätte er es wieder mit der Polizei zu tun. Und er wußte ja auch nicht, ob Barbara womöglich Anzeige erstattet hat. Dann würden seine ärztlich attestierten Verletzungen genau mit Barbaras Angaben übereinstimmen, und das wollte er lieber vermeiden. So lag er Stunde um Stunde und litt vor sich hin.

Thekla stürmte geradewegs ins Schlafzimmer. »Hier finde ich dich also. Sich ins Bett verkriechen, das ist ja wohl die Höhe, nach allem, was vorgefallen ist. Mußt du mich in eine solche Lage bringen, du unverbesserlicher Vollidiot? Alle meine Schwestern sind über mich hergefallen! Und mit Recht, sage ich dir, mit Recht!« Sie war so empört, daß sie ihm am liebsten eine geklebt hätte.

»Es war ganz anders«, wehrte er ab. »Deine Tochter hätte mich fast umgebracht! Ich wollte überhaupt nichts von ihr, habe sie schlicht besucht. Da ist sie über mich hergefallen!« Er deutete auf die blutverkrustete Stelle an seinem Schädel. »Schau her, was sie mir angetan hat! Mit einem massiven Aschenbecher. Totschlagen wollte sie mich, ihren eigenen Vater!«

»Hör auf damit, oder ich schlage mit dem nächstbesten Gegenstand hinterher!« Thekla hätte ihn am liebsten nicht nur aus dem Bett, sondern gleich auch noch aus dem Haus geworfen. Sie stand hoch aufgerichtet vor ihm, und korpulent, wie sie war, wirkte sie in ihrer Wut durchaus bedrohlich. Vor allem auf Gerhard, der vor ihr lag. »Sie hat dich erpreßt, mein Lieber. Und sie hatte Grund dazu. Und ich hätte mehrere Gründe, dir hier den Garaus zu machen, wenn es nicht so mühsam wäre. Es würde öffentlich, alle würden mich und meine Kinder anstarren. Nur das schützt dich, sei dir dessen bewußt. Ich werde dich nicht anrühren. Aber wenn du hier sterben willst, dann stirb halt! Meinen Segen hast du!« Damit drehte sie sich um und rauschte aus dem Zimmer.

Gerhard lag sprachlos im Bett. So hatte sie noch nie mit ihm gesprochen. So kannte er sie überhaupt nicht. Was in drei Teufels Namen war in sie gefahren, so mit ihm umzugehen? Eigentlich müßte er sofort hinterher und sie in den Senkel stellen, denn wehret den Anfängen, das stand schon in der Bibel. Was hat sie eben gesagt, er habe ihren Segen zum Sterben? Nicht zu fassen! Er griff sich an den Kopf. Es tat noch immer höllisch weh, und wenn er die

Stelle genau abtastete, was er sich des Schmerzes wegen aber kaum traute, glaubte er, eine Delle zu spüren. Eine Macke in seinem Professorenschädel! Schon der bloße Gedanke machte ihm angst.

Niklas war nach Hause gekommen, als Angelika und Joshua schon schliefen, hatte sich während der nächtlichen Brüllphasen schlafend gestellt und war ermattet aufgewacht, als Angelika und Joshua die Wohnung schon wieder verlassen hatten. Stimmt, sie hatten irgendeine Untersuchung beim Kinderarzt, die U-Sonstwas. Er wußte es nicht mehr so genau, auf jeden Fall war er froh darüber, so mußte er ihr nicht irgendein Zeug über die gestrigen Nacht vorlügen. Und heute abend könnte er es vielleicht mit einem gemeinsamen Bier beim Jazzabend im Biergarten überspielen. Er trank einen Kaffee, hinterließ Angelika einen Gutenmorgengruß auf einem Stück Papier und fuhr erleichtert ins Institut. Zu seiner Freude fand er auch gleich einen Parkplatz und ging an der mit einer Schranke gesicherten Einfahrt entlang. Eigentlich war es doch ganz beruhigend, daß zwischen Julia und ihm nichts vorgefallen war. Vielleicht sollte er es doch wirklich dabei belassen und ihr möglichst bald die Wahrheit sagen. Noch wäre Gelegenheit, das Ganze in eine nette Kameradschaft umzulenken. Quatsch, du belügst dich selbst, sagte er sich und sah im selben Moment, daß der Dekan des Instituts heranfuhr. Die Schranke ging hoch, doch anstatt an ihm vorbei zur Tiefgarage zu fahren, ließ er das Fenster herunter. Niklas war irritiert, blieb stehen und grüßte.

»Sagen Sie mal«, wollte Udo Heisel von ihm wissen, »was hätte ich Ihrer Frau oder Freundin gestern abend eigentlich erzählen sollen, als sie mich anrief und nach Ihnen fragte? Von Vorbereitungen zum Tag der offenen Tür weiß ich zwar, aber seit wann arbeiten wir denn bis Mitternacht? Hmm? Freiwillig?«

Niklas schoß erst das Blut in den Kopf und wich ihm dann bis unter die Zehennägel. »Du lieber Himmel«, war das einzige, was ihm spontan dazu einfiel.

»Nun«, sein Professor grinste süffisant, »ich habe Ihren Einsatzeifer gebührend gelobt, aber ich denke, daß sie ihn nun nachträglich beweisen sollten. Heute müssen wir für diese von Ihnen so hervorgehobene Veranstaltung noch sämtliche Plakatstellwände streichen, und ich gehe davon aus, daß Sie sich hundertprozentig einbringen werden. Sollte Ihre Freundin dann noch mal kurz vor Mitternacht anrufen, kann ich Sie zumindest ans Telefon holen lassen!«

Niklas nickte nur und sah dem schwarzen Mercedes nach, der in Richtung Tiefgarage davonrollte. Er fühlte sich völlig benommen. Warum nur hatte sie angerufen? War etwas mit Joshua? War sie deshalb heute morgen schon so früh weg? Normalerweise würde Angelika doch nie anrufen. Oder hatte sie einen siebten Sinn und spionierte ihm tatsächlich nach? Und dann dachte er: Was treibt eigentlich der Heisel so lange im Büro?

Ina hatte wieder ein paar Aufträge bekommen und saß in ihrem Büro. Sie war glücklich darüber, spürte aber, daß sie das alles nicht mehr ganz so wichtig nahm. Es hatte etwas eingesetzt, das sie Umdenkprozeß nannte. Es war schnell gegangen, schneller, als sie je hätte selbst vermuten können. Sie lebte in ihren Vorstellungen und Gedanken tatsächlich schon mehr in der Villa als hier in ihrem kleinen Häuschen, und sie fuhr auch ihren alten Wagen nicht mehr, sondern hatte den Jaguar vor der Gartentür stehen. Anno hatte ihr gestern nacht, nachdem sie ihn zur Villa zurückgefahren hatte, bedeutet, daß der Wagen das formale Verlobungsgeschenk sei, und als solches könne sie ihn auch ruhig betrachten. Zumal sie ihn für das offizielle Verlobungsfoto bräuchten, denn vor dem Wagen käme die entsprechende Anzeige mit Bild sicherlich noch mal so gut. Vor allem in der Post seiner Töchter.

»Warum willst du sie eigentlich so sehr reizen«, wollte Ina wissen.

»Weil ich wissen will, wo ich stehe, bevor ich sterbe. Ich möchte nicht als Seele in einer Ecke hängen und wehrlos zuhören, wie sie das Erbe an meinem Sterbebett unter sich aufteilen. Ich möchte wissen, wer zu mir und wer zu meinem Vermögen steht. Und nach diesen Erkenntnissen werde ich handeln.

Wenn's sein muß, kriegt eine alles und die anderen nichts. Oder ihren Pflichtteil, von mir aus.«

Warum aber sollten sie dich lieben, hatte Ina gefragt. Warst du ein guter Vater? Hast du dir die Liebe verdient?

Er dachte darüber nach. Der Nachtisch war schon gegessen, sie tranken noch ein letztes Glas Wein, und er wägte ab. Schließlich sagte er: »Bist du Caroline eine gute Mutter?«

»Keine Ahnung«, sagte Ina spontan. Dann dachte sie darüber nach. »Ich hoffe schon. Aber eigentlich wird man das wohl erst wissen, wenn die Kinder erwachsen sind. Oder die Kinder wissen es zu diesem Zeitpunkt zumindest! So wie wir es heute über unsere Eltern wissen!«

»Weißt du es wirklich? Weißt du, was deine Eltern falsch oder richtig gemacht haben? Manches war eine Wunschvorstellung, solange man noch erzogen wurde. Lange wegbleiben, mit dieser oder jener Clique losziehen, früh rauchen und auf sich selbst aufpassen. Doch was hat einen weitergebracht? Die Verbote oder die Zugeständnisse?«

Ina griff nach ihrem Glas und ließ den Wein kreisen. »Ich gebe zu, daß ich es auch heute nicht weiß. Wenn ich es wüßte, wäre ich vielleicht weiter. Ich denke, meine Eltern haben keine wirklichen Fehler in meiner Erziehung gemacht. Sie haben mich nicht geschlagen und mich zu nichts gezwungen. Möglicherweise haben sie mich durch diese liberale Erziehung aber auch nicht richtig gefördert, weil die Herausforderung fehlte. Möglicherweise bin ich heute deshalb zu lax.«

»Zu lax?« Anno schaute verständnislos.

»Zu schlaff, zu lässig – ich weiß auch nicht. Ich scheue Konsequenzen. Und Konflikte.«

»So hast du an meinem Geburtstag aber nicht ausgesehen!«

»Da war ich tierisch wütend. Und ich habe mir damals gedacht, ihr habt mich herausgefordert, und jetzt bekommt ihr die Quittung!«

Anno legte seine Hand auf ihre. »Ich denke, das sollte dein Lebensmotto werden. Es wird noch vieles auf dich zukommen, aber kampflos sterben nur Schafe. Wenn überhaupt. Der Trieb im Menschen erwacht, wenn er etwas haben will. Und die Dinge, die er will, sind meist die gleichen: Sex, Geld, Macht. Ohne Kampf kommt keiner durchs Leben, es sei denn, er ist ein Sozialfall. Und selbst da muß er sich mit den Ämtern herumschlagen!«

»Und was hat das nun alles mit deinen Töchtern zu tun?« wollte Ina wissen.

»Es sind vier. Sie haben drei Ehemänner, unzählige Kinder und noch mehr Enkel. Sie alle haben unerfüllte Wünsche und Träume. Und sie alle glauben, daß ich der Goldopi sei, der nur noch über den Jordan springen müsse, damit sich ihre Träume und Wünsche erfüllen. Und ich denke mir, daß ich mitnichten der Goldopi bin, sondern ein Zocker, der seine Gegenspieler erst mal auflaufen läßt. Und in dieser Phase bin ich jetzt. Meine vier Töchter und mehr noch ihre beratenden Ehemänner werden sich jetzt zunächst mal gegenseitig lahmlegen, weil sie sich nämlich gegenseitig nichts gönnen. Phase zwei wird dann sein, einen von uns beiden aus dem Weg zu räumen.«

»Hört sich ja vertrauenerweckend an«, hatte Ina daraufhin gesagt, aber irgendwie konnte sie es sich vorstellen, und der Gedanke war ihr unheimlich.

Ina nahm ihre Arbeit wieder auf. Sie hatte Mühe, ihre umherschwirrenden Gedanken einzufangen und sich auf die Übersetzungen zu konzentrieren. Auf der anderen Seite wollte sie aber auch schnell fertig werden, denn sie hatte Caroline versprochen, heute nachmittag Zeit für sie zu haben, schließlich war Sonntag. Und möglicherweise könnte sie heute nacht, wenn Caroline schon schlief, noch ein, zwei Stündchen mit Claudio einbauen. Das hieß, natürlich nur, wenn Romy ihn gehen ließ.

Thekla stand mit dem Telefon in der Hand am Fenster ihrer Küche und versuchte, ihre Tochter ausfindig zu machen. Schon gestern hatte sie es mehrfach unter ihrer Telefonnummer versucht, aber keinen Erfolg gehabt. Es beunruhigte sie zunächst nicht, denn sie hatte den gestrigen Ereignissen, besonders nach der Rückmeldung der Polizei, daß alles in Ordnung sei, nicht die große Bedeutung beigemessen. Sie hielt Barbara für hysterisch und zickig und völlig aus der Art geschlagen. Insgeheim verzieh sie ihr auch nicht, daß es ihretwegen ein solches Spektakel gegeben hatte. Es waren Dinge, die sie einfach nicht wissen wollte. Aber jetzt, da sie Gerhards aufgeschlagenen Kopf gesehen hatte, bekam sie es mit der Angst zu tun. Bevor diese Geschichte publik wurde, mußte sie eingreifen. Und zunächst mal ihre Tochter aufspüren. Aber als sie darüber nachdachte, wo und bei wem sie wohl stecken könnte, mußte sie sich eingestehen, daß sie keine Ahnung hatte. Sie kannte weder eine einzige Freundin noch den Freund ihrer eigenen Tochter.

Barbara hatte sich wieder beruhigt. Die Nacht bei Julia hatte ihr gutgetan. Wobei es ihr jetzt leid tat, Julia den Abend vermiest zu haben. Julia winkte ab. Niklas gäbe es morgen auch noch und wahrscheinlich sogar noch übermorgen. Und in Ausnahmesituationen liefe eben manches anders. Hoffentlich hatte er überhaupt Verständnis dafür, meinte Barbara, denn schließlich sei er ja nicht über den Grund ihres Hierseins aufgeklärt worden. Julia fand, das sei in dem Fall eine geeignete Nagelprobe. Wenn er mit so etwas nicht umgehen könne, ließe das auf eine gewisse Engstirnigkeit schließen, was sie aber eigentlich nicht glaube. Und sie erzählte Barbara von Romy und Claudio und wie genial Niklas dieses Arrangement fand. Barbara stimmte zu und fing sogar wieder an zu lachen. Julia überlegte, ob sie sie auch gleich noch über Annos Spielchen aufklären und damit noch mehr aufheitern sollte, ließ es dann aber. Sie hatte Nancy in die Hand versprochen, es keinem aus der Familie zu verraten. Und obwohl Barbara doch gewissermaßen selbst eine Verratene war, so gehörte sie doch immerhin zur Familie.

II

Inzwischen waren über vier Wochen vergangen. Ina war, gegen den erbitterten Widerstand der Familie, in die Villa eingezogen. Anno hatte ihr zwei Zimmer im ersten Stock räumen und herrichten lassen und eine Spedition mit dem Umzug beauftragt. Ina war es seltsam zumute, als sie ihr Häuschen ausräumte. Sie nahm vieles, aber nicht alles mit, denn das Häuschen sah sie als ihre Bastion gegen unvorhersehbare Ereignisse. Im Notfall konnte sie immer wieder zurück. Obwohl Anno der festen Meinung war, daß dies erst nach seinem Tod der Fall sein könne und sie dann genug Geld hätte, um sich eine große Eigentumswohnung kaufen zu können.

Stundenlang hatte sie in den vergangenen Wochen mit Anno zusammengesessen und über die Zukunft gesprochen. Anno sah zwar immer noch sein Theaterstück vor Augen, aber durch die gemeinsam verbrachte Zeit hatte er Ina gegenüber eine starke Zuneigung entwickelt und war sich gar nicht mehr so sicher, ob er nur Theater spielte. Er fand es wunderschön, eine so lebenslustige und hübsche Frau an seiner Seite zu haben, und auch Caroline brachte neues Leben ins Haus. Es bereitete ihm Spaß, ihr ein Kinderzimmer nach ihren Wünschen einzurichten: das Hochbett, von dem sie schon immer geträumt hatte, ausgestattet mit bunten Zeltplanen, unter denen man so herrlich mit den Freundinnen spielen konnte, einem Turm mit Fenstern und einer Rutschbahn.

Es war Annos Geburtstagsgeschenk gewesen, und Caroline wußte zunächst nicht, worüber sie sich mehr freuen sollte: über die beiden Meerschweinchen oder über das Bett. Schließlich verband sie die beiden Geschenke, indem sie die Meerschweinchen mit in ihre Burg nahm. Die ganze Villa glich an diesem Tag einem Tollhaus. Überall waren Kinder, Nancy hatte unendlich viel Kuchen gebacken und sich Spiele überlegt, auf die Ina im Traum nicht gekommen wäre. Als die Eltern ihre Kinder am Abend abholten, waren alle völlig erschlagen, und während die Eltern auf der Veranda noch auf Annos Einladung hin ein Glas Wein tranken und von Nancy frisch aufgebackene Schinkenhörnchen aßen, waren die Kinder in dem großen Zelt, das Nancy im Garten aufgebaut hatte, bereits eingeschlafen.

Anno blühte von Tag zu Tag mehr auf, und Ina fühlte sich wohl. Er löste sein Versprechen ein, sie in keiner Weise zu bedrängen. Er verhielt sich völlig gentlemanlike, sorgte für alles, lud sie zwischendurch zum Essen oder ins Theater ein und organisierte für ihren Arbeitsplatz alle wichtigen Anschlüsse und Geräte. Abends saßen sie gemeinsam mit Caroline und Nancy auf der Terrasse, wenn das Wetter entsprechend war, ließen während des Abendessens den Tag Revue passieren, unterhielten sich über Politik und Wirtschaft. Ina lernte einiges dazu, denn Anno las täglich mindestens fünf Zeitungen, eine davon ließ er sich aus England kommen, die »Times«. Außerdem hatte er mehrere Magazine abonniert, und wenn er bemerkenswerte Artikel fand, legte er sie ihr aufgeschlagen hin.

Der Druck, den Ina in den letzten Jahren im Magen verspürt hatte, die Angst vor morgen, die Angst, keine Arbeit mehr zu bekommen und kein Geld mehr zu haben, ließ allmählich nach. Die neue Sorglosigkeit tat ihr gut, versetzte sie in die Jahre vor ihrer Mutterschaft zurück. Und sie stellte fest, daß sie noch nie in ihrem Leben so verwöhnt worden war und daß ihr noch nie so viele Dinge einfach abgenommen worden waren. Zwischen ihnen herrschte, so fand sie, die perfekte Symbiose.

Caroline war von der Schule auf dem Heimweg, als ein Wagen neben ihr hielt und eine der Tanten ausstieg. »Gut, daß ich dich gefunden habe, Caroline, deine Mami und Onkel Anno sind mit Nancy weggefahren und haben mir gesagt, ich soll dich von der Schule abholen. Dummerweise habe ich dich verpaßt!«

Caroline war erstaunt, denn so etwas war noch nie vorgekommen. Wenn Ina nachmittags mit Anno wegfuhr, fuhr sie entweder mit oder blieb bei Nancy, wenn es schon zu spät war.

»Ist denn etwas passiert?« wollte sie wissen und stand wie versteinert auf dem Trottoir, die Daumen in die Riemen ihres Schulranzens gestemmt.

»Sie sind nach Bregenz auf den Pfänder gefahren, weil so schönes Wetter ist, und haben mich gefragt, ob ich mit dir nachkomme!«

Caroline stand in ihrem kurzen Sommerkleid da und gab keine Antwort. Sie überlegte. Eigentlich wollte Nancy ja heute mit ihr töpfern. Seit Tagen malten sie Entwürfe, und sie hatte für heute nachmittag ihre besten Freundinnen eingeladen. Ob Nancy das vergessen hatte? Sah ihr gar nicht ähnlich.

»Ich will lieber nach Hause!« sagte Caroline und zog gegen die Sonne die Stirn kraus.

»Da ist jetzt aber niemand«, sagte die Tante schon etwas ungeduldig. »Steig jetzt lieber ein, damit wir loskommen. Deine Mami wartet schon!«

»Ich will aber nicht einsteigen!« Caroline rührte sich immer noch nicht.

»Jetzt stell dich doch nicht so an. Ich bin deine Tante Renate. Du kennst mich doch! Und wenn wir nicht bald losfahren, schmilzt sicherlich das große Eis, das deine Mutter schon bestellt hat!« Renate hielt die hintere Tür auf.

»So einen Quatsch würde sie nicht machen, solange ich noch nicht da bin.« Caroline warf einen Blick auf die Rückbank des Wagens. »Und einen Kindersitz hast du auch nicht. Wie soll ich da denn mitfahren?«

Renate beherrschte mühsam ihren aufkommenden Unmut. »Deine Mami hat nachher einen im Wagen. Wir haben das ganz einfach vergessen. Aber du bist ja schon groß, also schnallst du dich einfach an. Und dann fahren wir mit der Seilbahn auf den Pfänder, schauen uns die Greifvögelschau an und die anderen Tiere und haben wahnsinnig viel Spaß!«

»Greifvögel?« Caroline machte einen kleinen Schritt auf ihre Tante zu.

»Ja, da fliegt beispielsweise ein Adler. Ein richtiger Adler!«

»Aber dann muß ich meine Freundinnen anrufen und ihnen sagen, daß es heute nachmittag bei mir nicht geht!« Caroline nahm den Schulranzen ab, den Renate mit einem Seufzer der Erleichterung schnell im Kofferraum versenkte.

»Kein Problem«, sagte sie und lächelte Caroline an, »das erledigen wir alles von unterwegs!«

Nancy hatte Carolines Lieblingsessen gekocht, und Ina mußte lachen, als sie sah, was Nancy heraustrug: Reibekuchen mit Apfelmus. Wie ihr jahrelanges Sparprogramm doch eine ganz andere Bedeutung bekam, wenn es nur noch um den Genuß ging. Ina hatte den Tisch im Garten gedeckt und den Sonnenschirm aufgespannt. Es war ein phantastischer Sommer, dachte sie dabei. Wenn der Herbst auch so wurde, stand ihnen noch eine wunderschöne Zeit bevor. Anno kam ebenfalls vom Haus herunter, er trug eine leichte Sommerhose und ein Polohemd darüber. Er sah für sein Alter tatsächlich extrem gut aus, fand Ina, und es fiel ihr auf, daß sie sich bereits so an ihn gewöhnt hatte, daß sie seine Falten nicht mehr sah. In der Hand trug er, wie so oft, ein aufgeschlagenes Magazin. Sicherlich hat er wieder etwas entdeckt, dachte Ina amüsiert, und blinzelte Nancy zu. »Ich werde hier noch zur Intelligenzbestie«, sagte sie, und Nancy lachte los.

»Bei mir hat er das nicht geschafft!« schnaufte sie. »Aber wahrscheinlich auch nicht ernsthaft probiert!«

Sie setzten sich, und Anno legte einen Artikel auf den Tisch. »Hier steht, daß die Internet-Banken zur Bedrohung für die etablierten Bankhäuser werden. Man stelle sich vor, was durch die Rechner alles möglich wird. Und man stelle sich weiterhin vor, welche Konsequenzen es haben könnte. Und ich denke, ich muß mich internetfit machen, was meinst du, Ina?«

Ina überlegte. »Ich nutze das Internet nur für meine Zwecke. Darüber hinaus habe ich keine Ahnung. Leider. Ich befürchte, wir müßten uns nach einem Fachmann umschauen. Aber die Idee finde ich gut!«

Anno schob ihr das Nachrichtenmagazin hin, und Ina begann den Artikel zu lesen, bis Nancy sagte: »Es ist jetzt bereits fünf vor eins. Wo bleibt sie nur so lange?« Ina schaute ebenfalls auf ihre Uhr.

Tatsächlich. Daß sich Caroline so sehr verspätete, war selten.

»Die schönen Kartoffelpuffer sind schon ganz kalt«, jammerte Nancy.

»Wir essen die jetzt, und Sie machen eben für Caroline später noch mal frische«, bestimmte Anno und lud sich den Teller voll. »Kann ja nicht so schwer sein!«

»Vielleicht hat sie eine neue Freundin ...«, überlegte Ina.

»Oder sie begleitet eine alte nach Hause«, mutmaßte Nancy. Sie warfen sich einen Blick zu, beide waren sie besorgt.

»Jetzt habt euch nicht so, eßt! Sie wird sich schon nicht in Luft aufgelöst haben. Das Mädchen ist doch schon sehr selbständig!« Anno klatschte sich Apfelmus auf seine Reibekuchen.

Sie aßen, und Ina schaute sich zur Ablenkung im Garten um. Er war gepflegt, aber nicht manikürt. Es gab Blumeninseln, die, wie Nancy behauptete, jedes Jahr anders blühten. Mal setzten sich diese Pflanzen durch, mal jene. Sie gaben ein buntes, duftendes Gemisch und zogen sich bis zum See hinunter, der leise und träge gegen das Ufer schwappte.

Doch nach fünf Minuten schaute Ina wieder auf die Uhr. Sie verstand ihre innere Unruhe selbst nicht. Caroline war wirklich selbständig, ganz wie Anno sagte. Sie war recht weit für ihr Alter, ganz einfach, weil sie es sein mußte. Ina hatte ihr früh begreiflich gemacht, daß sie ein Teil ihres gemeinsamen kleinen Haushalts war und somit selbständig denken und handeln mußte. Wenn Ina an ihrem Arbeitsplatz saß, war Caroline auf sich selbst angewiesen und hatte auch kein Problem damit.

Aber jetzt spürte Ina, wie etwas in ihr wuchs, das nichts mit dem zu tun hatte, was ihr Verstand ihr sagte.

Nach zehn Minuten stand sie abrupt auf. »Tut mir leid, Anno, aber ich habe ein ganz ungutes Gefühl im Bauch. Ich *muß* ihr entgegenfahren.«

Anno stand ebenfalls auf. »Ich begleite dich natürlich, wenn du meinst, daß etwas Außergewöhnliches passiert sein könnte.«

Und Nancy sagte sofort: »Ich auch!«

Ina winkte mit beiden Händen ab. »Es ist ... nur ein Gefühl. Ich komme gleich wieder!«

Renate war losgefahren und ließ sich während der Fahrt von Caroline die Telefonnummern ihrer Freundinnen geben, denen wegen heute nachmittag abzusagen sei. Bei der nächsten Telefonzelle stieg sie aus, bedeutete Caroline, die das gern selbst erledigt hätte, sitzenzubleiben, schaute auf ihre Armbanduhr und wählte.

Es war Viertel nach eins, als in der Villa das Telefon klingelte. Ina hatte eben nach dem Autoschlüssel gegriffen und wollte schon hinauslaufen, aber die Hoffnung, Caroline könne von irgendeiner Freundin aus anrufen, hielt sie zurück. Hastig nahm sie ab und meldete sich in ihrer Aufregung mit »Adelmann«.

Auf der anderen Seite war es kurz still, so daß sie schon ein »Hallo« nachschob und aufzulegen gedachte, als sie ein gedämpftes Hüsteln hörte. Mit einer unbestimmten Vorahnung preßte sie den Hörer an ihr Ohr. »Hallo!« sagte sie noch einmal.

»Caroline ist bei uns, und es geht ihr gut. Wir werden sie heute abend wieder wohlbehalten absetzen. Aber Sie sollten wissen, daß wir Ihrem Spiel mit unserem Vater nicht zuschauen. Nehmen Sie das als Warnung, aber behalten Sie es für sich. Wir sind der Meinung, daß Sie sich möglichst bald von unserem Vater trennen und schnellstmöglich wieder ausziehen sollten. Irgendein Grund wird Ihnen schon einfallen!«

Ina war starr vor Schreck, und sie verspürte eine plötzliche Übelkeit. »Wo ist Caroline?« wollte sie, sich mühsam beherrschend, wissen.

»Gut aufgehoben. Damit sie keinen Schaden nimmt, werden

158

Sie ihr heute abend erklären, daß der Ausflug nicht so geklappt hat, wie es vorgesehen war. Das ist alles.«

Es wurde aufgelegt, und Ina stand mit dem Telefonhörer in der Hand da, bis sie spürte, daß ihre Knie zitterten. Sie legte auf und ließ sich in den nächstbesten Sessel sinken. Mein Gott, sie hatten Caroline entführt. Es wollte ihr nicht in den Kopf. Was hatte sie gesagt, ein Ausflug? Also hatten sie Caroline irgendeinen Bären aufgebunden. Klar, anders hätte sie sich auch nicht weglocken lassen, schon gar nicht von diesen widerlichen Tanten.

Inzwischen zitterte sie am ganzen Körper. Es war eine Drohung, eine unverblümte Drohung. Wenn sie die Finger nicht von Anno ließe, würden sie Caroline etwas antun. Aber das war einfach unsinnig, denn schließlich kannte sie damit die Täter schon, bevor die Tat begangen wurde. Ina versuchte ihre Gefühle unter Kontrolle zu bekommen, um den Verstand arbeiten zu lassen, aber die Angst um Caroline schob sich wie ein rotes Tuch dazwischen. Es war leicht gewesen, sie einzukassieren, das war ihr Triumph. Und wenn Ina sich auf die Erklärung mit dem Ausflug einließe, hätten sie auch beim zweiten Mal leichtes Spiel. Caroline würde denken, es sei alles in Ordnung, wenn sie mit diesen Frauen mitginge. Vielleicht waren es dann aber auch schon nicht mehr die Tanten, sondern ganz andere Gesellen?

Ina erschauderte. Was sollte sie tun? Anno einweihen? Würde das Caroline schützen? Eher nicht. Die Polizei informieren? Die Schwestern würden sich sonstwie herausreden. Kleine Überraschung, liebevoll geplant, wer weiß, vielleicht äußerte sich sogar Caroline begeistert, was sollte sie dagegen anführen? Daß die Tanten erbgeil waren und sie außer Gefecht setzen wollten? Das hörte sich wie eine Paranoia an.

Das gleißende Licht des Sommers, das durch die geöffnete Verandatür in das gedämpfte Halbdunkel des Zimmers fiel, verdunkelte sich jäh, als sich Nancys Gestalt hereinschob. Ina riß sich zusammen. »Eben hat mich die Mutter von Kathrin, der Schulkameradin, angerufen, Caroline bleibt heute bei ihr, sie wollen segeln gehen.«

»Verstehe ich nicht«, Nancy hielt sich die Augen zu, um die Augen schneller an die Dunkelheit zu gewöhnen, »sie wollte doch heute mit ihren Freundinnen hier töpfern. Sonst ist sie doch auch nicht so!« Sie hielt inne. »Und zudem gab es ihr Lieblingsessen. Darauf hat sie sich schon heute morgen gefreut!«

Ina war versucht, Nancy alles zu erzählen. Ihre Sorgen, ihre Ängste, die Drohung. Aber sie wollte erst in Ruhe darüber nachdenken, sofern sie überhaupt noch klar denken konnte. Zumindest wollte sie nichts überstürzen, weil sie Angst vor den Konsequenzen hatte.

Automatisch sagte sie: »Laß uns einfach wieder rausgehen, Nancy!« Aber der Impuls, den Autoschlüssel zu nehmen und sich auf die Suche nach ihrer Tochter zu machen, war stärker. »Weißt du was, ich richte ihr schnell ihre Schwimmsachen und bringe sie ihr. Sie hat außer ihren Schulsachen ja überhaupt nichts dabei!«

Nancy nickte. »Gute Idee«, sagte sie lahm. So als glaube sie selbst nicht, was sie da sagte.

»Dann also ...«, Ina stand auf und ging schnell weg. Sie hätte Nancy selbst bei den schlechten Lichtverhältnissen keine Sekunde länger in die Augen schauen können. Sie hatte so schon das sichere Gefühl, daß Nancy genau wußte, daß etwas nicht stimmte.

Sie stopfte in Carolines Zimmer wahllos Dinge in eine Tasche und kam sich dabei unsäglich verlogen und dumm vor. Als sie den Reißverschluß zugezogen hatte, war sie kurz davor, in den Garten zu gehen und Anno alles zu erzählen. Aber dann kam die Angst um Caroline dazwischen. Was wollte ein 85jähriger Mann schon gegen eine zu allem entschlossene Meute von Hyänen ausrichten?

Ina nahm die Tasche, bat Nancy, Anno auszurichten, daß sie gleich wiederkäme und fuhr los. Kreuz und quer durch die Stadt, jeden Kinderspielplatz, jeden Badeplatz, selbst die Parkplätze suchte sie ab, in der Hoffnung ein ihr bekanntes Auto aufzuspüren. Aber es war vergebens. Als sie sich in Claudios Straße wiederfand, stellte sie den Wagen ab und überlegte, ob es der richtige Weg sei, Claudio über diese Geschichte aufzuklären. Oder ob nicht vielmehr Anno der Mann ihres Vertrauen sein sollte. Sie beschloß schließlich, keinen von beiden um Rat zu bitten, und fuhr zur Villa zurück.

Caroline überwand ihr anfängliches Mißtrauen, denn die Fahrt mit der Seilbahn auf den Pfänder, den Bregenzer Hausberg, machte ihr ganz einfach Spaß. Sie schwebte über allem, und unter ihr wurde alles winzig klein. Trotzdem kam es ihr merkwürdig vor, bei der Ankunft in der Bergstation weder ihre Mutter noch Nancy oder Anno, sondern Renates drei Schwestern anzutreffen. »Und wo ist Mami?« fragte sie, aber die vier verstanden es gemeinsam, sie mit den Tieren und der Greifvogelschau so abzulenken, daß sie den Grund dieses Ausflugs vergaß. Sie ging von Gehege zu Gehege, schaute sich die Tiere an, versuchte dem einen oder anderen näher zu kommen und durfte sich im Restaurant nach einer großen Portion Pommes frites auch noch eine große Portion Eis bestellen. Während sie hingebungsvoll löffelte, schaute sie plötzlich von ihrem Teller auf und Thekla gezielt an.

»Warum hast du mich an Annos Geburtstag eigentlich weggeschickt? Ich habe dir doch gar nichts getan?«

Thekla hatte nicht damit gerechnet, daß sich Caroline diesen kleinen Zwischenfall so gut gemerkt hatte. Sie überlegte. Und um dies zu überspielen, rührte sie Zucker in ihren Kaffee, obwohl sie ihn nie mit Zucker trank. »Weißt du«, begann sie schließlich, »das war eine Geburtstagsfeier für Erwachsene. Da waren überhaupt keine Kinder eingeladen!«

»Aber ich wollte doch nur helfen!«

Wie die Kinderaugen sie so ansahen, fiel ihr die passende Antwort schwer.

»Wir brauchten eben keine Hilfe«, kürzte Renate das Thema ab.

Caroline vergrub sich wieder in ihr Eis. »Ich möchte jetzt heim«, sagte sie dann.

Bernadette schaute auf die Armbanduhr. Halb fünf, das kam exakt hin. Bisher lief alles nach Plan. Sie hatten sich zu viert eingefunden, damit nachher keine der Schwestern behaupten könnte, sie hätte von nichts gewußt. Alle Aktionen mußten gemeinsam geplant und durchgeführt werden, das hatten sie letzte Woche beschlossen, als sie diese kleine Entführung als Warnschuß ausheckten. Jetzt blieb nur zu hoffen, daß Ina den Ernst der Lage erkannt hatte und ihre Konsequenzen ziehen würde. Wenn nicht, müßten sie sich etwas Neues überlegen. Aber lockerlassen würden sie nicht, das hatten sie sich geschworen.

Ina war direkt in ihr Arbeitszimmer gegangen. Sie hätte keinem unter die Augen treten können, denn sie war sicher, daß man ihr das Vorgefallene ansah. Als Anno in der Tür stand, versuchte sie zunächst, große Beschäftigung vorzutäuschen. Er lehnte sich an den Türrahmen und beobachtete sie eine Weile, dann trat er an ihren Schreibtisch.

»Schau mich doch mal an, Ina, so kenne ich dich doch gar nicht. Vom Tisch wegstürzen, sich vergraben und ganz offensichtlich auch verschließen.«

Ina antwortete nicht, sie mußte sich konzentrieren, damit sie nicht sofort losheulte. Die Situation war unerträglich.

»Nancy hat recht«, er nickte. »Irgend etwas ist passiert. Mit Caroline, stimmt's? Was ist es?«

»Deine Töchter haben sie entführt.« Ina sagte es zu ihrem Computer, nicht zu Anno, der schräg vor ihr stand.

Es war kurz still, nur der Computer summte.

»Wie meinst du das?« Anno stützte sich mit beiden Händen auf ihrem Tisch ab.

Jetzt schaute sie ihm in die Augen. »Sie haben sie mitgenommen. Und mir gedroht. Ich soll es als Warnung verstehen.«

»Als Warnung«, sagte Anno mehr zu sich selbst als zu Ina. »Als Warnung? Was soll denn das bedeuten?«

»Sie wollen, daß ich bei dir ausziehe, mich von dir trenne!«

Wie sie das sagte, wurde ihr bewußt, daß es wie von einem alten Liebespaar klang, denn trennen konnte man sich schließlich nur von jemandem, mit dem man tatsächlich zusammen war.

Anno stellte sich kerzengerade hin und verschränkte die Arme. Die Finger seiner rechten Hand trommelten auf seinen Oberarm, seine Miene hatte sich verdunkelt. Er wirkte auf Ina wie eine Figur aus einem alten Western. Kirk Douglas vielleicht oder John Wayne. Schließlich sagte er mit Nachdruck: »Das hätte ich nicht von ihnen erwartet. Ich gebe zu, ich war gespannt, was sie unternehmen würden, so wie man bei einem Schachspiel auf den ersten Zug des Gegenübers lauert.« Er runzelte die Stirn. »Aber das ist heftig!«

Ina schwieg.

»Wann bringen sie sie wieder?« fragte Anno, als sei es das Selbstverständlichste auf der Welt, daß diese Frage bei einer Entführung schon geklärt sei.

»Heute abend.« Sie blickte auf. »Siehst du das tatsächlich als Spiel?« wollte sie gleich darauf wissen und wußte nicht so recht, was sie davon halten sollte.

»Als Herausforderung!« Er sah sie an, und Ina glaubte, in seinen Augen eine Veränderung zu entdecken. Ein kämpferischer Ausdruck lag darin, seine gesamte Physiognomie hatte sich verändert.

»Es geht um meine Tochter!« Ina spürte ihr Herz schneller schlagen.

»Und um meine Töchter!« Er nickte wie zur eigenen Bestätigung.

»Und jetzt?«

Anno stand noch immer breitbeinig mit verschränkten Armen vor Ina. Er rührte sich nicht, selbst seine Augen wirkten starr. Ina hatte den sicheren Eindruck, er schaue durch sie hindurch.

»Und jetzt?« Sie wiederholte ihre Frage, weil sie der Meinung war, er hätte sie überhaupt nicht gehört.

Er lachte kurz und trocken. »Wenn meine Familie glaubt, uns in die Knie zwingen zu können, werden wir Gegenmaßnahmen ergreifen.«

»Gegenmaßnahmen?« Ina knetete ihre Hände, denn eigentlich wollte sie nur eines: Caroline wieder sicher bei sich haben. Alles andere war ihr im Moment egal.

»Wir heiraten!«

Nancy war es klar gewesen, daß da etwas ganz anderes lief, als Ina ihr glauben machen wollte. Gleichzeitig wußte sie, daß Ina sie nicht leichtfertig anlügen würde, das paßte nicht zu ihr. Sie war, nachdem Ina das Haus verlassen hatte, zum Gartentisch zurückgekehrt und hatte sich auf ihren Stuhl sinken lassen. Anno, der ihr gegenüber saß und in seinem Magazin las, schaute auf.

»Stimmt was nicht?« fragte er, nachdem er sie kurz gemustert hatte.

»Wenn ich das wüßte ...« Nancy schob den gefüllten Teller von sich weg, was an sich schon eine Sensation war.

»Dann sagen Sie schon!«

Sie überlegte, ob sie ihre vagen Vermutungen überhaupt als Theorie anbieten konnte.

»Am Essen wird's ja nicht liegen«, fügte er hinzu, mit einem Blick auf ihren weggeschobenen Teller.

Sie holte tief Luft und schilderte ihm die eben erlebte Szene und ihren Verdacht, daß die Geschichte von Carolines plötzlichem Segelausflug so nicht stimme. Anno konnte daran noch nichts Verdächtiges entdecken, aber als Ina dann nach ihrer Rückkehr, ohne sich noch einmal am Tisch blicken zu lassen, sofort in ihrem Büro verschwand, gab Anno ihr recht. Das sah Ina nicht ähnlich. Er war aufgestanden, um mit ihr zu reden.

Nancy saß noch immer vor den kalten Kartoffelpuffern am Tisch und wartete ab. Sie wälzte alle möglichen Gedanken hin und her, kam aber zu keinem Ergebnis. Wenn Caroline einen Unfall gehabt hätte, hätte Ina sie alle sofort informiert. Was konnte es also sein? Als Ina und Anno endlich nebeneinander über die Veranda auf sie zukamen, atmete sie auf. Anscheinend hatten sie für das Problem, was immer es auch sein konnte, gemeinsam eine Lösung gefunden. Das sprach schon einmal für sich. Ina sah blaß aus.

»Also, was ist los?« fragte sie hastig, als die beiden vor ihr standen. Sie konnte sich einfach nicht mehr länger beherrschen.

»Wir werden heiraten«, sagte Anno und grinste.

Ina lächelte schwach, sagte aber weiter nichts dazu, sondern setzte sich neben Nancy.

»Wie?« Nancy war völlig verdattert, denn das hatte sie nicht erwartet.

Anno setzte sich ebenfalls. »Meine Töchter haben Caroline entführt, diese dämlichen Weiber. Als ob das was nützen würde! Wir antworten auf unsere Art: Wir heiraten!«

Nancy schluckte. Es fiel ihr beim besten Willen nichts dazu ein. »Herzlichen Glückwunsch«, sagte sie. Dann dämmerte ihr, was er gesagt hatte. »Entführt? Um Gottes Willen! Wie denn das?«

Ina seufzte. »Sie müssen sie irgendwo abgepaßt und unter irgendeinem Vorwand weggelotst haben!«

»Ja, und jetzt?« Ihr mächtiger Brustkorb bebte. Am liebsten hätte sie die vier auf der Stelle zerquetscht.

Ina erzählte ihr, wie sich das Telefonat in Wahrheit abgespielt hatte und wo sie überall auf der Suche nach einem ihr bekannten Wagen gewesen war.

»Wahllos durch die Gegend zu fahren macht wenig Sinn«, schloß Anno ihre Schilderung. »Wir können nur abwarten!«

»Die Polizei rufen und sie festnehmen lassen!« Nancy schenkte sich ein Glas Wasser nach, das sie in einem Zug austrank.

»Es ist meine Familie!« Anno hob die Hände. »Wir werden das auf meine Weise lösen!«

Sie ließen Caroline kurz vor sechs Uhr an der nächstgelegenen Straßenkreuzung zu Annos Villa aussteigen.

»Paß auf dem Nachhauseweg auf«, ermahnte sie Renate, die ihr die Tür aufhielt und sich dabei hektisch umschaute. Insgeheim hatte sie doch befürchtet, Ina hätte sich direkt an die Polizei gewandt. Andererseits war sie davon überzeugt, daß Ina nachgeben würde. Keine Mutter setzt ihr Kind freiwillig einer Gefahr aus. Aber schätzte Ina sie überhaupt als ernsthafte Gefahr ein? Es würde sich weisen.

»Warum fahrt ihr mich denn nicht nach Hause?« wollte Caroline wissen, während sie sich ihren Schulranzen auf den Rücken hievte.

»Weil wir uns mit deiner Mutter verpaßt haben«, erklärte

Renate fadenscheinig. »Wenn unser Vater uns sieht, gibt es endlose Diskussionen, zu denen wir jetzt aber keine Zeit mehr haben. Wir müssen schließlich auch nach Hause! Es ist also besser, du erzählst Anno überhaupt nichts, dann regt er sich nicht auf! Aufregungen schaden seinem Herzen, und du weißt, alte Leute können schnell an Aufregung sterben. Sag ihm einfach, du warst bei einer Freundin!«

Renate stieg schnell in den Wagen und fuhr los.

Caroline sah ihr nach und konnte sich überhaupt keinen Reim darauf machen. Seit wann forderten Erwachsene denn Kinder zum Lügen auf?

Ina sprang auf, als sie Caroline durch das Gartentor kommen sah. Die letzte halbe Stunde hatte sie in einem Gartenstuhl am Eingang des Hauses gesessen und sich eine Illustrierte vor die Nase gehalten. Allerdings war sie viel zu aufgeregt, um sich auch nur eine Zeile von dem, was sie gelesen hatte, merken zu können. Ihr fiel ein riesiger Stein vom Herzen, als Caroline, frisch und fröhlich, auf sie zukam.

»Was machst du denn da?« wollte Caroline gleich wissen. »Und wo warst du überhaupt?«

Ina schloß sie in ihre Arme, was Caroline verwirrte. »Was ist denn los?« fragte sie. »Ist irgendwas passiert?«

»Nein, überhaupt nichts«, sagte Ina glücklich und nahm sie an der Hand. »Ich freue mich einfach, daß du da bist!« Nimm dich zusammen, sagte sie sich dabei, du mußt ihr das sachlich erklären. Bloß nicht emotional werden, wie soll sie das mit sieben Jahren verstehen?

Caroline hüpfte an ihrer Hand neben ihr her.

»Die Tiere auf dem Pfänder sind wirklich toll, Mami, das war eine klasse Idee! Aber wo seid ihr eigentlich gewesen? Und warum darf ich Anno nichts davon erzählen?«

Ina überlegte. »Ich erkläre es dir gleich.«

Anno und Nancy hatten während der ganzen Zeit auf der Veranda gesessen. Nancy fühlte sich außerstande, irgendwelche

Hausarbeiten zu verrichten, solange Caroline nicht sicher und wohlbehalten zurückgekehrt war, und Anno fühlte sich von den sich überstürzenden Ereignissen völlig erschlagen.

»Sie hat tatsächlich ja gesagt«, erklärte er Nancy in dieser Zeit viermal, und Nancy nickte ihm jedesmal aufmunternd zu. »Das ist eine kluge Entscheidung!«

»Schau'n wir mal!«

Dann brach das Gespräch wieder ab, und jeder hing seinen eigenen Gedanken nach.

Als Ina mit Caroline ums Haus bog, sprang Nancy auf. »Da bist du ja, mein Engel«, rief sie und lief den beiden mit einer ungeahnten Behendigkeit entgegen.

»Ja, warum denn nicht?« fragte Caroline jetzt wirklich verwundert.

»Setzt euch zu mir«, Anno wies zu den leeren Stühlen, »und, Nancy, Sie machen bitte eine Flasche Champagner auf. Es ist mir jetzt danach!«

Ina zog Caroline auf ihren Schoß, und Nancy klatschte in ihre Hände. »Gute Idee«, lachte sie befreit und entschwand ins Haus.

»Na, wie war's denn?« fragte Anno Caroline scherzhaft und zwinkerte ihr zu.

»Ich denke, du darfst nichts wissen, sonst stirbst du an der Aufregung?« Caroline beäugte ihn.

»Ach so!« Anno wog bedächtig seinen Kopf. »Das ist natürlich ein Argument. Aber da ich es ja nun schon einmal weiß, kannst du mir den Rest auch noch erzählen. Und deiner Mutter, und Nancy, sobald sie zurück ist!«

Caroline befreite sich vom Schoß ihrer Mutter und rückte sich einen eigenen Stuhl zurecht. »Bekomme ich auch etwas zu trinken?« wollte sie wissen. »Champagner mag ich nämlich nicht!«

Ina sprang auf. »Aber selbstverständlich! Wie gedankenlos von uns!«

Caroline schaute ihr hinterher und verzog das Gesicht. »Was ist denn heute bloß los? Ich habe doch gar nichts gemacht, und trotz-

dem ist heute alles irgendwie merkwürdig. Liegt das am Wetter?«
Sie schaute Anno mit schiefgelegtem Kopf an.

»Am Wetter?« fragte Anno zweifelnd.

»Ja, wenn die Leute verrückt spielen, heißt es doch immer, es
liegt am Wetter!«

In kürzester Zeit saßen sie alle wieder am Tisch, denn keiner wollte
irgend etwas verpassen. Und außerdem war sich auch keiner der
Erwachsenen sicher, wie Caroline das Vorgefallene richtig zu erklären sei.

Caroline wollte natürlich wissen, warum zur Verabredung auf
dem Pfänder nur die Tanten gekommen seien und ob Ina das Treffen schlichtweg vergessen habe.

Ina hatte sofort mit widersprüchlichen Gefühlen zu kämpfen.
Daß Caroline überhaupt auf die Idee kommen konnte, sie könne
von ihrer eigenen Mutter vergessen werden, kränkte sie und gab ihr
zu denken. War so etwas schon einmal vorgekommen? Wahrscheinlich, denn Ina fühlte sich in der Vergangenheit ganz einfach
häufig überfordert. Das war jetzt aber nicht die Frage, sagte sie sich,
sondern die Frage war, wie sie Caroline begreiflich machen konnte,
was hier gespielt wurde. Und zwar ohne dem Kind unnötig angst
zu machen.

Sie erklärte Caroline, daß die Tanten sich einen Scherz erlaubt
hätten. Weder sie noch Anno oder Nancy hätten davon gewußt
und sich deshalb Sorgen gemacht, obwohl sich die Tanten sicherlich nichts dabei gedacht hatten. Die vier wollten Caroline ganz
einfach mit einem schönen Tag überraschen. Das nächste Mal soll
sie aber besser nicht einsteigen, wenn Anno, Nancy, oder sie nicht
dabei wären.

Caroline hatte zugehört, aber ihrem Gesichtsausdruck war zu
entnehmen, daß sie das alles nicht sonderlich interessierte. »Können wir morgen töpfern?« fragte sie Nancy schließlich.

Nancy nickte. »Wenn die ganzen Kinder morgen nochmals
kommen wollen«, gab sie zu bedenken.

»Wollen sie bestimmt!« erklärte Caroline überzeugt. »Dann

komme ich morgen nach der Schule auch garantiert gleich nach Hause, Mami!«

Julia hatte sich in den vergangenen Wochen mehrmals mit Niklas verabredet, aber es reichte nur einmal zum Kaffeetrinken auf halber Strecke zwischen Stuttgart und Heidelberg. Ständig kam etwas dazwischen, und da sie selbst mit den Vorbereitungen auf Prüfungen beschäftigt war und nebenher zum Geldverdienen in einem Bistro jobbte, fiel ihr das auch nicht weiter auf. Sie fand es nur schade, und irgendwie schob sie es ein bißchen auf den Abend zu dritt. Möglicherweise hatte er eben doch gedacht, sie hätte sich einen Anstandswauwau eingeladen. Vielleicht hätte sie die Situation einfach erklären sollen und nicht darauf vertrauen, daß er es schon irgendwie richtig einordnen würde. Es stimmte wohl doch, was sie immer wieder von ihren erfahreneren Freundinnen hörte, Männer schätzten Dinge völlig anders ein und waren mit komplexen Situationen schlichtweg überfordert. Plakativ muß es sein, leicht verständlich, hatte eine Kommilitonin ihr erklärt. Am besten schwarzweiß, wie bei Kindern. Mit Psychokram verschreckst du sie nur. Kapiert keiner und will auch keiner kapieren! Und wie sagte einer neulich so schön: »Wir überlegen nicht, wir handeln!« Das fand sie zunächst ziemlich albern, aber dann sah sie ein, daß Handlungsbedarf bestand, und erklärte Niklas beim nächsten Telefonat, daß sie an einem der kommenden Wochenenden nach Lindau führe. Er zögerte kurz, erklärte aber gleich darauf, daß er versuchen werde, auch zu kommen.

Julia war nach dem Telefonat so gut gelaunt, daß sie Barbara anrief, um sie zu fragen, wie es ihr denn so ginge. Sie erreichte aber nur den Anrufbeantworter.

Barbara hatte sich, nachdem sie von Julia aus Heidelberg zurückgekehrt war, mit ihrer Mutter in Verbindung gesetzt. Thekla war mit ihren Aussagen vorsichtig gewesen, wie immer, wenn es um den Erhalt der Familie ging, aber Barbara hatte nicht locker gelassen und erfahren, daß Gerhard wegen einer schweren Gehirnerschütterung in ärztlicher Behandlung und derzeit arbeitsunfähig

sei. Ob es sie denn nicht interessiere, wie es dazu hatte kommen
können, wollte Barbara von Thekla wissen. Thekla wich aus, aber
dann brach es aus ihr heraus. Daß sie diesen Brief in ihrer Jacke
gefunden habe und ob sie denn noch gescheit sei, ihren eigenen
Vater erpressen zu wollen? 10 000 Mark aus der Familienkasse ein-
zufordern? Es sei ja wohl klar, daß es bei solchen Methoden irgendwann zur Katastrophe käme. Die hätte schon viel früher stattgefunden, erklärte daraufhin Barbara und legte auf.

Sie mußte weg aus dieser Stadt und noch besser gleich aus dem
Land. Italien fand sie passend, und während sie darüber nachdachte, fiel ihr eine Schulkameradin ein, die inzwischen in Florenz
verheiratet war. Während der darauffolgenden Tage forschte sie
nach und schrieb Lisa schließlich, ob sie nicht irgendeinen Job für
sie wüßte, von Andenkenverkäuferin bis zur Fremdenführerin sei
ihr alles recht. Es dauerte zwei Wochen, bis die Antwort kam. Lisa
fand, sie solle doch einfach mal so kommen, ihr Mann habe ein
kleines Hotel, und sie sei herzlich eingeladen. So könne sie sich in
der Zeit selbst nach Wohnung und Arbeit umschauen. Im Notfall
könne sie bei ihnen im Büro mitarbeiten. Barbara war hocherfreut,
nahm sofort Urlaub, packte ihren Wagen und fuhr los.

Auch Romy hatte eine Auszeit genommen, was Ina gar nicht gefiel,
denn Claudio war mit von der Partie. Sie bereisten ebenfalls Italien, quartierten sich für einige Tage in einem alten Grandhotel in
Camogli ein, fuhren weiter in ein Hotel nach Portofino und von
dort nach einigen Kulturtagen in Florenz und ausgiebigem Einkaufsbummel in Mailand wieder nach Hause. Während dieser drei
Wochen stellte Ina fest, daß sie Claudio vermißte, wenn sie sich
über die Gefühle zu ihm auch nicht im klaren war. Hatte sie einfach körperliche Entzugserscheinungen, oder ging das tiefer? Sie
hatte so lange keinen guten Sex gehabt, daß sie ihn so schnell nicht
wieder aufgeben wollte.

Noch am Abend der inszenierten Entführung suchte sie sich mit
ihrem Handy eine stille Ecke im Garten und rief Claudio an. Sie
hatte Glück, er war allein. Es war der letzte Abend vor ihrer Heim-

fahrt von Mailand, und Romy war noch unterwegs. »Ich bin froh, wenn ich dich endlich wiedersehe«, sagte er, und der Satz tat ihr gut. Sie war so aufgewühlt durch die Ereignisse, daß sie ihn am liebsten herbeigezaubert und sich an ihn geschmiegt hätte. Ina saß auf einer kleinen Bank, die Beine seitwärts hochgezogen, über sich die Äste einer alten Trauerweide und vor sich die dunkle Fläche des Wassers, die nach wenigen Metern schon mit dem Nachthimmel zu verschmelzen schien. Sie berichtete ihm, was vorgefallen war, und er war der Meinung, daß sich die Familie schon wieder einkriegen werde. Sie dürften nur nicht nachgeben, da habe Anno völlig recht.

Es wäre das Stichwort dazu gewesen, ihm von der bevorstehenden Hochzeit zu erzählen, aber Ina brachte es nicht über sich. »Ist nicht sowieso alles ein bißchen irre?« fragte sie ihn statt dessen und beobachtete dabei die unzähligen kleinen Wellen, die unablässig über die hellen Steine des Strandes wuschen.

»Was meinst du?« fragte er nach.

»Nun, unsere Situation. Du mit einer alten Frau in Italien, ich mit einem alten Mann am Bodensee.«

»Sieh es als Job, das habe ich dir schon einmal gesagt. Es ist ja auch nichts anderes. Eine Wechselwirkung zwischen Lebensfreude für die einen und Geld für die anderen. Jeder von uns hat nur Vorteile, das ist nicht unredlich. Keiner wird übers Ohr gehauen!«

»Auch nicht emotional, wenn wir ein Verhältnis miteinander haben?«

»Theoretisch ist es sogar nicht einzusehen, warum wir es verstecken!«

Ina schwieg.

Sie würden sich nie offen dazu bekennen können, schon gar nicht, wenn sie Anno geheiratet hatte, das war völlig klar!

»Sehen wir uns morgen?« wollte er wissen.

»Ja!« Inas Antwort kam schnell.

»Ich brenne danach!«

»Ich auch!«

Ina brachte Caroline am nächsten Tag selbst zur Schule. Sie tat so, als müsse sie sowieso einkaufen. Auf dem Rückweg würde sie sie auch wieder abholen, erklärte sie ihr, aber Caroline wollte nicht. »Ich bin doch kein Baby! Die anderen Mädchen werden auch nicht mehr von ihren Müttern abgeholt!«

»Ist das eine Schande, wenn man von der Mutter abgeholt wird?« wollte Ina wissen und parkte am Straßenrand.

»Ich bin einfach zu groß dafür«, winkte Caroline ab und stieg aus.

Das wird nicht einfach werden, dachte Ina und überlegte, daß sie eine Strategie entwickeln mußte. Caroline mußte auf jeden Fall beschützt werden, doch es durfte ihr auch nicht auffallen. Sie würde es mit Anno besprechen müssen.

Anno erwartete sie bereits am Gartentor und schaute ihr zu, wie sie den Wagen in die Einfahrt fuhr. Dann öffnete er ihr die Wagentür: »Du machst dich wirklich gut in dem Wagen«, sagte er voller Besitzerstolz, wobei sich Ina nicht so sicher war, ob dies mehr ihr oder dem Jaguar galt.

»Er ist auch tatsächlich ein Traum!« Sie nickte ihm lächelnd zu, doch der Stellenwert des Cabrios war deutlich gesunken. Ihre Sorgen um Caroline hatten den Wagen verdrängt, genauso wie Claudios Heimkehr. Sie war wirklich wild darauf, ihn zu sehen.

»Ich habe eine Überraschung.« Anno strahlte, und Ina kam sich schlecht vor. Wie paradox! Sie hatte nichts mit ihm und fühlte sich trotzdem wie eine infame Fremdgängerin.

»Du hast mir schon so viele Überraschungen bereitet. Irgendwie habe ich den Eindruck, jetzt wäre ich mal dran«, sagte sie, dachte aber gleichzeitig, daß ihre Überraschung eher eine schlechte wäre.

»Es handelt sich um etwas, das uns beiden guttut!«

Sie ging hinter ihm her zur Treppe. »Na?« Im Gehen drehte er sich um und schaute sie mit einem pfiffigen Ausdruck in den Augen an. »Was denkst du denn, was es sein könnte?«

Ina überlegte nicht lange. »Ein Massagesessel? Ein neues Theaterabo? Eine besondere Flasche Wein?« Es war ihr eigentlich herzlich egal, denn all das erschien ihr im Moment nicht wichtig.

Er lachte. »Du wirst staunen!«

Durch das Halbdunkel des Hauses führte er sie auf die gleißende Terrasse. Unter der herausgefahrenen cremefarbenen Markise saß ein Mann am Tisch, den Ina nicht kannte. Sollte dies etwa die Überraschung sein?

Womöglich *noch* ein Verwandter?

Er stand auf und kam ihr entgegen. Gedrungen, aber muskulös, den Oberkörper in einem grünen Polohemd verpackt, darüber ein Durchschnittsgesicht mit dünnen dunkelblonden Haaren, die er sich aus der Stirn nach hinten gekämmt hatte, und abstehenden Ohren. Er hatte wache, helle Augen, das fiel Ina auf.

Sie schüttelte seine Hand, die er ihr entgegenstreckte, und schaute ihn fragend an, als er sich ihr vorstellte. Zumindest hieß er schon mal nicht Adelmann. Welch ein Glück!

»Ingo Feilhaber wird ab heute auf Caroline aufpassen!« Es war Anno anzusehen, daß er auf Inas Reaktion gespannt war.

»Sie sind …«, begann sie, aber dann brach sie ab. Was konnte er sein? Privatdetektiv?

»Richtig«, vervollständigte er ihren Satz. »Ich bin Privatdetektiv. Wir observieren Personen, arbeiten aber auch im Personenschutz!«

Ina nickte und fiel Anno spontan um den Hals. »Mein Gott, bin ich froh. Und erleichtert! Das ist eine glänzende Idee, Anno!« Er drückte sie zum Zeichen des Einverständnisses leicht, ließ sie aber gleich wieder los. Ina hatte es trotz allem registriert und wußte es zu deuten. Er war tatsächlich ein Ehrenmann.

»Wollen wir uns nicht setzen?«

Sie unterhielten sich gut eine Stunde über die Situation, Ingo Feilhaber machte sich Notizen über Notizen und fragte Dinge, an die Ina nie gedacht hätte. Als er sich schließlich verabschiedete, empfand ihn Ina als den leibhaftigen Retter in der Not.

»Machen Sie sich keine Sorgen, ich werde bereits auf Caroline aufpassen, wenn sie nachher aus der Schule kommt!«

Ina sah ihm nach und ließ sich wieder auf ihren Stuhl sinken.

»Ich weiß nicht, wie ich dir danken soll«, sagte sie, als Anno zurückkam.

»Überhaupt nicht!« sagte er und setzte sich zu ihr.

»Aber das muß doch ein Vermögen kosten!«

Er zuckte die Schulter. »Macht nichts. Geht alles vom Erbe ab!«

Ingo Feilhaber blieb während der nächsten zwei Tage völlig unsichtbar für Ina und, wie sie registrierte, anscheinend auch für Caroline, denn wenn ihr etwas aufgefallen wäre, hätte sie es sicherlich erzählt. Das beruhigte sie gewaltig, denn Annos Familie traute sie nicht über den Weg, und vor allem, da Anno jetzt intensiv an einem Hochzeitstermin tüftelte und bereits den Grafiker beauftragt hatte, einen Entwurf für die Karten vorzulegen, war sie auf alles mögliche gefaßt. Zunächst einmal mußte sie jetzt Claudio erzählen, was geplant war, denn sie wollte nicht, daß er es womöglich über Romy erfuhr.

Doch am Ankunftstag hatten sie sich nur kurz in ihrem alten Häuschen sehen können, weil er mit Romy später als vermutet eintraf und eigentlich auch gleich wieder gehen sollte. Sie fielen sich kurz in die Arme und vertrösteten sich auf den nächsten Tag.

Ina sah ihm nach, wie er ging, und wurde von einem seltsamen Gefühl überfallen. Hier, allein in ihrem fast ausgeräumten Häuschen, in dem Caroline aufgewachsen war, das zwar nie perfekt, aber ihr Reich gewesen war, kamen ihr massive Zweifel an ihrem Leben. War denn das alles richtig so? Hätte sie nicht vielleicht hier mit einem Mann wie Claudio glücklich werden können? Sie ließ sich auf die Steinplatte vor der Verandatür sinken, lehnte sich mit dem Rücken an die glatte Glasfläche der Tür und schaute in den Garten. Klar, sie sicherte ihre und Carolines Zukunft ab. Wahrscheinlich wäre es auch so nicht mehr lange weitergegangen. Die nächste große Rechnung hätte sie vermutlich aus der Bahn geworfen. Dieser Druck war weg, die Ängste passé. Dafür stellten sich jetzt andere ein. Was, wenn Anno sich als Ehemann anders aufführte als jetzt? Wenn aus dem galanten Kameraden plötzlich ein

174

Despot wurde? Sie konnte es sich zwar nicht vorstellen, aber die Möglichkeit bestand immerhin.

Und dann – war das überhaupt sie? Ina Schwarz, 30, attraktiv, lebensbejahend, Mutter, heiratet 85jährigen Greis. Hätte es nicht auch eine Liebesheirat getan? Sie schloß die Augen und hielt ihr Gesicht in die letzten wärmenden Strahlen der Sonne. Die Tage wurden merklich kürzer, bald würde der Herbst kommen. Sie strich sich mit den Händen über ihre nackten Beine. Sie hatte dunkelblaue kurze Hosen an und einen dekolletierten weißen Pullover. Es waren derzeit ihre liebsten Kleidungsstücke, schnell, praktisch und dazu noch sexy. Aber das verlor alles an Gültigkeit, wenn man allein auf einer Verandastufe in einem verlassenen Garten saß. Sie fühlte eine unbestimmte Traurigkeit aufsteigen und versuchte die Ursache dafür zu ergründen. Lag es daran, daß Claudio so schnell aufgebrochen war? Lag es daran, daß sie ihr Leben anscheinend doch nicht so selbständig in den Griff bekommen hatte, wie sie es sich nach Carolines Geburt vorgestellt hatte? War es der Rückblick, der sie unglücklich stimmte? Oder die Gegenwart? Oder die Zukunft? Sie horchte in sich hinein. Lag es an ihr? Lag es an anderen? Hatte sie versagt? Nach einer Weile hätte sie heulen mögen, aber da sie sich über den Grund noch immer nicht im klaren war, verkniff sie es sich. Fehlt nur noch, daß ich in Depressionen verfalle und als Hochzeitsgeschenk einen Psychotherapeuten bekomme, sagte sie sich selbst, um sich wieder aufzuheitern, aber es nützte nichts.

Sie hörte den späten Vogelstimmen zu, sah, daß das Gras unglaublich gewachsen war, betrachtete ihre Blumen und den Nußbaum, dessen Blätter ihnen über Jahre hinweg ein lebendiges Dach gewesen waren, und als sie auch noch Nachbars Katze entdeckte, die durch den Garten streifte, war es mit ihrer Beherrschung endgültig vorbei, und die Tränen schossen ihr aus den Augen. Sie verbarg ihr Gesicht in den Armen, die sie auf ihren Knien aufgestützt hatte, und schluchzte heraus, was sich über Jahre aufgestaut hatte.

Irgendwann versiegte der Strom, sie streckte sich und betrachtete die verschmierte Wimperntusche auf den weißen Ärmeln ihres

Pullovers. Sie fühlte sich eindeutig besser. Vielleicht war ja auch alles gar nicht so schlimm. Immerhin hatte sie eine gut geratene, gesunde Tochter, eine gepolsterte Zukunftsperspektive, einen grandiosen Lover, wenn er da war, und einen Jaguar XK 8, unverdient, aber zu ihrer Verwendung vor dem Gartentürchen stehen. Sie hatte ihr Leben bisher im Griff gehabt, warum sollte es jetzt anders werden? Anno war in Ordnung, alt zwar, aber das war schonungslos ehrlich der Hintergrund ihrer Rechnung. Und noch nicht einmal ihrer eigenen, sondern auch der von Anno. Er wollte einen letzten großen Auftritt. Was gab's da zu heulen! Sie rieb sich mit den Fäusten die Augen und stand auf. Das Leben ging weiter, und sie war der Motor. Also hieß es handeln. Nicht heulen!

Am nächsten Tag wollte Anno mit ihr nach Zürich fahren, das bedeutete wiederum, daß sie Claudio nicht sehen konnte. Es war Freitag, und sie hatte sich mit Claudio am späten Nachmittag in ihrem Häuschen verabredet. Ina hinterließ ihm die Nachricht auf der Mailbox seines Handys, denn zu Hause wollte sie ihn nicht anrufen. Was hätte sie Romy sagen sollen, falls sie abgenommen hätte? Gruß an ihren Kümmerer, wir poppen heute nicht? Es sei denn, wir finden eine andere Uhrzeit? So bat sie Claudio, sie dringend zurückzurufen. Er tat es auch, allerdings in der Villa, und erwischte Nancy, die sofort Anno rief, weil sie glaubte, Claudio wolle Anno sprechen. Anno freute sich und nutzte die Gelegenheit, die beiden gleich für ein gemeinsames Abendessen einzuladen. Ina kam gerade dazu, als sie hörte, wie Anno geheimnisvoll: »Es gibt etwas zu feiern« sagte und Ina dabei zuzwinkerte.

»Wer ist denn dran?« flüsterte sie und spürte ihr Blut pulsieren, als er die Muschel zuhielt und leise Claudio sagte. Hoffentlich war sie vor Überraschung nicht rot angelaufen.

»Morgen abend wäre ein wunderbarer Termin«, hörte sie Anno sagen, und dann wandte er sich wieder ihr zu. »Oder, Ina, haben wir da etwas anderes vor?« Sie verneinte und überlegte, daß sie Claudio nun ganz dringend treffen mußte. So völlig unvorbereitet konnte sie ihn nicht mit Annos Hochzeitseuphorie konfrontieren. Obwohl sie genaugenommen keine Ahnung hatte, wie er zu ihr stand, hatte es während der letzten Wochen doch keinen Tag ohne Telefonate zwischen Italien und Deutschland gegeben. Manche bis zu einer Stunde lang. Es sah für Ina nicht so aus, als ob es ihm nur rein ums Körperliche ging.

»Frag ihn doch mal, wie es in Italien war«, flüsterte sie Anno zu und erreichte, was sie bezweckt hatte.

»Claudio, ich gebe Ihnen noch Ina. Sie wollte noch etwas über Italien wissen!« Anno gab Ina den Hörer und bedeutete ihr, daß er wieder hinausginge. Ina schaute seiner schlanken Silhouette nach und sagte, während sie ihn laut und vernehmlich nach Romy, Italien, der Kultur und dem Essen fragte, leise: »Geht's in einer halben Stunde?«

»Wir tun ja, als wären wir verheiratet und auf dem Weg zum Seitensprung«, hörte sie ihn halb spöttisch, halb ärgerlich antworten. »Natürlich geht es in einer halben Stunde, wir sind schließlich freie Menschen. Wir müssen über einiges dringend reden!«

»Reden?« fragte Ina so erschrocken, daß er lachen mußte.

»Ist schon recht«, beruhigte er sie. »Das können wir ja auch verschieben!«

Nein, sicherlich nicht, dachte Ina nur. »Also, dann«, sagte sie leise und gleich darauf laut: »Finde ich eine gute Idee von Anno. Hoffentlich hat Romy ebenfalls Lust!«

»Aber jetzt darf ich schon noch allein kommen?«

Sie hörte das unterdrückte Lachen in seiner Stimme.

»Ganz und gar«, antwortete Ina und legte langsam auf.

Ihr Herz schlug, als sie vor ihrem Häuschen parkte. Die gestrige Stimmung war vergangen, sie verspürte weder Wehmut noch Aufbruchsstimmung, sondern schlicht gewaltige Vorfreude. Sein Wagen stand noch nicht da, vielleicht hatte er aber auch um die Ecke geparkt. Sie öffnete das Gartentürchen, ging durch den Garten und setzte sich auf die Bank unter den Baum. Es war kühler geworden, sie trug Jeans, ein enganliegendes T-Shirt und eine schwarze Lederjacke darüber. Die langen Haare hatte sie locker hochgesteckt, und außer Lippenstift und etwas Wimperntusche trug sie kein Make-up. Sie zog die Beine auf die Bank und über- legte, warum sie es so schwierig fand, Claudio von der Hochzeit zu erzählen. Es änderte doch nichts. Oder befürchtete sie insgeheim, es könne sich doch etwas verändern? Sie hörte einen Wagen und sah Claudio kurz darauf den Garten betreten.

Sie genoß es, ihn beobachten zu können, während er nichts ahnte. Er trug ebenfalls Jeans und darüber einen grobmaschigen, leinenfarbenen Pullover mit Rollkragen und Reißverschluß. Seine Haare waren etwas länger geworden und lagen in weichen, gestuf- ten Wellen nach hinten. Er ging schnell und zielstrebig durch den Garten, und seinem Gesichtsausdruck nach zu schließen freute er sich ganz offensichtlich.

Ina stieß einen kurzen, verhaltenen Pfiff aus, er zögerte, blieb stehen und schaute in ihre Richtung. »Versteckst du dich vor mir?« wollte er wissen, als er sie unter dem Baum entdeckt hatte.

»Noch nicht«, Ina lächelte ihm zu, und Claudio bückte sich im Gehen, um unter den tieferen Ästen hindurchzukommen.

»Du siehst zum Anbeißen aus«, sagte er und setzte es so direkt in die Tat um, daß Ina kaum noch Luft bekam. Er küßte ihren Hals und ihren Mund in rasender Folge, und ehe Ina es sich versah, lag er auf ihr.

»He!« prustete sie, aber er küßte weiter. »Du zerquetscht mich«, rief sie mit erstickter Stimme, doch er raunte ihr ins Ohr: »Ich fresse dich jetzt auf! Mit Haut und Haaren!« und begann auch sofort am Ohr zu knabbern. Ina schüttelte lachend den Kopf und versuchte ihn mit beiden Armen abzuhalten, aber er ließ sich nicht stören. Mit seiner Zunge liebkoste er ihr Ohr. »Wußtest du nicht, daß ich ein anderes Kampfgewicht habe als du?« fragte er leise, was Ina zu einem Kraftakt herausforderte. Mit einem Ruck drehte sie sich auf der Bank um, stieß sich gleichzeitig mit den Beinen an der Rückenlehne ab und landete mit Claudio auf dem Boden. Nur, daß er jetzt unten lag und sie oben. »He! Au!« sagte er, und beide brachen in schallendes Gelächter aus. »Was willst du denn da oben?« fragte er schließlich. »Ich bin der Mann!« Sie kugelten prustend über die Erde, bis sie schließlich eng umschlungen seitlich liegenblieben. »Okay, das ist ein Kompromiß«, sagte er und begann wieder ihren Hals zu küssen. Ina spürte, wie es ihr heiß wurde, und suchte seinen Mund. Sie küßten sich in Ekstase, zogen sich dabei aus und fanden sich kurz darauf auf der Bank wieder, wo sie übereinander herfielen. Ina fühlte sich wie elektrisiert und ihm gegenüber nach einer Weile fast ausbeuterisch, denn jetzt hätte er um alles in der Welt nicht aufhören dürfen. Sie glitt wie in Trance auf einer Ebene dahin, durch jähe Spitzen nach oben unterbrochen, je nachdem, welche Stellung sie gerade gefunden hatten. Ihr Körper war ihr entglitten, führte ein völliges Eigenleben. Schließlich kam auch er zum Höhepunkt, dabei bäumte er sich auf und riß durch diese plötzliche Gewichtsverlagerung die Bank um. Sie stürzten über die Rückenlehne auf den Boden, wo sie zunächst eine Schrecksekunde lang unbeweglich liegenblieben, bis Ina loslachte. Sie lagen schweißnaß aufeinander, die Bank schräg auf ihnen, und Ina wurde von einem Lachkrampf geschüttelt, bis sie kaum noch atmen konnte. Claudio lachte zunächst mit, aber dann versuchte er, sie beide von der Bank zu befreien. »Hast du da noch Töne?« fragte er sie, und sie schüttelte den Kopf: »Nein, kaum noch!«, was sie sofort wieder zum Lachen brachte.

Claudio stellte die Bank auf, und sie setzten sich nackt nebeneinander. »Du siehst aus wie ein Bundeswehrsoldat nach einer Gefechtsübung!« Er zupfte ihr Blätter aus dem Haar, fuhr mit dem angefeuchteten Zeigefinger über ihre Wange und hielt ihn ihr vor die Augen. »Schwarz«, stellte er fest. »Dreck!«

»Erde«, stellte sie richtig, während sie seinen Zeigefinger festhielt und fachmännisch von allen Seiten betrachtete. »Natur!«

»Na, klasse!« Er betrachtete sie grinsend.

»Warst du eigentlich jemals mit einer Frau im Bett?« wollte Ina wissen.

»Wie?«

»In einem Bett, meine ich. Ganz einfach in einem Bett!«

»Wieso? Willst du?« Er legte den Kopf schief und runzelte die Stirn. »Gleich?«

Eine Stunde später war Ina wieder zu Hause. Sie war bester Laune, als sie sich für den gemeinsamen Ausflug mit Anno nach Zürich duschte und umzog. Sie hatte Claudio von Annos Plänen erzählt und ihm ihre Gründe für ihre Zustimmung auseinandergesetzt. Das sei absolut okay, fand er, denn es sichere sie natürlich vollkommen ab. Und somit auch Caroline. Obwohl sie auf der einen Seite erleichtert war, daß er so reagierte, fühlte sie auf der anderen Seite eine leichte Enttäuschung. Während sie sich duschte, fragte sie sich, wo dieses Gefühl hergekommen war. Ob sie sich heimlich gewünscht hatte, er würde: »Bist du denn verrückt? Heirate mich!« ausrufen? Sie lachte über sich selbst, aber ganz echt war es nicht. »Gekränkte Eitelkeit?« überlegte sie, während sie ihr cremefarbenes Leinenkleid aus dem Schrank nahm, oder mochte sie ihn mehr, als sie sich gegenüber eingestand? Sie schlüpfte in das Kleid, zog den Reißverschluß hoch und zupfte es zurecht. Es war ein kurzes Sommerkleid mit rundem Ausschnitt und ohne Ärmel. Einfach und schlicht, stand ihr aber durch ihre gebräunte Haut besonders gut. Sie schlüpfte in die passenden Schuhe, fuhr sich noch mal schnell durch die Haare und ging hinunter. Es war kurz vor zwölf Uhr, gleich würde Caroline aus der Schule kommen. Ob Ingo Feilhaber hinter ihr herlief? Einfach so? Wie er die Beschattung wohl anstellte? Sie schaute sich nach Anno um, fand ihn in seinem Büro, wo er Bankbelege studierte.

»Du machst so ein sorgenvolles Gesicht«, sagte sie und blieb diskret in der Tür stehen.

Er blickte auf. »Mit Geld hat man ja auch nur Sorgen! Entweder man hat keins, das ist die größte Sorge. Oder man hat welches und die Angst, man könne es verlieren, oder es könne zur Neige gehen, das ist die nächste Sorge, oder man hat zuviel und wird sorglos, und wums, ist man wieder am Anfang!«

Ina blieb stehen. »Über zuviel habe ich mir nie Sorgen gemacht!«

Anno zuckte die Achseln. »Sobald die anderen glauben, du hättest zuviel, werden sie schon dafür sorgen, daß es weniger wird!«

Nancys Ruf schallte durch das Haus. »Ina, wo bist du? Telefon!«

Ina ging schnell ins Wohnzimmer, wo Nancy mit dem Telefonhörer hin und her wedelte. »Schnell, mir brennen meine Schenkel an!«

»Schenkel?« Ina nahm ihr den Hörer ab, bekam aber keine Erklärung von Nancy, vergaß es auch sofort wieder, denn es war Ingo Feilhaber.

»Herr Feilhaber? Ist etwas passiert?« Ina war nervös, denn seine Auskunft klang ausweichend.

»Ich muß Sie gleich mal sprechen. Möchte aber nicht, daß man uns zusammen sieht. Also fahren Sie jetzt bitte zur Aral-Tankstelle und tanken dort. Dann lassen Sie sich den Toilettenraumschlüssel geben und gehen durch die Hintertür hinaus. Dort warte ich.«

Ina schluckte. »So kompliziert? Ist das nötig?«

Er antwortete nicht darauf, sagte nur kurz: »In zehn Minuten« und legte auf.

Ina spürte, wie sie zu zittern anfing. Ein inneres, nicht zu kontrollierendes Vibrieren, das nahtlos in eine Gänsehaut überging. Sie stand da und hatte den Eindruck, alle ihre Haare hätten sich gesträubt. Aber dann faßte sie sich und nahm den Autoschlüssel. Was sollte sie jetzt Anno sagen? Einem unbestimmten Gefühl nach beschloß sie, einfach ohne weitere Erklärungen schnell hinzufahren.

»Ich fahre mal schnell tanken, damit wir nachher startklar sind«, rief sie Nancy zu und lief aus dem Haus. Der Tank war halbleer, so konnte sie wenigstens an eine der Zapfsäulen fahren. Sie tankte, ging hinein, um zu bezahlen, und fragte nach dem Toilettenraumschlüssel. Dabei kam sie sich vor wie in einem schlechten Krimi. Wenn sie jetzt hinausginge, würde sie erschossen werden. Oder entführt, wie Caroline. Mit gemischten Gefühlen öffnete sie die Hintertür. Sie führte auf einen gepflasterten Hof hinaus, eingegrenzt von ungepflegten Büschen. An der einen Wand standen große Blechtonnen, auf der anderen Seite entdeckte sie Ingo Feilhaber. Er stand an die Wand gelehnt neben der Toilette. Er kam sofort auf sie zu.

»Gut, daß Sie da sind. Ich entschuldige mich für diesen Umstand, aber es hat seinen Grund!«

Ina fühlte sich atemlos. »Das denke ich mir.« Sie traute sich aber nicht, ihn direkt nach diesem Grund zu fragen. In ihrem Bewußtsein war eine rote Lampe angegangen, und am liebsten hätte sie kein weiteres Wort gehört.

»Wußten Sie, daß ein Privatdetektiv auf sie angesetzt ist?«

»Ein was?« Sie schluckte. Das kam nun wirklich überraschend.

»Das dachte ich mir!« Er nickte wie zu seiner eigenen Bestätigung und fuhr sich mit seinen fünf Fingern durch die schütteren Haare.

»Ein Kollege von mir hat ganz offensichtlich den Auftrag, irgend etwas über sie herauszubringen. Er recherchiert. Und beobachtet sie. Und fotografiert. Beispielsweise heute morgen an ihrem Haus.«

Ina spürte, wie ihr die Farbe aus dem Gesicht wich.

»Ich weiß nicht, was es zu bedeuten hat, das können Sie vielleicht selbst wissen. Ich dachte nur, daß Sie es wissen müssen!«

»Ich«, Ina überlegte. »Ich habe, ehrlich gesagt, überhaupt keine Ahnung! Ich bin völlig vor den Kopf geschlagen! Wer könnte denn ein Interesse ...?« In dem Moment war es ihr klar. Jetzt richteten sich die Aktionen nicht mehr gegen Caroline, jetzt wurde sie ins Visier genommen. »Es ist die Familie meines zukünftigen Mannes!« sagte sie mehr zu sich als zu ihm.

Er nickte. »Ich hatte so etwas vermutet! Es wurden Bankauskünfte angefordert, zudem ein polizeiliches Führungszeugnis, außerdem bei Ihren Nachbarn herumgefragt. Ich denke, da soll etwas gefunden werden ...«

»Das ist ... einfach abscheulich!« Ihr fielen die Szenen vom Vormittag ein. Du lieber Himmel, das war ein gefundenes Fressen. Wilder Sex unter freiem Himmel, während Anno seelenruhig

Hochzeitskarten drucken ließ. Das würde wahrscheinlich sogar ihn erschüttern. Sie schaute Ingo an.

»Wie haben Sie das überhaupt erfahren?« fragte sie.

»In der Branche spricht sich so etwas schnell herum. Zudem hat er Sie nicht wirklich professionell beschattet, als Sie heute morgen zu Ihrem Haus fuhren.«

»Ich dachte, Sie waren an der Schule?!«

»Nicht nur. Caroline hat ja auch Unterricht.«

Klar, Ina schwieg. Wie blöd von ihr.

»Ich weiß nicht, wie weit die Beziehungen dieser Familie reichen. Möglicherweise sollten Sie sich jedoch auch beim Telefonieren vorsehen!«

Ina schüttelte nur noch den Kopf. »Das gibt's doch gar nicht ...«

Ingo zuckte die Achseln. »Wenn's ums Geld geht, ist alles möglich. Von Verleumdung bis Mord habe ich schon alles erlebt!«

Sie schaute ihn mit hochgezogenen Augenbrauen an. »Sie machen mir ja wirklich Mut!«

Er lächelte sie an. »So ist es!«

Auf der Rückfahrt kam sich Ina fast schon paranoid vor. Sie ertappte sich, wie sie ständig in den Rückspiegel spähte. Wo steckte dieser Typ, der sie beschattete? Würde er jetzt hinter ihnen her nach Zürich fahren oder in der Zwischenzeit irgendwelche Intrigen aushecken? Das Haus durchkämmen, in ihrer Wäsche wühlen? Würden die Fotos vom Vormittag zu ihr oder zu Anno geschickt? Möglicherweise noch Kopien zu Romy?

Sie mußte Anno vorwarnen. Sie mußte überhaupt mit ihm reden, denn daß sie die nächsten Jahre auf Sex verzichten würde, war absurd. Das mußte ihm klar sein. Ebenso, daß er ihr dafür zu alt war. Schließlich lagen 55 Jahre zwischen ihnen. Doch konnte sie wissen, wie er darüber dachte? Nancy zufolge war er körperlich durch seine Krankheit und die Medizin nicht mehr dazu in der Lage. Aber Zärtlichkeit beschränkte sich ja nicht nur auf das eine. Es war dringend notwendig, auch diese Dinge vor der Hochzeit anzusprechen. Möglicherweise änderten sich seine Erwartungen mit dem Jawort.

Hans-Jürgen saß in seinem Büro und betrachtete die Fotos. Ein breites Grinsen überzog sein Gesicht, jetzt hatte er alle Trümpfe in der Hand! Ina Schwarz lag ihm quasi nackt »zu Händen«. Er betrachtete sie näher. Das war ein heißes Weib. Wenn er da an Renate dachte ... besser nicht. Auf dem einen Foto war sie allein zu sehen. Das Bild war grobkörnig, da mit einem starken Teleobjektiv geschossen, aber die Makellosigkeit ihres Körpers war gut zu erkennen. Sie lag etwas verdreht seitlich auf der Bank. Es war ein höchst erotisches Bild. Hans-Jürgen war versucht, es in seiner Männerrunde zu präsentieren. Damit hätte er seinen frauenmordenden Ruf nach Jahren der Agonie wiederhergestellt. Irgendwie war sein Leben schon verteufelt fade geworden. Das konnten, bei Licht besehen, die Stippvisiten ins vermeintliche Abenteuer auch nicht mehr wettmachen. Im Gegenteil.

Hans-Jürgen dachte über seinen letzten Kasinobesuch und seine Schulden nach. Dieser Detektiv wird ihn auch eine Stange Geld kosten. Bis jetzt wußte er noch nicht, wie er das würde begleichen können. Allerdings waren diese Fotos natürlich Gold wert. Und nicht nur in barer Münze. Wenn er nicht so dringend Geld gebraucht hätte, hätte er sich damit ein ganz anderes Spielchen einfallen lassen können. Er blätterte sie noch mal nachdenklich durch. Kleine Erpressung unter Freunden, nach dem Motto: Deine Zukunft liegt in meiner Hand. Gegen ein kleines Entgegenkommen bekommst du die Negative. Er lächelte in sich hinein, dann legte er die Fotos in den Umschlag zurück. Schluß! Früher waren ihm die Frauen nachgelaufen, so etwas hatte ein Hans-Jürgen nicht nötig. Die Fotos waren ein Glücksfall für ihn, er würde mit ihnen genau das tun, was er von Anfang an vorhatte.

Thekla hatte ihren Mann aus dem gemeinsamen Schlafzimmer verbannt. Ohne großes Aufheben zu machen, sie brauchte dafür keine Zeugen, hatte sie die Kleiderschränke umgeräumt und Bilder umgehängt. So fand Gerhard, als er von seinem Krankenhausaufenthalt zurückkam, seine Sachen in Barbaras ehemaligem Zimmer vor.

»Da kennst du dich ja aus«, hatte Thekla dazu gesagt und ihn nicht weiter beachtet.

Gerhard ging es schlecht. Nicht nur, daß die Verletzung ihm arg zu schaffen machte, es war vor allem die Niederlage. Die Niederlage gegen seine eigene Tochter, die Niederlage gegenüber seiner Frau und letztlich die Niederlage gegen sich selbst. Wo war er geblieben? Auf der Strecke. Wo waren die süßen Stunden mit all den unschuldigen Mädchen? Aufgelistet in Barbaras Akten, und er wußte noch immer nicht, wie sie an diese Namen und Adressen gekommen war. Und Thekla wußte über alles Bescheid, das war fast das Schlimmste. Wie war sie an diese Informationen gekommen? Barbara wird ihr es kaum beim Tee erzählt haben. Gerhard war voller Zweifel, und die Ungewißheit nagte an ihm. Was, wenn Thekla über den heiligen Stand der Ehe hinausdachte und sich scheiden ließ? So kurz, bevor der Alte sein Erbe ausspuckte? Sie hatte einen ausgezeichneten Ehevertrag. Zu ihren Gunsten, ausgefertigt von Annos Rechtsanwalt. Eine Scheidung würde ihn um das bringen, wofür er sich Jahre über Jahre hergegeben hatte – ein gesichertes Leben in der Villa am See. Dort hätte er sein Amüsement schon gefunden, denn wer sagt denn, daß Männer immer vor den Frauen sterben mußten? War nicht Annos Frau das leibhaftige Beispiel dafür, daß es auch andersherum gehen konnte?

Eine Woche war vergangen, es war Freitag morgen, Endspurt für Caroline. Ina war früh aufgestanden, denn sie genoß es, den Tag mit einem gemeinsamen Frühstück zu beginnen. Nancy hatte sich noch nicht sehen lassen, so deckte Ina schnell den Tisch, bereitete den Kaffee vor und schob einige tiefgefrorene Croissants in den Ofen. Diese 20 Minuten würde sie nutzen, um Caroline zärtlich zu wecken und mit ihr ins Bad zu gehen. Sie wollte gerade zum Kinderschlafzimmer hochgehen, als es an der Haustür klingelte. War Nancy etwa zum Bäcker gegangen und hatte den Haustürschlüssel vergessen? Sie lief die Treppen schnell wieder hinunter in den Flur und drückte auf den elektrischen Türöffner. Eigentlich wollte sie schon wieder hochlaufen, wartete dann aber doch. Es war nicht Nancy, die hereinkam, sondern zwei Männer. Zwar ebenfalls ziemlich breit, aber eindeutig männlicher Natur. Und in Arbeitskleidung.

»Ja?« fragte Ina gedehnt und dachte gleichzeitig, daß ihr die Zeit davonlief. Caroline würde zu spät kommen, wenn sie sie nicht bald wecken würde.

»Firma Ruck. Guten Morgen!«

Firma Ruck sagte Ina nichts, und sie hörte auch in dem Moment, wie hinter ihr die Tür aufging. Sie drehte sich um, Anno stand im Morgenmantel hinter ihr. Gott sei Dank, jetzt konnte sie die Firma Ruck abgeben.

»Ruck? Spedition?« fragte Anno beim Näherkommen.

»Richtig! Wo können wir anfangen?«

»Guten Morgen, Anno.« Ina drückte ihm einen Gutenmorgen-kuß auf die Wange und wollte eigentlich an ihm vorbei die Treppe hochgehen, aber jetzt blieb sie doch stehen. Wozu hatte Anno eine Spedition bestellt?

»Womit wollen Sie denn anfangen?« fragte Anno und zog den Gürtel enger.

»Damit, wozu wir herbestellt wurden. Ausräumen, umziehen!«

Anno schüttelte den Kopf. »Aber nicht hier!«

»Nun«, der eine der Männer, um die Fünfzig, ein runder Kopf auf kräftigem Hals, der von kräftezehrender Arbeit zeugte, zog ein zusammengefaltetes Blatt Papier aus dem Latz seiner blauen Hose, strich es glatt und las vor: »Ina Schwarz bei Anno Adelmann, das ist doch hier? Die Adresse stimmt jedenfalls!«

Anno streckte die Hand aus. »Darf ich mal sehen?« Er las und ließ das Blatt sinken. »Willst du wieder ausziehen?« fragte er Ina verwundert.

»Ich?« Ina trat neben ihn. »Wie kommst du denn darauf?«

»Weil es hier steht. Und der Vertrag wurde von dir unterschrie-ben.« Er zögerte. »Sieht jedenfalls so aus!«

»Gib mal her!« Ina war völlig verdattert. Wie sollte sie einen Vertrag unterschrieben haben, von dem sie überhaupt nichts wußte. Zumal von einer Spedition. Sie prüfte das Dokument.

»Das sieht zwar aus wie meine Unterschrift, ist aber nicht meine«, sagte sie entschieden.

»Was jetzt?« fragte der eine der Männer und griff nach dem Vertrag. »Was soll damit nicht in Ordnung sein? Hier steht: 7.30 Uhr, Ina Schwarz. Umzug in die Höhenstraße 8. Was soll daran nicht stimmen?«

»Ich habe zwar noch eine Wohnung in der Höhenstraße 8, aber von dort bin ich eben erst hierhergezogen. Ich denke nicht daran, dorthin zurückzuziehen. Das ist ein Irrtum!« Ina hob die Hände. »Ich habe keine Ahnung, wie das passieren konnte!«

»Gute Frau, wir haben einen Tag für Sie reserviert, draußen steht ein 14-Tonner, und es warten noch zwei Männer. Wir können jetzt nicht so einfach gehen!«

Anno legte seinen Arm um Inas Schulter. »Müssen Sie aber. Ich rufe jetzt zunächst einmal in Ihrem Büro an. Wir müssen klären, wie es zu dem Auftrag kommen konnte!«

Lautes Schluchzen kam von der Treppe. Ina drehte sich rasch um. »Ihr habt vergessen, mich zu wecken! Jetzt komme ich bestimmt zu spät!« Völlig in Tränen aufgelöst kam Caroline im Nachthemd herunter.

»Du kommst noch lange nicht zu spät, mein Schätzchen!« Ina ging ihr schnell entgegen und nahm sie hoch.

Caroline umschlang mit ihren Armen ihren Hals und mit den Beinen ihre Taille. »Und wenn ich doch zu spät komme? Immer bin ich die letzte!«

Anno nickte Ina beruhigend zu. »Ich mache das schon!«

Nancy hatte verschlafen. Sie schoß hoch, als sie einen schweren Lkw vor dem Haus starten hörte. Ihr erster Blick auf die Uhr brachte ihre Pfunde in Bewegung. Du lieber Himmel, eine ganze Stunde zu spät dran. Ihr Wecker hatte versagt! Sie schlüpfte in ihren Morgenmantel, putzte sich schnell die Zähne in ihrem kleinen Badezimmer, fuhr sich mit dem angefeuchteten Zipfel des nächsten Handtuchs über das Gesicht und ging hinunter. Anno, Ina und Caroline saßen bereits beim Frühstück.

»Tut mir leid«, begann sie, »entweder war mein Traum zu schön, oder er war so schwer, daß ich das Klingeln nicht hörte. Keine Ahnung …«

Anno winkte ab. »Sie haben nichts versäumt, Nancy. Nur ein paar Möbelpacker, die das Haus ausräumen wollten!«

»Die was?« Sie setzte sich an den Tisch, und ihr Doppelkinn bebte. »Haus ausräumen? Das hier?«

Anno zuckte die Schultern, als sei dies das Natürlichste auf der Welt. »Sie hatten einen Auftrag. Frage ist jetzt nur, von wem.«

»Von mir nicht!« antwortete Nancy sogleich. »Bestimmt nicht!«

Ina mußte lachen. Wie sie so dasaß, in ihrem Ungetüm von Morgenmantel, die Haare verwuschelt, das Gesicht vom Schlaf oder von der frühen Aufregung gerötet, mit runden Kulleraugen, aus denen sie Anno anstaunte, kam sie Ina wie ein Riesenbaby vor, ein überdimensionales Kleinkind, von Rieseneltern in eine unverständliche Welt gestoßen.

Nancy ließ sich haargenau schildern, was vorgefallen war, und stellte eine Frage, die Ina noch gar nicht in den Sinn gekommen war. »Und wer muß das jetzt bezahlen?«

»Stimmt!« Ina ließ das Messer sinken, mit dem sie eben Carolines Vesperbrot strich. »Da kommt doch bestimmt eine saftige Rechnung. Lkw, Leute, Arbeitsstunden, Ausfall, was weiß ich. Du lieber Himmel!«

Anno beruhigte sie: »Die Unterschrift war eine Fälschung, keiner von uns hat diese Spedition bestellt. Also sind wir auch nicht haftbar. Haftbar ist derjenige, der das veranlaßt hat. Aber den muß man erst einmal finden!«

»Und – wer könnte es sein?« fragte Nancy mit Unschuldsblick. Sie schauten sich an. Und sie sahen sich gegenseitig an, daß sie alle das gleiche dachten.

Renate hing schon seit einer halben Stunde am Telefon.

»Ich glaube, wir müssen stärkere Geschütze auffahren! Das ist doch alles Spielerei! Das nimmt sie doch überhaupt nicht ernst!« Theklas Stimme klang erbost. »Wenn er das tatsächlich durchzieht«, Renate hörte durch die Leitung, wie sie mit den Fingern auf etwas herumtrommelte, »dann sind wir die Blöden! Was hat denn dein Superheld von Mann ausgetüftelt? Hat er in seinem Leben überhaupt schon einmal etwas in Bewegung gesetzt außer einer Kugel am Roulettetisch?« Sie verstummte. Das hatte sie nicht sagen wollen. Diese Information stammte von Gerhard, aber sie hatte sie nicht so einfach verschleudern wollen.

»Was meinst du damit?« fragte Renate hellhörig.

»Nichts! Das war ein Vergleich, sonst nichts!« Wieder hörte Renate Thekla trommeln, und sie wußte auch, worauf sie trommelte: auf eine Karte. Die gleiche Karte hatte sie heute morgen auch aus ihrem Briefkasten gezogen, und sie lag nun ebenfalls vor ihr. Die Ankündigung der baldigen Hochzeit zwischen Anno Adelmann und Ina Schwarz, sorgfältig gestaltet und teuer auf Hochglanzpapier gedruckt.

»Ich könnte sie umbringen, das Luder!« Wenn es einen Knopf gegeben hätte, auf den sie zu diesem Zweck hätte drücken können, hätte sie es getan. Diese Ina mußte doch schließlich auf irgendeine Art aus der Welt zu räumen sein.

»Wenn Papa vor der Hochzeit sterben würde, wäre das, wenn es nur ums Effektive geht, nützlicher«, warf Renate ein.

Beide schwiegen. Es war ein ungeheuerlicher Gedanke, aber nicht von der Hand zu weisen.

»Willst du ihn umbringen?« fragte Thekla leise, und es hörte sich an, als würde sie dabei die Luft anhalten.

»Quatsch!« sagte Renate, aber beide dachten darüber nach.

»Oder entmündigen lassen! Wie schon gesagt! Vielleicht kennt Lydias Mann einen Arzt in Lindau, mit dem man sich in Verbindung setzen könnte!«

»Ich glaube, so etwas geht übers Gericht. Und zudem heißt das nicht mehr entmündigen, sondern ... sonstwie!«

»Ich erkundige mich mal bei Lydia!«

Sie schwiegen wieder eine kurze Weile.

»Trotzdem!« sagte dann Thekla in die Stille.

Renate wußte, was sie meinte, reagierte aber nicht. »Vielleicht solltest du mal Barbara auf ihn loslassen! Zumindest hat sie schon mal geübt!« Es sollte locker klingen.

»Sehr witzig!« Es gelang Thekla aber nicht, sich richtig darüber aufzuregen. »Was ist denn mit Hans-Jürgen? Ich habe vorher schon gefragt. Wollte er sich nicht was überlegen?«

»Ich glaube, es berührt ihn nicht so sonderlich. Oder er hat zuviel zu tun. Ich habe jedenfalls noch nichts von ihm gehört!«

»Braucht er kein Geld?«

Renate dachte nach. Die Finanzlage hielt er vor ihr immer geheim. Sie erfuhr nur, wenn sie nicht »soviel« ausgeben sollte.

»Ich seh schon! Laß mich das machen!« sagte Thekla schnippisch und legte einfach auf.

Dr. Rebherr war erstaunt, als er das Schreiben las, das ihm seine Sekretärin vorgelegt hatte. Die Familie von Anno Adelmann äußerte sich darin besorgt über Annos Geisteszustand und beantragte eine Prüfung durch das Vormundschaftsgericht. Er lehnte sich zurück und dachte nach. Gut, Anno Adelmann war 85 Jahre alt. Aber verwirrt oder geschäftsunfähig war er ihm an seinem Geburtstag nicht erschienen. Ob sich dieser Zustand so überraschend geändert hatte? Es gab geistige Krankheiten, die in diesem Alter jäh auftreten und sehr schnell zur Senilität führen. Das wäre schlimm für Anno, auf der anderen Seite: Warum sollte er einem Brief der Töchter mißtrauen?

Dr. Klaus Rebherr, Vormundschaftsrichter am Amtsgericht in Lindau, las sich den Brief nochmals in Ruhe durch. Adelmanns Tochter Thekla schilderte einige Krankheitssymptome, betonte allerdings, daß dies trotzdem kein Problem sei. Die Familie hielte zusammen und könne die Pflegschaft selbst übernehmen. So bräuchte man keine Fremdbetreuung, was die Dinge sicherlich vereinfache. Denn Anno sei in die Fänge einer berechnenden jungen Frau geraten, und es bestünde Anlaß zur Sorge, ob sie ihm nicht sein gesamtes Vermögen abluchse, so daß er auf seine alten Tage zum Sozialfall würde. Vor allem ginge es ihnen um den im Gesetzbuch festgeschriebenen Einwilligungsvorbehalt. Genau wie es dort beschrieben sei, bestünde derzeit durch Ina Schwarz eine erhebliche Gefahr für die Person oder das Vermögen des zu Betreuenden, und die Familie sähe es als dringend notwendig an, den Vater zu schützen. Dies könne beispielsweise so aussehen, daß er für größere Transaktionen, wie unsinnige Geldausgaben oder unvermittelte Heirat, der Einwilligung der Familie bedürfe. Möglicherweise erlahme, hoffte Thekla in ihrem Brief, mit einer Pflegschaft dann auch das berechnende Interesse von Ina Schwarz an Anno Adelmann. Darüber hinaus sei zu überlegen, ob der Vater mit seinen 85 Jahren noch weiterhin in seinem für ihn zu großen Haus wohnen könne oder ob es nicht weitaus besser für ihn sei, in einer Wohnanlage in der Nähe einer der Töchter zu leben. Schließlich könne er dann durch die Familie auch umfassend betreut werden.

Klaus Rebherr bat über seine Rufanlage um einen Kaffee. Dann lehnte er sich zurück und nahm das ärztliche Gutachten zur Hand, das dem Brief beilag. Es nannte sich allerdings nur so, denn bei näherer Betrachtung stellte es sich eher als persönliche Meinung dar, und zwar von einem Kinderarzt. Und wie Klaus Rebherr anhand der Namen sehen konnte, war dies auch noch ein Ehemann einer der Töchter.

Sein Referendar brachte ihm den gewünschten Kaffee, und Dr. Rebherr rührte die Würfelzucker hinein, während er nachdachte. Welche Motive könnte die Familie haben, daß sie einen solchen Schritt erwog? Sorge um den Vater, natürlich. Wenn sich da tatsächlich eine junge Frau bemühte und Anno für diese Reize empfänglich war, war die Sorge wahrscheinlich sogar berechtigt. Aber war er deshalb unzurechnungsfähig? War er möglicherweise schlicht und einfach verliebt? Oder schlug seine männliche Eitelkeit durch, und er sah den Hintergrund der weiblichen Bemühungen nicht? Oder wollte ihn nicht sehen? Natürlich bedeutete ein cleveres Weib eine Gefahr für so einen alten Mann. Aber hatten sich nicht auch schon erheblich Jüngere lächerlich gemacht, in dem sie allen Ernstes behaupteten, der Frau ginge es schlicht um Liebe? Jünger als die eigene Tochter, aber haltlos in den unwiderstehlichen Adoniskörper eines vom Leben Verschlissenen verliebt?

Was sollte er tun? Er kannte Anno Adelmann, aber eben nur flüchtig und nicht gut genug, um ihn nach Sinn und Unsinn seines Tuns zu befragen. Er würde das zweite Gutachten, das in dem Brief angekündigt wurde und von einem Lindauer Arzt angefertigt werden sollte, abwarten. Vorher konnte er sowieso nichts einleiten, geschweige denn entscheiden. Die Dinge nahmen so oder so ihren Lauf.

Ina hatte damit gerechnet, daß nach dem Verschicken der Heiratsanzeige der Boden beben würde, aber nichts geschah. Da sich ihre Eltern kurz nach ihrem Abi hatten scheiden lassen und ihre Mutter inzwischen verstorben war, konnte sie ihrerseits nur noch ihren Vater einladen. Doch er antwortete ihr, daß er sie gern einmal besuchen würde, zur Hochzeit aber leider verhindert sei. Sollte sie für die Party jedoch größere Mengen Fleisch benötigen, könne er dies sicherlich organisieren. Ina dankte ihm und war insgeheim froh, daß sie weiter nichts erklären mußte. Und da sie keine Geschwister hatte, war auch dieses Thema abgehakt. Aus ihrer Ecke war also wie erwartet weder krasse Ablehnung noch überschäumende Begeisterung gekommen. Was sie jahrelang gekränkt und belastet hatte, das Gefühl, für ihre Eltern nicht wirklich wichtig zu sein, stellte sich jetzt als direkter Idealfall heraus. Sie war niemandem Rechenschaft schuldig. Allerdings hatte sie jetzt eine Familie am Hals, die sie sich so auch nicht gewünscht hatte. Irgendwie schien in ihrem Leben nichts so zu laufen, wie es bei anderen offensichtlich völlig normal war.

Kurt hatte den heiklen Auftrag, in Lindau einen Arzt aufzutreiben, der die These, die Thekla in Gemeinschaftsarbeit mit ihren Schwestern aufgestellt hatte, nicht nur bestätigte, sondern auch noch durch eigene Untersuchungen und ein entsprechendes Gutachten unterstützte. Das war ein schwieriges Unterfangen, dem er nur zustimmte, weil Lydia ihn ausdrücklich darum gebeten hatte.

Kurt ging die Liste der Lindauer Psychologen durch, aber er kannte schlichtweg keinen. Er weitete seine Recherche auf alle Ärzte aus. Fehlanzeige, kein einziger Name sagte ihm etwas. Wie ärgerlich! Wäre das jetzt schön gewesen, darunter einen ehemaligen Kommilitonen zu entdecken, oder besser noch einen, der ihm irgendwie verpflichtet war. Oder in einer gemeinsamen Bruderschaft steckte. Was deswegen schwierig war, weil er selbst einen solchen Klüngel ablehnte. Aber jetzt wäre es eben verdammt praktisch gewesen.

Kurt saß spätabends allein in seiner Praxis und überlegte. Im Normalfall lehnte er aus persönlichen Gründen solche Praktiken ab, aber Lydia hatte ihm klargemacht, daß die Hochzeit zwischen Ina und Anno nur so vielleicht noch zu verhindern sei. Das Handicap dabei war nur, daß die Zeit unheimlich knapp war. Er ging an seinen Rolladenschrank und schloß ihn auf. Er glaubte es zwar nicht wirklich, aber möglicherweise fand sich doch etwas in seiner Geheimakte. Irgendwann mußte er diese Dokumente verschwinden lassen, denn er hatte, wie viele seiner Landsleute, aus angeborener oder eingetrichterter Ordnungssucht die verhängnisvolle Tugend, jedwedes belastendes Beweismaterial so akkurat buchhalterisch abzuheften, daß er sich damit bei der kleinsten Überprüfung sofort selbst ausliefern würde. Kurt sagte sich wieder einmal, während er den Ordner vor sich auf den Schreibtisch legte, daß er ihn demnächst würde vernichten müssen.

Die ganze Geschichte hatte irgendwie eine Eigendynamik entwickelt. Zunächst hatte er nur einige Lücken in der kassenärztlichen Gebührenordnung erkannt und genutzt. Dann erwachte das Interesse seiner Kollegen an seinem Wissen, und er begann, die jeweiligen Tricks professionell auszuarbeiten. Es war nicht schwierig gewesen, aus seinen Kenntnissen Vorteile zu ziehen und somit Gewinn zu schöpfen. Der Unterschied zu Franz Konz mit seinen Steuertricks war lediglich, daß dessen Buch legal verlegt war, während Kurts Disketten unter der Hand weggingen. Aber inzwischen hatte die Mundpropaganda einiges bewirkt, und es gab reichlich Kunden, die ihm gern seine Unterlagen abkauften.

Er blätterte den Ordner kurz durch und nahm sich schließlich die Diskette aus der Klarsichtfolie. Wenn er es genau betrachtete, hatte er eine Art Network aufgebaut, wenn auch ein illegales mit Konto in Luxemburg. Er legte die Diskette in das Laufwerk und gab Lindau ein. Er war sicher gewesen, daß das Ergebnis negativ sein würde, aber siehe da, einer seiner allerersten Kunden saß in der östlichen Bodenseestadt. Es war ein Allgemeinmediziner, das würde ihm schon mal weiterhelfen. Jetzt mußte er die Sache nur geschickt angehen, dann konnte er seiner Frau ein erstes As präsentieren.

Ina hatte sich mit Claudio getroffen, aber es war ihr nicht nach Sex. Um diesem ominösen Detektiv nicht noch mehr Material zu liefern, hatten sie sich hochoffiziell zu einer Ruderbootausfahrt verabredet. Ina war es übel, denn sie hatte am Morgen in der Post ein Sexmagazin entdeckt, von dem sie zunächst nicht wußte, warum es ausgerechnet an sie adressiert war. Weil sie inzwischen aber schon mit allem rechnete, nahm sie es heimlich in ihr Zimmer und blätterte es nach dem Frühstück durch. Es war nicht nur billig hergestellt, sondern auch noch mit Fotos der geschmacklosesten Art bestückt. Es konnte doch schlichtweg nicht möglich sein, daß Männer für solch einen Schund Geld ausgaben. Sie blätterte es angewidert mit spitzen Fingern durch, bis sie an einem Bild mit dem Titel »Unser schönstes Urlaubsfoto« hängenblieb. Ihr Herz schlug einen Salto, und sie hatte den Eindruck, nicht mehr klar sehen zu können. Gleich würde sie abheben, denn was sie da sah, war eindeutig sie selber. Mit Claudio auf der Gartenbank, mehr als anzüglich, das lief bereits unter Pornographie. Sie ließ das Blatt sinken, dann schaute sie es sich nochmals an. Das Foto war grobkörnig, also ganz eindeutig mit einem sehr starken Teleobjektiv geschossen. Der Typ mußte hinter den Büschen im Nachbargarten gesessen haben. Sie ließ das Blatt sinken und wollte Claudio anrufen. Im selben Moment fiel ihr ein, daß Ingo Feilhaber sie davor gewarnt hatte. Möglicherweise wurden alle Gespräche aufgezeichnet. Obwohl sie keine Vorstellung hatte, wie das geschehen könnte, zweifelte sie keine Sekunde an der Machbarkeit. Sie verabredete sich mit Claudio über die nächste Telefonzelle. Und jetzt ruderten sie von einem Lindauer Bootsverleiher aus durch den Kleinen See zum See hinaus. Das hieß, er ruderte, und sie beobachtete die Leute auf der vollbesetzten Restaurantterrasse der Inselhalle. Nebenbei erzählte sie ihm, was sie am Morgen in der Post gefunden hatte.

»Das ist ja ein richtiges Kesseltreiben«, sagte er und zog die Ruder rhythmisch durch das Wasser, so daß sie dem schmalen Durchlaß, der die kleine Wasserfläche vom offenen See trennte, schnell näher kamen.

»Gibt's nicht auch so ganz starke Richtmikrophone? Weiß Gott wie weit und sogar durch Mauern hindurch? Erinnerst du dich an die Debatte deswegen im Bundestag?«

»Das dürfte dich nicht betreffen!« Claudio ruderte unter der Eisenbahnbrücke durch die schmale Seeöffnung hindurch und schaute sie dabei mit hochgezogenen Brauen an. »Dabei ging es ums organisierte Verbrechen, echte Kriminalität. Ich denke, diese Mittel dürften deiner sauberen Verwandtschaft in spe nicht unbedingt zur Verfügung stehen!«

»Keine Ahnung, worauf die alles kommen und was sie alles aushecken!« Sie drehte sich kurz in Fahrtrichtung und musterte den See, der nun vor ihnen lag. Auf der gegenüberliegenden Seite die Schweiz, linkerhand die Berge Österreichs und dazwischen unendlich viel Wasser. Es wehte ein leichter Wind, und das Wasser kräuselte sich an manchen Stellen, wobei es an anderen wie ein silberner Spiegel wirkte. Der Himmel war zwar ziemlich bewölkt, doch die Luft war angenehm warm, und Ina ließ ihre Hand ins Wasser gleiten, spreizte sie und genoß es, wie das Wasser durch ihre Finger hindurchglitt. Dann zog sie sie wieder heraus, schüttelte sie und strich mit den Fingerkuppen über das Holz. »Hast du beispielsweise kontrolliert, ob eine Wanze im Boot ist? Oder ein sich vergrößerndes Loch? Oder eine Bootsbombe?«

Claudio mußte lachen. »In Abwandlung einer Autobombe, meinst du? Ja, warum nicht. James Bond wird's schon richten!«

»Ich meine es ernst!« Sie wandt sich ihm wieder aufmerksam zu, so daß sie erneut mit dem Rücken zur Fahrtrichtung saß, und streckte sich nun auf der Ruderbank aus. Ihre Füße legte sie Claudio in den Schoß, wonach er sofort zu rudern aufhörte und sich umblickte.

»Hier?« fragte er und warf ihr einen ungläubigen Blick zu.

»Quatsch!« Sie zog die Füße etwas zurück und legte sie rechts und links neben ihn auf die Ruderbank. »Laß dich bloß nicht irritieren!«

»Du bist gut!« Er betrachtete ihre braungebrannten Beine in den kurzen Shorts und begann sie mit den Fingerspitzen zu streicheln. »Mir gegenüber sitzt die erotischste Frau, die ich kenne, wirft mir ihre nackten Beine entgegen und erklärt allen Ernstes, ich solle mich davon nicht irritieren lassen. Tolle Meldung, das!«

»Schau dir das erst mal an!« Ina zog die Zeitschrift aus ihrem Rucksack und legte sie ihm aufgeschlagen hin.

Claudio brachte das Boot mit einigen Ruderschlägen von der engen Durchfahrt und dem Ufer weg, dann griff er nach dem Blatt und musterte das Bild genau. »Nicht zu fassen!« sagte er schließlich. »Wie sind die denn drauf? Die ganze Bande hat augenscheinlich einen Schuß! Zeig sie doch an!«

»Damit würde das Ganze publik werden!!«

»Als was würdest du *das* denn bezeichnen? Geheimes Tagebuch, oder was?« Er blätterte darin herum. »Und in was für einer Nachbarschaft! Schon deswegen hätten sie sich eine blutige Nase verdient!« Er schlug die Seite wieder auf und vertiefte sich. »Wobei du eine gute Figur abgibst. Das muß man dir lassen – trotz allem!«

Sie fiel ihn so heftig an, daß er fast das Gleichgewicht verloren hätte und aus dem Boot gestürzt wäre.

»He!« lachte er und hielt sie fest. »Es war doch nur eine Feststellung! Völlig sachlich!«

Ina biß ihn in den Hals, das war die nächstbeste Stelle, die sie erwischen konnte.

»Autsch«, rief er, und das Boot schwankte bedrohlich. »Friede! Ich kann nicht schwimmen!«

»Du lügst!« Sie biß ihn wieder.

»Mach so weiter, und du wirst sehen, was du davon hast!«

Als sie ein drittes Mal zubiß, warf er sie mit einem Ruck über Bord und sprang hinterher. Das Wasser war auf den ersten Schreck hin kalt, und Ina spürte die Strömung unterhalb der Oberfläche. Sie tauchte prustend auf und sah sich nach dem Boot um. Im selben Moment spürte sie ihn an ihrer Taille. Er zog sie kurz zu sich herunter und tauchte, sie fest gegen sich gepreßt, gleich darauf wieder mit ihr auf. »So, Fräulein Schwarz«, sagte er lachend, »jetzt beißen Sie doch noch einmal!«

Sie strampelte und schluckte dabei Wasser, kam aber nicht von ihm los. »Okay, okay«, keuchte sie schließlich, »du hast gewonnen, du widerlicher Kerl!« Er lockerte seinen Griff, und sie schwammen gemeinsam zum Boot. Dort reckte Ina ihren Arm hoch, um sich an der Außenwand des Bootes festzuhalten.

»Gleich kommt die Wasserschutzpolizei, um mich zu retten!« sagte sie dabei und streckte ihm die Zunge heraus.

»Eher kommt Annos Familie, um dich zu ertränken«, grinste Claudio, wofür sie ihm mit der freien Hand eine Wasserfontäne ins Gesicht spritzte.

»Du kannst es ja wohl nicht lassen!« Er wollte sie wieder vom Boot wegziehen, doch sie umklammerte ihn unter Wasser mit den Beinen und zog ihn an sich. Claudio tauchte kurz unter, kam aber direkt vor ihr wieder hoch. Ihre nassen Gesichter waren sich genau gegenüber, und Claudio griff jetzt ebenfalls nach der Bordkante.

Sie küßten sich, bis Ina der Arm weh tat und sie sich einfach nicht mehr festhalten konnte. »Schluß jetzt«, sagte sie und bohrte ihren Zeigefinger dort gegen sein T-Shirt, wo sie seinen Bauchnabel vermutete. »Mir stirbt der Arm ab!«

»Dann hoch mit dir!«

Claudio wollte ihr vom Wasser aus hochhelfen, doch das Boot legte sich zu schräg. So kletterten sie schließlich gleichzeitig von beiden Seiten hinein und versuchten anschließend, ihre nassen Kleider am Körper auszuwringen, bis Claudio meinte: »Wir könnten sie ausziehen, zum Trocknen über die Ruder hängen und uns ein bißchen auf den Boden legen.« Er zeigte auf den Bretterboden zu ihren Füßen.

Ina grinste ihn an. »Sieht besonders einladend aus!«

»Nein? Findest du etwa nicht?«

Er zog sich das nasse T-Shirt über den Kopf.

»Hast du schon mal an die Sitte gedacht?« Ina zeigte zum Ufer. »Wir werden sowieso schon beobachtet. Was meinst du, was die sich alles denken!« Tatsächlich gab es am Ufer bereits einige, deren Interesse durch das schwankende Boot mit seinen nassen Insassen offensichtlich geweckt worden war.

»Na, und?« Claudio musterte die Zuschauer am Ufer, zog nach dem T-Shirt auch noch seine Hose aus, breitete beides zum Trocknen aus und ließ sich auf den Boden des Bootes sinken. »Wir sonnen uns doch bloß ein bißchen, oder ist das auch schon verboten?«

»Auch wenn augenscheinlich keine Sonne da ist?« Ina wies zum bedeckten Himmel.

»Dann ist das deren Problem!«

Am Abend sollten, wie verabredet, Romy und Claudio eintreffen, und als Überraschungsgäste hatten sich Julia und Niklas angemeldet. Nancy stand in der Küche und bereitete einen Elsässer Flammenkuchen und verschiedene Salate vor. Anno wollte grillen und hatte dazu Spieße, Bauchspeck, Schweinehals und Steaks vorbereitet. Caroline fand es herrlich, draußen im Garten an dem großen Grill zu stehen und zuzuschauen, wie Anno das Feuer entfachte, Holzkohle dazu legte und ihr nebenbei Geschichten aus seiner Kindheit erzählte. Sie hatte eines ihrer Meerschweinchen im Arm und kraulte es.

»Hast du früher auch ein Meerschweinchen gehabt?« wollte Caroline wissen, während sie wie gebannt in die Glut starrte.

»Wir hatten Hunde! Riesige Hunde, Wolfshunde. Sie waren immer größer als ich.« Er wies auf das kleine weißrote Tier in ihrem Arm. »Ich glaube, so etwas gab es zu meiner Zeit noch gar nicht. Ich kann mich jedenfalls nicht erinnern, in meiner Kindheit je ein Meerschweinchen gesehen zu haben. Ratten und Mäuse, ja! Aber Meerschweinchen?«

Caroline hob es etwas zu ihm hoch, was mit einem hellen Quietschen quittiert wurde. »Aber Hanni ist doch niedlich, oder nicht?«

Anno betrachtete es aus der Entfernung. »Sehr niedlich, ja!«

Sie drückte es an sich. »Sie braucht jedenfalls viel Liebe!«

»Das braucht jedes Lebewesen.« Er wies auf die Bäume. »Selbst die Pflanzen!«

Um den großen Backsteingrill herum, auf dem der Rost nur leicht auflag, hatte Anno vor Jahren eine hüfthohe Steinmauer bauen lassen. Caroline zog sich hinauf und ließ die Beine baumeln.

»Es ist schade, daß Jella nicht so lange bleiben durfte«, sagte sie zu Anno und setzte ihr Meerschweinchen neben sich auf die Steine. »Aber weißt du, Anno, ich bin gern hier!«

Anno schaute sie an, und seine buschigen Augenbrauen zogen sich etwas nach oben. »Das freut mich sehr. Ich finde es auch schön, daß du da bist! Und deine Mutter!«

Caroline sprang von ihrem Sitzplatz hinunter und lief schnell zu Anno hin, er bückte sich und nahm Caroline in die Arme. Sie drückte ihm einen Kuß auf die Wange. »Ich hab dich lieb!« sagte sie dazu, und Anno hatte Mühe, seine Rührung zu verbergen.

»Dein Meerschweinchen läuft davon …«, sagte er, und tatsächlich – Hanni hatte die Chance erkannt und lief pfeilschnell auf der Mauer entlang. Caroline lief ihr erschrocken hinterher, was Hanni nur noch schneller werden ließ. Da die Mauer aber im Bogen um den Grill herumlief, konnte Anno sie am anderen Ende bequem einfangen. Caroline stürzte hin und nahm sie ihm ab.

»Sind dir deine Hunde auch davongelaufen, als du noch klein warst?«

»Bestimmt!« Anno schaute auf, denn Nancy rief vom Haus her, daß die Gäste eingetroffen seien. »Na, denn! Hoffentlich hält das Wetter!« Beide schauten gleichzeitig nach oben.

»Sind doch nur weiße Wolken!« meinte Caroline ernsthaft.

»Noch! Aber spürst du den leichten Wind, der plötzlich aufgekommen ist und so ganz gleichmäßig bläst? Er ist ein Vorbote, und du spürst, daß er dir etwas sagen will.«

Caroline ging einen Schritt näher zu Anno heran und reckte sich auf den Zehenspitzen hoch. »Was will er mir denn sagen?«

Anno streckte seinen rechten Arm aus und fuhr sich mit der linken Hand über den Unterarm. »Er sagt, daß er einen Sturm im Gepäck hat. Und daß er ihn heute abend noch freilassen wird!«

»Oh!« Caroline staunte ihn an. »Darf ich mal?« Sie strich Anno ebenfalls über den Unterarm. »Und woher weißt du das?«

»Er bläst gleichmäßig, aber schon ein bißchen so, daß er auch streng ist und warnt. Siehst du, meine Härchen stellen sich gleichmäßig auf, wenn ich den Arm dagegen halte.«

Caroline streckte ihren Arm ebenfalls aus und beobachtete angestrengt die Wirkung. Anno mußte lachen. »Ich glaube, dazu sind deine Härchen einfach noch zu kurz.«

»Schade!«

Nancy rief noch einmal. Sie stand auf der Veranda und ruderte mit den Armen.

»Oh, ich glaube, jetzt müssen wir aber gehen!« Anno nickte Caroline zu. »Sonst haben wir schlechte Karten!«

Romy und Claudio saßen bereits an dem langen Eßtisch auf der Terrasse, als Ina aus der Verandatür heraustrat. Sie hatte die Begegnung herausgezögert, denn sie war sich sicher, daß man ihr sofort alles ansehen würde. Und sie hatte gehofft, daß Julia und Niklas rechtzeitig dazukommen würden, um für Auflockerung zu sorgen.

»Entschuldigt mich, irgendwie bin ich heute ständig zu spät dran.«

»Aber Kindchen«, Romy streckte ihr die Hände entgegen, »das ist doch überhaupt kein Problem! Fabelhaft sehen Sie aus. Sieht sie nicht fabelhaft aus, Claudio?«

Ina ging zu ihr hin. Sie trug ein hellrosafarbenes Chiffonkleid mit wehenden Ärmeln und einem passenden runden Hütchen, dessen rosafarbenes Netzteil sie sich kokett vor ihre Augen gezogen hatte. Unter der heruntergelassenen cremefarbenen Markise und vor dem Hintergrund des Sees, der jetzt bewegt war und silbern glänzte, wirkte sie wie Meryl Streep in dem Film »Jenseits von Afrika«.

Von der anderen Seite kamen jetzt Anno und Caroline die breite Treppe hinauf. »Welche Schande, im eigenen Haus von den Gästen begrüßt zu werden«, sagte er und küßte Romys Hand. »Ich hoffe, Sie verzeihen mir mein ungalantes Benehmen als Gastgeber!«

Romy lachte fröhlich, und Claudio warf Ina einen Blick zu, daß es ihr heiß und kalt wurde. Eben hatten sie noch zusammen im Boot gelegen, und nicht nur das, und jetzt tauschten sie Begrüßungsküßchen aus, als hätten sie sich ewig nicht gesehen. Nancy erlöste sie, denn sie kam »Achtung, heiß und fettig« rufend mit einer Platte voll Flammenkuchen heraus, die sie in kleine Quadrate geschnitten hatte, und stellte sie mit großer Geste in die Mitte des Tisches. Bewaffnet mit einer großen Kuchenschaufel rief sie: »Wem darf ich davon auflegen?«

Romy hielt ihr den Teller hin. »Zum Probieren, bitte!«

Caroline klaubte ihren Kinderteller vom Tisch und rannte lieber gleich selbst zu Nancy. »Mir ganz viele, bitte!«

Der ermahnende Satz von Ina ging unter. Romy lachte, und Anno meinte: »Recht hat sie!«

Julia wartete über eine halbe Stunde an der Autobahnraststätte Schönbuch hinter Stuttgart. Schließlich zweifelte sie, ob die Idee so grandios gewesen sei. Niklas war der Meinung, daß sie sich dort treffen und von da aus gemeinsam fahren könnten. Für sie war es eher fraglich, denn sie haßte den Schlauch am Bodenseeufer entlang. Lieber wäre sie über Ulm gefahren, aber sie hatte Niklas so lange nicht gesehen, daß sie zustimmte. Jede gemeinsame Minute erschien ihr wichtig. Dann war ihr eingefallen, daß sie sich ja auch in Stuttgart treffen könnten, denn sie könnte diese Fahrt mit einem kurzen Besuch bei ihrer Mutter verbinden. Niklas fand allerdings, ihren Wagen mitten in Stuttgart stehen zu lassen bedeute für den Rückweg nach Heidelberg einen Umweg für sie, und so blieb es dabei, daß sie sich an der Raststätte trafen.

Julia, frühzeitig in Stuttgart eingetroffen, trank mit ihrer Mutter Kaffee und versuchte ihr Neuigkeiten über ihr Studium zu erzählen. Doch Bernadette gab unumwunden zu, daß sie momentan nur für eines Interesse habe, für Anno und Ina. Und sie verdonnerte Julia dazu, ihr nach ihrem Besuch alles genau zu schildern.

Schließlich platzte Julia der Kragen. »Laßt sie doch einfach in Ruhe! Sie wollen ihr Leben genießen, sonst nichts. Das steht ihnen doch zu!« ereiferte sie sich über die unzähligen Fragen, aber Bernadette lachte nur und drückte ihr beim Abschied einen selbstgebackenen kleinen Kuchen in die Hand.

»Karottenkuchen, Vaters Lieblingskuchen! Du siehst, ich will ihm doch gar nichts Böses. Und du hast ein kleines Mitbringsel! Aber nicht anknabbern!« Während sie jetzt wartend im Wagen saß, betrachtete sie den kleinen, rechteckigen Kuchen mit den kleinen, verlockenden Marzipankarotten, der in einer Plastikschüssel auf dem Nebensitz lag. Am liebsten hätte sie tatsächlich davon genascht, aber dann entschloß sie sich doch, in die Gaststätte zu gehen und einen Cappuccino zu trinken.

Niklas war total im Streß. Sein Wagen war nicht angesprungen, und er mußte auf Angelikas Gefährt ausweichen. Das war deshalb schon mühsam, weil er in der Zwischenzeit ein motorisierter Kinderwagen geworden war. Sollte er Julia gleich mit seiner Vaterrolle konfrontieren? Er empfand dies als zu hart und baute zunächst einmal den Kindersitz aus, bevor er sich um Keksreste, Bonbonpapier und verlorene Schnuller kümmerte, die er zwischen den Sitzen fand. »Ach, Schatz, hast du einen Gummi dabei?« »Ja, hier!« schoß ihm dabei durch den Kopf, und er hätte sich darüber amüsieren können, wenn die Arbeit nicht so nervend gewesen wäre. Ansonsten war er aber überzeugt davon, daß er Julia auf der langen Fahrt nach Lindau alles würde erklären können. Und zwar schön der Reihe nach und ohne sie zu sehr zu verletzen. Das wollte er nämlich nicht, dazu war ihm auch ganz einfach das Wochenende zu schade. Julia hatte sich eben den zweiten Cappuccino aus dem Kaffeeautomaten herausgelassen, als Niklas zur Tür hereinkam. Sie sah ihn, und obwohl da nichts war, was sie auf der Stelle umgeworfen hätte, war der Zauber wieder da. Er hatte, im wahrsten Sinne des Wortes, etwas Unbeschreibliches an sich.

»Hast du etwa gewartet?« fragte er und grinste so frech, daß sie ihn zur Begrüßung küßte, anstatt ihm eine Moralpredigt zu halten. »Solltest du nicht tun«, fuhr er auch gleich darauf fort, »kein Mann ist so etwas wert!«

»Recht hast du«, sie hielt ihm ihre Tasse hin, »deshalb gehen wir jetzt auch!«

Sie ließen ihren Wagen stehen und fuhren mit seinem weiter. »Ist das nicht fürchterlich kompliziert, das Auto auf dieser Autobahnseite wieder aufzulesen, wenn wir doch in die andere Richtung fahren?« wollte Julia noch wissen, bevor sie starteten, aber Niklas beruhigte sie, es gäbe eine Straßenverbindung unter der Autobahn hindurch. Sei zwar verboten, aber praktisch. Julia war nicht so sicher, ob sie das beruhigte, wollte aber nicht zimperlich erscheinen.

»Ich befürchte, wir kommen höllisch zu spät«, sagte Niklas und trat das Gaspedal durch, was augenscheinlich nicht viel nützte.

»Mit dieser Rakete hier werden wir es schon schaffen«, lachte Julia. »Wo hast du dieses Gefährt denn her?« Niklas zündete sich eine Zigarette an. Jetzt hätte er die Sache bequem einleiten können. Stückchen für Stückchen immer ein bißchen mehr Wahrheit. Aber Julia saß so fröhlich neben ihm, so augenscheinlich gut gelaunt und möglicherweise auch verliebt. Konnte er ihr da so brutal zwischen die Augen schlagen? Er beschloß, sich Zeit zu lassen. Die Dinge mußten reifen.

Bis Lindau hatte die Zeit nicht ausgereicht, denn ständig gab es ein anderes Gesprächsthema. Vor allem war die Fahrt doch sehr schön, besonders der Moment, als sie über die Engener Berge hinunterfuhren und sich ihnen der Blick über den Hegau öffnete. Diese einmalige Mischung aus lieblicher Landschaft, urtümlichen Vulkanbergen und dem silbernen Streifen des Bodensees im Hintergrund ließ einen auf die Entfernung glauben, es hätte sich in den letzten tausend Jahren nichts verändert. Ein leichter Schleier lag über der Ebene und erinnerte fast unwirklich an ein altes Gemälde.

»Ich liebe diese Landschaft«, sagte Julia mit einer Inbrunst, die Niklas schnell zu ihr hinschauen ließ. In ihr steckte mehr, als so auf den ersten Blick zu vermuten war, das war ihm schon nach dem ersten Abend klar gewesen. Aber wie sie so völlig gelöst neben ihm saß – den einen Fuß auf den Sitz gezogen, den anderen gegen das Armaturenbrett gestemmt, ihr tiefschwarzes Haar, das sich durch das geöffnete Schiebedach ständig ein wenig bewegte –, ertappte er sich dabei, wie er sie geradezu herausfordernd erotisch fand. Sie war sicherlich die pure Leidenschaft im Bett. Er nahm seine rechte Hand vom Lenkrad und legte sie ihr auf den Oberschenkel. Sie legte ihre darauf und lächelte ihn an. Niklas atmete durch. Er mußte es ihr sagen. Unbedingt!

»Du machst mich tierisch an«, sagte er, obwohl er das überhaupt nicht sagen wollte.

»Du bist auch nicht von schlechten Eltern«, sagte sie darauf, obwohl sie diesen Satz fürchterlich fand.

Sie schauten sich an und sagten eine Weile nichts mehr.

Romy, Claudio, Anno und Ina waren bereits vom Smalltalk und den Flammenkuchenhappen zur Politik und den ersten gegrillten Fleischstücken übergegangen, als Niklas und Julia eintrafen.

»In Friedrichshafen schüttet es bereits«, sagte Julia zur Begrüßung und dann gleich darauf: »Aber das war nicht der Grund unserer Verspätung. Entschuldigt bitte!«

Nancy sah kein Problem, sie hatte einen weiteren Flammenkuchen im Ofen, und auch die anderen fanden, daß dies bei den heutigen Verkehrsverhältnissen durchaus vorkommen könne. Nur Anno konnte es sich nicht verkneifen, »dann muß man eben rechtzeitig losfahren« zu sagen.

»Recht haben Sie«, bestätigte Niklas, während er ihm zur Begrüßung die Hand reichte, und Julia schüttelte tadelnd den Kopf: »Aber Opi! Die Dinge sind nun heute mal anders als vor zwanzig Jahren!«

»Daß du auch immer so tun mußt, als sei ich aus dem letzten Jahrhundert!«

Claudio mußte lachen. »Sind wir doch alle!«

Sie hatten schon zwei Digestifschnäpse hinter sich und waren ins Wohnzimmer umgezogen, als Niklas plötzlich fragte: »Stimmt das eigentlich, was ich so läuten höre?«

Romy saß in einem der tiefen Sessel, in dem sie kaum zu sehen war, aber sie tauchte sofort kerzengerade auf. Es war ihr deutlich anzusehen, daß sie überlegte, ob sie überhaupt eine Antwort geben sollte oder eher nicht. Sie kratzte mit ihrem langen, rosa lackierten Fingernagel des rechten Zeigefingers am Schnapsglas auf und ab und besah sich das Resultat.

Claudio, der mit Niklas zusammen gesessen hatte, schaute Niklas von der Seite her an. »Was meinst du?«

»Ach«, sagte Romy in wegwerfendem Ton, »meine Stieftochter will mich ruinieren. Das scheint ihr Spaß zu machen.« Sie betrachtete ihre Fingernägel und blickte dann auf. »Warum auch nicht!«

»Warum auch nicht?« echote Claudio. »Warum auch nicht was?«

Es war augenblicklich klar, daß dieses Thema zwischen den beiden noch nie auf dem Tisch gewesen war und sich auch jetzt nicht für eine allgemeine Diskussion eignete.

Ina stand schnell auf und ging an den Servierwagen mit den Käsehappen. »Darf ich euch noch etwas anbieten? Zu dem Käse hat Anno einen herrlichen Dessertwein bereitgestellt. Ihr werdet begeistert sein!«

»Was ist mit Christiane?« Claudio wirkte wie ein Spürhund auf der Fährte. Jetzt würde er nicht mehr locker lassen, das war allen klar.

Ina überlegte, wie sie die Situation retten könnte, und Niklas kratzte sich am Kopf. Das war ihm unbedacht herausgerutscht. Anscheinend versagte seine Selbststeuerung zur Zeit total. Auch Romy hatte ihm zwei-, dreimal einen Blick zugeworfen, wohl als Ermahnung, was er Angelika, Joshua und nicht zuletzt Julia schuldig war. Doch blöderweise spürte er absolut keinen Drang zur Wahrhaftigkeit in sich. Genaugenommen genoß er den Abend. Und bei Licht besehen: Was ging Angelika deswegen schon ab? Der Wagen vielleicht, zugegeben!

Romy stellte ihr Glas ab und seufzte. »Wenn ich euch das erzählen soll, brauche ich auf jeden Fall noch ein Gläschen Portwein. Diese Geschichte nervt mich kolossal, und nach Portwein kann ich herrlich schlafen! Wenn's sein muß, hier im Sessel!«

»Jederzeit auch im Gästezimmer«, wehrte Anno ab, um die Geschichte mit ihren möglichen Auswirkungen gleich darauf eindämmen zu wollen: »Wir wollen aber nicht indiskret sein. Es steht nicht in unserer Absicht, zu privat zu werden.«

»Ach, wir sind schon sehr, sehr privat«, ließ sich Romy zart aus ihrem Sessel vernehmen, und etwas in der Betonung oder der Art, wie sie es sagte, ließ Ina hellhörig werden. Sie konnte es nicht präzisieren, aber sie hatte den starken Verdacht, daß Romy genau Bescheid wußte. Ob Claudio ihr, so zum Zeitvertreib, neben dem Aktsitzen her, Geschichten über sie beide erzählte? Sie schüttelte den Gedanken ab, er erschien ihr doch zu kindisch.

Anno hatte Romy den Wein gebracht, und Romy nahm einen Schluck, bevor sie etwas aus dem Sessel herausrutschte, um alle, und vornehmlich Claudio, im Blick zu haben.

»Ja, mein Enkel hat recht. Meine vermaledeite Verwandtschaft hat wieder zugeschlagen. Diesmal die Tochter aus der ersten Ehe meines Mannes. Sie stellt Ansprüche an das Erbe ihres Vaters. Und natürlich weit über den Pflichtteil hinaus, den sie nach seinem Tod ja schon bekommen hat.«

»Du hast mir nichts davon erzählt«, warf Claudio ein. Er war, wie meist, völlig schwarz gekleidet, so daß sich sein Gesicht jetzt hell von der Farbe seiner Kleidung abhob.

»Ich wollte dich nicht beunruhigen«, winkte Romy mit einer großzügigen Geste ab, so daß die Brillanten an ihrem Ringfinger im Kerzenlicht glitzerten.

»Das tust du aber. Genau auf diese Weise tust du es!«

Ina setzte sich zu Anno. Es war ihr äußerst unangenehm, Claudio so zu erleben. Klar ging es um Geld, aber das konnte doch jetzt nicht der Punkt sein. »Haben Sie keinen Anwalt?« fragte Ina, um den sich zuspitzenden Dialog zu unterbrechen.

»Klar. Schon. Den freut natürlich die Summe!«

»Von welcher Summe sprechen wir denn?« wollte Claudio wissen, und jetzt fand Ina schon, daß es sich sehr gierig anhörte.

»Knapp 700 000 Mark«, sagte Romy aus der Tiefe ihres Sessels heraus, als ob sie über den Stundenlohn der Putzfrau spräche.

»Das glaub ich ja gar nicht!« Claudio starrte sie an, als sei sie von allen guten Geistern verlassen. »Wie willst du das denn machen?«

»Ich müßte alles zusammenkratzen, wenn es dazu kommen sollte. Das Haus, die Konten, alles.« Sie kicherte. »Es kommt aber nicht dazu!«

Niklas hatte sich interessiert vorgebeugt, und mit einemmal fiel Ina ein, daß ja auch Niklas erben wollte. Ein Enkel und ein Kümmerer. Eigentlich müßten sie jetzt diese Tochter ausschalten und sich anschließend gegenseitig ans Leder gehen.

Ina stand auf, ging zur Getränkebar und holte sich einen Cognac. Sie trank selten und eher wenig. Aber die Ereignisse erschienen ihr von Tag zu Tag nicht nur bedrohlicher, sondern auch bizarrer. Und noch bizarrer erschienen ihr ihre eigenen Gedanken. Ob Claudios Physis seiner Psyche standhalten wird? Oder ob sich die Aussicht, eventuell doch nichts zu erben, auf seine Libido niederschlagen wird? Sie warf ihm einen forschenden Blick zu und konnte sich ein Grinsen nicht verkneifen.

Julia schlief im Gästezimmer, und sie hatte die halbe Zeit lang überlegt, wie sie es anstellen könnte, daß Niklas nicht zu gehen brauchte. Aber ihr fiel nichts ein. In den Augen ihres Großvaters war so etwas mehr als unschicklich, geradezu undenkbar, das war ihr klar. Sie hätte ihn über die Hintertür hereinlassen können, aber das hätte bedingt, daß er auch gewollt hätte. Da setzten ihre nächsten Zweifel an. Was war bloß mit ihm los? Den halben Abend hatte er neben Claudio gesessen, dann auch zum Schluß noch diese Verbrüderung. War er etwa schwul? Oder aus welchem Grund wollte er unbedingt bei Romy übernachten? Wo schlief er da überhaupt? Das Haus war ihr nicht übermäßig groß erschienen, und je mehr sie darüber nachdachte, um so überzeugter war sie, daß Niklas für sich selbst garantiert kein Zimmer hatte. Blieb das Sofa oder das Bett eines anderen.

Aber war das nicht zu abstrus? Hatte er nicht auf der Herfahrt erklärt, er sei scharf? »Du machst mich tierisch an«, genau diesen Satz hatte er gebraucht. Julia lag im Bett und wälzte sich von einer Seite zur anderen. Es war zu blöd. Sie hatten gerade mal zwei Nächte, und davon schlief sie schon eine allein. Wenn er sich morgen auch zu Romy verkroch, würde sie ihn von dort entweder unter Zwang herausholen oder ebenfalls dort schlafen. Und falls die beiden großelterlichen Häuser als gemeinsame Unterkunft nicht in Frage kamen, dann war die Jugendherberge, ein Zelt oder eine kleine Pension allemal besser, als nach Heidelberg zurückzufahren und wieder Wochen auf eine neue Begegnung zu warten.

Romy saß in ihrem kleinen Arbeitszimmer und kramte in den Briefen herum, die auf ihrem Schreibtisch lagen. Es war nun überhaupt nicht in ihrem Sinne gewesen, daß Niklas mit dieser Information so herausplatzte. Sie wollte eigentlich erst alles geregelt haben, bevor Claudio es erfahren sollte, denn es stimmte ja schon, als gemeinsame Abmachung galt: Leistung gegen Leistung. Und wenn sie seiner Leistung nichts mehr entgegensetzen konnte, war das Spiel aus. Sie suchte den Brief hervor, den ihr Mann vor seinem Tod noch aufgesetzt hatte. Er war schon ziemlich zerknittert vom vielen Lesen, und eigentlich wußte sie auch genau, was drin stand. Ihr Mann beruhigte sie darin hinsichtlich seiner Tochter. Christiane sei von ihm finanziell versorgt worden und würde sich, so sei es zwischen ihnen abgesprochen, mit jeglichen Ansprüchen Romy gegenüber zurückhalten.

Das war eine geniale Absprache, fand Romy schon damals, denn sie hatte absolut keine Unterlagen. Sie wußte nicht, was diese Tochter aus erster Ehe über den Pflichtteil hinaus von ihrem Mann vorab erhalten hatte, sie hatte kein Papier, das ihr beschied, daß Christiane sich aufgrund dieser Zahlungen zurückhalten würde, sie hatte nur den von ihrem Anwalt formulierten Beweis, daß sie es sich gründlich anders überlegt hatte. Sie wollte das Erbe ihres Vaters, und wenn sie nur einen Bruchteil dessen durchsetzen konnte, was ihr Anwalt da geschrieben hatte, bekam sie, Romy, ein massives Problem.

Claudio konnte nicht schlafen. Er hatte mit Niklas noch ein letztes Bier getrunken, aber Niklas wollte sich bald darauf hinlegen, und da hierfür nur die große Couch im Wohnzimmer in Frage kam, zog sich Claudio kurz danach in sein eigenes Zimmer zurück. Er lag auf dem Rücken, hatte die Arme unter dem Kopf verschränkt und starrte zur Decke. Er war nicht der Typ, der sich tiefere Gedanken über sein Leben machte. Es lief ziemlich easy, seine Zukunft schien gesichert, die Gegenwart war angenehm, zum einen durch Romys Geld und zum anderen durch Inas sprühende Erotik. Aber jetzt, da alles geradezu vollkommen schien, wankte plötzlich das Fundament. Konnte es tatsächlich möglich sein, daß Romy das Geld ausgehen könnte? Sie hatten stets in den teuersten Hotels gelebt, in den besten Restaurants gegessen, und sein Kleiderschrank hing voll von edlen Teilen. Nie im Leben hätte er vermutet, daß es da Probleme geben könnte. Wenn sie die Forderung von 700 000 Mark so schreckte, sah seine Zukunft düster aus. Was wollte sie ihm vermachen, selbst wenn sie nur die Hälfte abgeben müßte? Die Hütte da? Ein Dankeschön für die vertane Zeit? Er war jetzt 33 Jahre alt, ab spätestens 35, hatte er gerechnet, war er frei und reich. Was blieb ihm, wenn er möglicherweise bald frei, aber arm war? In seinen Beruf zurück? Er hatte als Kaufmann in einer großen Firma gesessen, und er konnte sich nicht vorstellen, jemals in diesen Rhythmus von Arbeitszeit, Freizeit, angemeldetem Urlaub und zu hoch versteuertem Weihnachtsgeld zurückzukehren. Er fühlte sich diesem Leben der Zwänge entwachsen. Was konnte er also tun? Eine Anzeige aufgeben und die nächste reiche Witwe suchen? Er kam mit Romy gut aus, sie hatten wirklich Spaß miteinander. Er kannte inzwischen jede ihrer Marotten, zog sie damit auf oder spielte mit, je nachdem. Sie gab sich gern exaltiert, schlüpfte leidenschaftlich gern in Rollen, war die Grande Dame des vorigen Jahrhunderts, die Diva, die Göttliche und gleich darauf wieder die verspielt Unerfahrene oder die Künstlerin im bekleckster Malerkittel. Sie lebte sich aus. Eigentlich war sie die zwangloseste Frau, die ihm je begegnet war, und er mochte sie. Er dachte noch eine Weile darüber nach, aber dann stand sein Entschluß fest. Wenn es irgendwie möglich war, würde er ihr helfen und nicht einfach so gehen.

Auch Niklas machte sich Gedanken. Er hatte gesehen, daß in Romys Arbeitszimmer noch Licht brannte. Eigentlich wäre er gern zu ihr gegangen, denn es tat ihm leid, was er da ausgelöst hatte. Er wollte ihr nicht ihr letztes schönes Spiel verderben, indem er ihren Kümmerer über die tatsächlichen Verhältnisse aufklärte. Aber die Sache war die, daß sich die enterbte Familie deshalb so friedlich zeigte, weil es kaum etwas zu erben gab. So kam die Forderung dieser Tochter eher einem großen Witz gleich als einer wirklichen Bedrohung. Wenn Romy überhaupt noch 700 000 Mark hatte, war das mehr, als jeder vermutet hätte. Die Spekulationen pendelten sich so zwischen 100 000 und 200 000 Mark ein. Und das würde sie bei ihrem Lebensstil in kürzester Zeit aufgebraucht haben. Worüber sollte man sich da also aufregen?

Aber wenn er jetzt zu ihr ginge, würde die Sprache unweigerlich darauf kommen. Und er wollte es eigentlich gar nicht so genau wissen. Er wollte seine Oma so sehen, wie sie sich selbst gern sah: als völlig ausgefallenes Modell, blutjung für ihr Alter, lebensbejahend und generös. Dieses Bild wollte er weder für sie noch für sich zerstören. Und außerdem, so fürchtete er, würde sie ihn über Julia ausfragen. Und da er sich dieser Frage selbst noch nicht gestellt hatte, wollte er sie auch nicht bei anderen beantworten müssen. Noch wich er sich aus, das wußte er selbst am besten. Vielleicht war er ja ein bißchen feige oder aber noch nicht skrupellos genug. Da er sich darauf auch keine Antwort geben konnte, drehte er sich um und versuchte, endlich einzuschlafen.

Sie hatten sich zum Frühstück in der Villa verabredet, aber bis alle eingetroffen waren, war es Ina bereits sterbensschlecht. Sie hatte am Morgen die Post herausgenommen und, während sie in die Küche ging, eher achtlos einen mit Schreibmaschine an sie adressierten Brief aufgerissen, aber gleich darauf war sie erstarrt. Das Foto von ihr und Claudio, das bereits in dem Sexmagazin abgedruckt gewesen war, fiel ihr in die Hände und ein maschinengeschriebener Brief, in dem ihre gute Figur und zudem ihr ausgesprochener Sinn für Erotik und ausgefallene Stellungen bewundert wurde. Ob Anno ahne, welcher Profi ihm da ins Haus gefallen sei? Und ob er das wohl zu schätzen wisse? Oder ob sie sich und ihm eine Popularität in verschiedenen einschlägigen Blättern nicht lieber ersparen wolle?

Ina war erschüttert, und das schlimmste war, daß sie sich nicht wehren konnte. Sie wußte nicht, wer dahintersteckte. Sie wußte, daß sie beschattet wurde, und sie ahnte auch, daß ihre Ruderbootpartie fotografische Folgen haben könnte – wenn auch diesmal nicht in dieser Art.

Sie hätte Anno einweihen können, aber sie wollte ihn nicht verletzen. Das erschien ihr unfair. Bei Claudio war sie sich auch nicht mehr so sicher, wer weiß, was die gestrige Eröffnung bewirkt hat. Vielleicht orientierte er sich bereits um. Sie hatte das Gefühl, als würde ihr mit Schwung der Boden unter den Füßen weggezogen, und sie müsse trotzdem die Balance halten.

Anno kam hinzu, als sie gerade bedrückt den Tisch deckte.

»So kenne ich dich ja gar nicht«, sagte er statt einer Begrüßung und drückte ihr zwei Küsse auf die Wange. »Geht's dir nicht gut?«

»Sieht man das?« fragte sie ausweichend, denn sie fühlte sich wirklich elend. Warum mußte ihr Leben auch immer so verzwickt sein. Kaum glaubte sie, irgendwo angekommen zu sein, bekam sie eine Fahrkarte verabreicht. Und auch hier stand sie schon wieder knapp davor, das spürte sie, und es schnürte ihr die Luft ab. Nicht wegen ihr selbst, sondern wegen Caroline. Sie hatte ihr so sehr ein Nest gewünscht, aber täglich wurde klarer, daß es in jeder Hinsicht auf Treibsand gebaut war. Sie hätte sich in ihrem kleinen Häuschen zufriedengeben sollen, sagte sie sich. Doch kaum dachte Ina daran, spürte sie die altbekannte Angst, die Angst vor morgen, die ihre Brust zuschnürte. Sie konnte nicht zurück. Allein war alles kein Thema, aber sie durfte nicht nur an sich selbst denken.

»Geht's dir nicht gut?« wiederholte Anno seine Frage. Er stand vor ihr und sah sie so teilnahmsvoll an, daß sich Ina noch schlechter fühlte. Hätte sie doch auf der Fahrt nach Zürich die Dinge klargestellt. Aber er war so fröhlich und optimistisch gewesen, daß sie einfach keinen Einstieg fand. Vielleicht hätte sie die CD »Let's talk about sex« einlegen müssen, um zu ihren eigenen Belangen überleiten zu können. Auf der anderen Seite ärgerte es sie, daß er die Situation, die zwangsläufig auf sie zukam, nicht von sich aus durch ein Gespräch entschärfte. Er mußte ihr doch irgendwann darlegen, was er erwartete und was nicht. Und wenn er das nicht tat, sondern einfach abwartete, wie die Dinge sich entwickeln würden, war es klar, daß sie ihn früher oder später verletzen mußte.

Das Telefon klingelte, worüber Ina froh war, denn sie hatte sich eben dazu entschlossen, ihm ganz einfach die Wahrheit zu erzählen. Und den Brief, wenngleich auch ohne Foto, vorzulegen. Aber so gab es einen Aufschub, und sie, die ewig Spontane, konnte noch einige Minuten darüber nachdenken.

Nancy hatte abgenommen und rief gleich darauf nach Anno. »Das ist ganz eindeutig für Sie«, sagte sie und hielt ihm das Telefon entgegen. »Ein Doktor!« Auf seinen fragenden Blick hin zuckte sie die Achseln und hielt die Muschel zu. »Keine Ahnung. Einer von vielen. Noch nie gehört!«

Ina nutzte die Ablenkung, um mit Nancy in die Küche zu gehen. Sie hatten gestern nacht, während sie sich voneinander verabschiedeten, ein gemeinsames Frühstück in der Villa ausgemacht, so daß es jetzt einiges vorzubereiten gab.

»Ich habe heute nacht kaum geschlafen«, sagte Nancy, und jetzt, da sie es sagte, fiel Ina auf, daß ihre sonst eher rosige Gesichtsfarbe heute morgen ins Aschfahle ging.

»Der Mond?« fragte Ina aufs Geratewohl, ohne die geringste Idee zu haben, wie er im Moment überhaupt stand und welcher Zustand was zu bedeuten hätte.

Nancy schaute sie genauso ratlos an. »Keine Ahnung. Ich dachte eher an Annos Familie. Irgendwie werde ich das Gefühl nicht los, daß sich da was zusammenbraut. Es ist so teuflisch ruhig. Kein einziger empörter Anruf nach dieser Hochzeitsankündigung. Ist dir das nicht aufgefallen?«

Ina stellte fest, daß sie in letzter Zeit so sehr mit sich selbst beschäftigt war, daß ihr das tatsächlich nicht aufgefallen war. Aber stimmt, keiner hat deswegen angerufen.

»Die machen das anders. Versteckter!«

»Na ja, das mit dieser windigen Entführung. Das kann man aber doch nicht weiter ernst nehmen!« Sie schaufelte Kaffeepulver in die Kaffeemaschine.

Ina schaute ihr dabei zu. »Hast du überhaupt mitgezählt?«

»Was? Ach das? Tu ich nie! Da verlasse ich mich auf mein Gefühl!«

»Wie Loriot mit seinen Eiern«, sagte Ina, und ihr fiel ein, daß sie vielleicht schon mal Wasser für die Frühstückseier richten könnte. Das bedeutete, daß sie sich aus Nancys Sammelsurium an Töpfen einen geeigneten für mindestens acht Eier heraussuchen mußte. Sie kniete sich vor die Schublade und begann zu wühlen.

»Wie was?« fragte Nancy in den Lärm hinein und drehte sich nach ihr um.

Ina überlegte, ob sie ihr nun besser diese Geschichte oder die von Claudio und ihr erzählen sollte, aber bevor sie eine Entscheidung getroffen hatte, stand Anno in der Tür.

»Das war jetzt seltsam«, sagte er und runzelte die Stirn. »Also, ehrlich gesagt habe ich überhaupt nicht erfaßt, was dieser Mensch wollte!«

»Dieser Doktor, oder was?« Ina hielt kurz mit der Suche inne.

»Ich kenne ihn überhaupt nicht. Aber er fragte mich, ob ich nächste Woche für einen Termin Zeit hätte.«

»Will er Ihnen was verkaufen?« Nancy öffnete mit Schwung die Backofentür, um Brötchen und Croissants zum Aufbacken hineinzulegen.

»Ein Arzt?« Anno sah sie skeptisch an.

»Warum nicht? Ein Grundstück, Haus, ein Auto, ein – was weiß ich. Ärzte brauchen auch Geld!«

»Hmm!«

»Oder könnte es einen anderen Grund haben? Hat er sonst nichts gesagt?« Ina hatte einen Topf gefunden, füllte ihn mit Wasser und setzte ihn auf.

Anno schüttelte leicht den Kopf. »Es war alles etwas seltsam! Ich habe es nicht richtig verstanden, das heißt, ich verstehe es jetzt noch nicht. Weshalb ruft ein Arzt hier an, den ich nicht kenne, und will mit mir einen Termin vereinbaren? Ich muß mich mal informieren, was das für einer ist!«

»Hast du ihm denn einen Termin gegeben?« wollte Ina wissen. »Dann werden wir es leicht herausfinden!«

»Ich habe ihm erklärt, daß er nächste Woche ja mal vorbeikommen könne!«

»Hast du den Namen?«

»Ja, ein Dr. Schatte!«

»Da schau ich doch gleich mal im Telefonbuch nach!«

Peter Läufer war froh gewesen, daß er das Ansinnen, das Kurt in seinem Brief beschrieben hatte, gleich an eine geeignetere Stelle hatte weitergeben können. Klar, daß er Kurt nicht abweisen konnte, die Hilfestellung von damals verpflichtete schon, auch wenn er die Diskette bezahlt hatte. Immerhin hatte er durch diese von Kurt verfaßten kleinen Tricks so viel Geld mehr verdient, daß er sich ihm auf irgendeine Art verpflichtet fühlte. Und zudem saßen sie als Produzent und Abnehmer und Verwerter im selben Boot. Nur gut, daß er seinerseits aus diesen von Kurt zusammengestellten Informationen Kapital geschlagen hat. Und praktischerweise war sein Abnehmer ein Psychiater, der natürlich gleich verstand, worum es ging.

»Adelmann?« hatte er gefragt. »*Der* Adelmann?«

»Anno Adelmann, ja!«

»Aha!« Dann war erst einmal Ruhe. Schließlich hörte Peter Läufer, wie sein Gesprächspartner tief Luft holte. »Hört sich irgendwie nicht besonders gut an!«

»Nein, tut es nicht!«

Wieder war Ruhe.

»Auch nicht gerade unproblematisch!«

»Nein, auch das nicht!«

Jetzt war Peter Läufer klar, daß Michael Schatte nicht so einfach aus reiner Verbundenheit heraus auf den Zug aufspringen würde.

»Die Rechnung wird aus Augsburg bezahlt«, erklärte er schnell. Das würde er dem Augsburger beibringen müssen. Andererseits, wenn es tatsächlich um eine Erbschaft ging, war eine kleine Gewinnbeteiligung allemal gerechtfertigt.

Nach seinem Telefonat mit Anno Adelmann trat Michael Schatte an das hohe Fenster seines Arbeitszimmers und blickte auf den grünen Rasen vor seinem Haus. Er würde sich das mal anschauen. Und ein entsprechendes Gutachten anfertigen. Aber letztlich war das Gesetz nicht zu biegen, und er war nicht der Richter.

Kurt hatte die Nachricht von Peter Läufer erhalten und klopfte sich innerlich auf die Schulter. Es schien zu klappen, dieser Dr. Schatte war Psychiater, sollte er Anno für unzurechnungsfähig oder sogar gefährlich einstufen, war ein solches Gutachten schon mal ein geeigneter Einstieg für ein Vormundschaftsverfahren. Dann kam es noch auf den Arbeitseifer des Amtsarztes und letztlich auf den Richter an. Bloß, wenn zu viele Momente auf Annos geistige Verwirrung und möglicherweise sogar Unzurechnungsfähigkeit bis hin zur Gefährdung seiner selbst oder anderer hinwiesen, hatte der Richter eigentlich keinen Grund mehr, anders als von der Familie angestrebt zu entscheiden. Was ihm nicht so sehr gefiel, war der Hinweis, daß Michael Schatte an eine Entlohnung dachte. Das war unter Kollegen eigentlich unüblich, aber da dieser Herr nicht in seiner eigenen Geheimakte stand und als Psychiater natürlich nützlicher war als Läufer selbst, mußte man es so akzeptieren. Er würde Thekla darüber informieren, dann konnte sie sich schon einmal Gedanken machen, wie man mit diesem Thema umging. Sie war ja auch sonst so schlau.

Ina hatte schnell herausgefunden, daß Dr. Schatte ein Psychiater war. Beim Frühstück fragten sie Julia aus, doch die hatte von nichts eine Ahnung. »Mir erzählt doch keiner was«, sagte sie und untermauerte dies mit vehementem Kopfschütteln. »Aber eigentlich kann ich mir so was auch nicht vorstellen. Wozu sollten sie dir einen Psychiater schicken?«

»Ist das nicht ziemlich durchsichtig?« fragte Niklas, worauf Romy »findest du?« fragte, denn sie hatte es auf ihre Spitzenbluse bezogen. Alle lachten los, erleichtert, endlich einen Grund zu haben. Denn jeder hing so seinen Gedanken nach, und eine rechte Stimmung wollte einfach nicht aufkommen. Ina paßte den Moment ab, da sie mit Claudio allein sein könnte. Sie wollte ihm unbedingt den Brief zeigen. Claudio machte sich Gedanken darüber, wie er seinen Plan, Romy zu helfen, umsetzen könnte, Julia dachte über Niklas nach, Niklas versuchte herauszufinden, was er eigentlich wollte, und Anno wollte nicht glauben, was er insgeheim schon wußte: Seine Familie wollte ihn entmündigen lassen. Einzig Nancy sorgte für Stimmung. Sie erzählte pausenlos Geschichten, denen keiner zuhörte, und tischte Dinge auf, die keiner essen wollte.

»Lassen Sie es doch einfach, Nancy«, sagte schließlich Anno, dem sie zum dritten Mal erfolglos ein frisches Croissant oder ersatzweise auch ein Ei angeboten hatte.

Plötzlich sprang sie wieder auf. »Julia, jetzt hätten wir fast dein Mitbringsel vergessen! Das war doch für das Frühstück gedacht! Nein, so was aber auch!«

Anno schaute mißbilligend hoch, äußerte sich aber nicht mehr dazu.

»Na, da bin ich aber gespannt!« flötete Romy und zwinkerte Anno zu. Sie hatte zu ihrer Spitzenbluse einen hellen Hosenanzug mit buntem Rosenmuster an und sich dazu einen gleichfarbigen Schal wie einen Turban um den Kopf geschlungen. »Die beste Art, sich nicht frisieren zu müssen«, hatte sie gleich bei der Begrüßung gesagt und hell dazu gelacht. Ina fand das praktisch, aber da ihre langen Haare ohnehin keine Frisur nötig hatten, kam es für sie nicht in Frage. Zudem hatte sie weiß Gott andere Sorgen.

Nancy kam mit dem Karottenkuchen zurück und stellte ihn vor Annos Teller. »Extra und eigens für Sie gebacken, Ihr Lieblingskuchen!«

»Stimmt, das ist wirklich nett!« Er lächelte Julia zu. »Bestelle deiner Mutter, daß ich mich darüber freue. Bloß bin ich jetzt so satt, daß ich mir diesen Genuß bis zum Nachmittagstee aufsparen werde!« Er sah sich auffordernd in der Runde um. »Wem darf ich einen geben?«

Alle schauten den Kuchen an, und einer nach dem anderen schüttelte langsam den Kopf.

»Also, ehrlich«, meinte Niklas und rückte deutlich ab. »Wenn's jetzt eine Gänseleberpastete wäre oder gern auch eine Schweinskopfsülze. Aber bei Rüblikuchen wird's mir … ganz anders!«

»Dem kann ich mich nur anschließen«, warf Claudio ein, der auch heute wieder ganz in Schwarz war. »Wobei ich auch bei einer Schweinskopfsülze streiken würde. Ich würde ein paar Austern bevorzugen!«

»Himmel hilf, Austern! Davon war's mir schon so übel, daß ich die Engelein verfrüht Posaune spielen hörte!« Theatralisch warf

Romy die Arme nach oben. »Bitte, Anno. Reichen Sie mir doch ein Stück Ihres exklusiven Karottenkuchens!«

Er lachte. »Jetzt bin ich aber doch tatsächlich erstaunt, denn den hat außer mir an diesem Tisch noch nie jemand gegessen. Ich dachte immer, nur mir erschließe sich die perfekte Kombination von Karotten, Nüssen und Marzipan.«

Romy reichte ihm ihren Teller. »Man soll immer mitreden können. Und ich denke, das gilt auch für dieses Thema!«

Ina hatte sich durch das Gespräch kurz von ihren eigenen Gedanken ablenken lassen, aber jetzt sah sie wieder den Brief vor sich. Sie mußte unbedingt mit Claudio darüber reden. Bevor sie es mit Anno tat. Es war ganz gut, daß sie vorhin durch das Telefonat abgehalten wurde. Wenn auch das wiederum eine merkwürdige Sache war. Es war für sie kaum denkbar, daß die Familie Anno einen Psychiater auf den Hals hetzen konnte. Und sie versuchte sich vorzustellen, wie so etwas funktionieren sollte.

Auch Nancy konnte mit ihren Späßen den Vormittag nicht mehr retten. Im Gegenteil, mit der Zeit wurden sie eher nervend, so daß sich bald darauf alle verabschiedeten. Romy ließ sich von Claudio direkt nach Hause fahren. Er machte Ina in einem unbeobachteten Moment ein Zeichen, daß er sie so schnell wie möglich anrufen werde. Sie formulierte ein lautloses »Dringend!«. Niklas schlug Julia einen Bummel durch die Stadt vor, worüber sie froh war. Endlich mal mit ihm allein, sie würden irgendwo etwas trinken und sich richtig aussprechen können. Insgeheim befürchtete Niklas genau das und dachte eher an einen Kinobesuch. Caroline war bereits frühmorgens von Jellas Mutter abgeholt worden. Sie planten einen Tag im Freizeitpark, und Caroline war natürlich begeistert. Und Anno auch. So würde er wieder einmal einen geruhsamen Samstag erleben, ohne Aufregung und Hektik.

Claudio wollte Romy für ihren Mittagsschlaf einen Liegestuhl auf die Terrasse stellen, aber sie beschloß, doch lieber eine Stunde im Schlafzimmer zu ruhen. »Es wird mir draußen dann doch zu kühl«, sagte sie, und Claudio mußte ihr recht geben. Ganz zweifellos kam der Herbst. Wenn auch noch nicht mit Nebel und feuchter Kälte, so doch mit kühleren Winden und den ersten bunten und fallenden Blättern. Spätestens im November waren sie deshalb immer verreist. Es war die Zeit am See, die so manchem auf die Psyche schlug und selbst Optimisten irgendwann nicht mehr an die Sonne glauben ließ. Claudio verabschiedete Romy mit einem Küßchen. »Ich fahre noch mal in die Stadt«, sagte er, und sie strich ihm leicht über die Wange.

»Fahr nur, mein Schatz. Ich wünsche dir viel Spaß! Und danke für alles!«

Er wollte sich eben zum Gehen umdrehen, verharrte aber in der Bewegung. »Danke? Wofür denn? *Ich* habe zu danken!«

»Daß du noch da bist«, sagte sie leise. Er schaute sie an, schüttelte den Kopf und schloß sie spontan in seine Arme. Sie fühlte sich so klein und zerbrechlich an, fast wie ein ausgezehrter Vogel, der von Zeit zu Zeit sein Federkleid aufplustert, um dadurch über die verletzliche Gebrechlichkeit hinwegzutäuschen.

»Ach, du!« sagte er. »Was soll's denn. Wir werden das schon durchkämpfen. Wenn du willst, helfe ich dir dabei. Ich war mal ein ganz guter Kaufmann …«

Sie lächelte ihm zu, aber in ihren leicht getrübten Augen lag eine Traurigkeit, die ihn fast körperlich schmerzte.

»Soll ich besser nicht gehen?« fragte er, denn irgend etwas hielt ihn zurück. »Willst du reden? Sollen wir gleich einen Plan machen, wie wir dieses Ekel von Tochter angehen?«

Sie verneinte durch ein leichtes Kopfschütteln. »Laß nur, Claudio. Ich bin müde. Geh und amüsiere dich. Wir werden die Dinge später in Angriff nehmen!«

Sie ging in Richtung ihres Schlafzimmers, und Claudio schaute ihr nach. Sie war eine bemerkenswerte Frau!

Julia hatte sich durchgesetzt. Sie waren nach ihrem Bummel durch Lindau nicht im Kino gelandet, sondern in einer kleinen Weinstube in einer Nebenstraße. Nebeneinander saßen sie nun an der getäfelten Wand, um auf diese Weise gemeinsam in den Raum

schauen zu können, und Julia bestellte zwei Viertele eines trockenen Bodenseeweins. Er kam recht schnell, denn um diese Zeit
waren sie fast die einzigen Gäste. »Zum Wohl«, sagte Julia und
schob ein »Auf uns!« nach.

Niklas stieß an und fühlte gleich darauf ihre Hand auf seinem
Oberschenkel liegen. Das war ihm zwar nicht unangenehm, aber
es brachte ihn in Zugzwang. Entweder er erwiderte es und blies
nun ebenfalls zum Angriff, dann lief der Rest sowieso automatisch,
oder aber er offenbarte sich. »Gibt's hier auch was zu essen?« fragte
er, um Zeit zu schinden.

»Essen?« Sie schaute ihn an, als hätte er nach gegrillten Ratten
gefragt. »Jetzt?«

»Jaaa«, er zögerte. »Ist nicht Mittag?«

»Hast du tatsächlich schon wieder Hunger?«

»Warum denn nicht?« Er hob die Hand, um nach der Bedienung zu winken. »Ich bin schließlich noch im Wachstum...
und... Karottenkuchen mag ich nun mal nicht!«

Julia mußte lachen. »Dann kommt jetzt wohl die Schweinskopfsülze. Wenn du das tust, wandere ich aus, das schwöre ich
dir!«

»Die legen doch keinen Schweinskopf auf den Tisch! Du hast
völlig falsche Vorstellungen!«

Die Bedienung, ein junges Mädchen, brachte ihm die Karte,
und Niklas vertiefte sich darin, während er spürte, wie sich Julias
Hand erneut auf seiner Jeans selbständig machte. Er spürte ihre
Fingernägel durch den Stoff und bildete sich sogar ein, ein leichtes
Kratzen zu hören. Diese Kombination faszinierte ihn. Er ließ es
eine Weile geschehen, ohne darauf zu reagieren, aber schließlich
konnte er nicht mehr so tun, als sei da nichts. Zumal es auch nicht
so war. Er spürte bereits sein Blut pulsieren, und jetzt war ganz einfach eine Entscheidung gefragt.

Zur Einleitung in seine Erklärungen streichelte er langsam
ihren Rücken, fuhr die Wirbelsäule mit seinen Fingerkuppen hinauf und herunter, verweilte auf den einzelnen Wirbeln, um sie zu
erforschen, und stellte bei der Gelegenheit fest, daß sie keinen BH

220

trug. Das war nicht unbedingt das, was seine eben gefaßten Vorsätze unterstützte. Ihm ging es jetzt vielmehr darum, mit seiner Hand nach vorne zu kommen. Nach einigen Anläufen machte Julia den Weg frei, und Niklas streichelte unter ihrem kurzen, aber weiten Pullover genüßlich ihre Brust. Am liebsten hätte er ihr den Pullover ausgezogen und sich mit dem Gesicht dazwischengelegt, so schön fühlte sich das an. Aber unpassenderweise kam die Bedienung, und da er sich an das Gelesene nicht mehr erinnern konnte, bestellte er aufs Geratewohl einen Käsesalat. Mit geriebenem Rettich, sagte er dazu.

»Haben Sie den noch nötig?« fragte die Kleine kokett und ging zur Theke.

»Was war denn das?« Niklas schaute Julia verdutzt an.

Julia lachte los. »Wahrscheinlich meinte sie damit, ob wir wohl kein Bett haben!«

»Na ja! Haben wir ja auch nicht!« Niklas runzelte die Stirn.

»Aber gleich, wenn wir wollen«, sagte Julia und suchte seinen Mund. Sie küßten sich immer drängender und rutschten dabei langsam von ihrer Bank.

Schließlich löste sich Niklas von Julia. »Gleich liegen wir unter dem Tisch, dann gelten wir als Erregung öffentlichen Ärgernisses!«

»Wir sollten gehen!« sagte sie.

»Austrinken!« sagte er. »Und außerdem habe ich noch einen Käsesalat bestellt!«

»Du wirst doch nicht ...«

»Mit Rettich!«

»Du brauchst doch nicht ...«

»Von brauchen kann keine Rede sein. Eher von wollen!« sagte er und grinste sie schief an.

»Verdammt, Niklas, was ist los?!«

»Ich habe einen Sohn und bin quasi verheiratet. Ohne Trauschein allerdings. Das wollte ich dir sagen!«

Julia war still.

»Tut mir leid«, fügte er hinzu.

Julia zog ihre Hand weg. »Warum sagst du mir das erst jetzt?«

»Weil ich …«, er schaute hilflos nach der Bedienung, als könnte sie ihn noch retten, »vorher nicht dazu kam.«

Julia schwieg. Eben waren ihre Träume zerplatzt. Reiß dich zusammen, sagte sie sich. »Liebst du sie?« wollte sie wissen.

»Ja!« sagte er. »Aber dich irgendwie auch«, fügte er schnell hinzu.

Sie griff nach dem Glas, er ging in Deckung, aber sie bemerkte es nicht. Sie nahm einen großen Schluck und setzte es wieder ab. »Ein Kind«, wiederholte sie und fragte automatisch: »Wie alt?«

»Ganz klein!« Er deutete die Größe mit den Händen an. »Ein wirklich süßer Fratz!« Seine Stimme belebte sich wieder. »Du solltest ihn mal sehen. Sieht mir total ähnlich!«

»Ich will ihn nicht sehen!« Steh auf und geh, sagte sie sich. Geh hier raus, bevor du ihm den Käsesalat ins Gesicht pfefferst, den sie eben aus der Küche bringen. Oder pfeffere ihm den Käsesalat ins Gesicht, danach geht es dir sicherlich besser. Und dann gehst du. Du kannst doch gehen. Keiner hält dich zurück! Ein süßer Fratz, der Kleine. Ganz der Papa! Wenn du noch ein bißchen Stolz hast, dann laß ihn jetzt hier sitzen!

Sie bewegte sich nicht, sondern sah zu, wie ihm der Käsesalat serviert wurde.

»Mit Rettich! Extra viel!« sagte die Bedienung dazu und zwinkerte Niklas zu.

»Das braucht er jetzt nicht mehr!« entgegnete Julia. »Oder doch, warten Sie! Packen Sie ihm eine Extraportion zum Mitnehmen ein!«

Anno saß mit einigen Magazinen auf der Terrasse, und Ina hatte sich einen Stuhl an seine Seite gerückt. »Wird es dir nicht zu kühl?« fragte sie, denn es wehte ein frischer Wind vom See herauf.

»Ich liebe jedes Wetter am See. Ob heiß oder kalt, neblig oder sonnig, für mich trägt der See jeden Tag, jede Stunde, ja, selbst jede Minute ein anderes Gesicht. Wäre ich Maler, ich würde verrückt werden!« Er lächelte ihr zu, und sein braungebranntes Gesicht legte sich in tausend Falten. »Und was hast du vor mit diesem Tag?«

»Ich wollte noch mal eine Stunde mit meinem wunderschönen Wagen angeben, solange man noch offen fahren kann, und dann ein paar Übersetzungen bearbeiten, die gestern gekommen sind. Das mache ich lieber heute als morgen, wenn Caroline wieder da ist!«

»Da hast du recht!« Er nickte ihr zu. »Wenn du zurückkommst, werde ich wahrscheinlich mein Mittagsschläfchen halten. Wollen wir gemeinsam Tee trinken? Gegen vier Uhr?«

Ina drückte seine Hand. »Wunderbar! Ich werde da sein!«

Claudio und Ina trafen sich an der Tagesbar eines Lindauer Hotels an der Hafenpromenade. Sie bestellten sich beide einen Cappuccino, und Ina legte ihm den Brief hin.

»Ein solcher Drecksack! Wenn ich den erwische!« Claudio las angewidert den Text und betrachtete die Fotos. »Das ist doch einfach unsäglich!« Er beugte sich zu ihr hin und küßte ihre Nasenspitze. »Könnte dein Privatdetektiv nicht vielleicht auch herausfinden, was der andere für ein Vogel ist?«

»Das ist ein anderer Bahnhof, ein anderer Auftrag. Ich habe nicht das Geld, ihn dafür zu bezahlen!« Sie schaute ihn schräg an. »Du etwa?« Claudio zog eine Augenbraue hoch. »Schönes Paar sind wir.« Inas Gesichtsausdruck wurde nachdenklich. »Allein müßten wir ganz schön strampeln!«

»Ach, das würden wir auch schaffen!«

»So, denkst du? Nun, ganz ehrlich, ich schätze mal, mit Armani, Joop und Versace wäre dann Schluß, mein Lieber!« Sie zog leicht an seinem Designer-T-Shirt. »Angesagt wären C&A, Woolworth und Ausverkauf!«

Claudio zuckte mit den Schultern. »Du denkst, ein Fünf-Mark-T-Shirt würde mich nicht kleiden? Hast du eine Ahnung! Der Inhalt macht's, nicht die Verpackung!«

»So, so!« Ina lächelte spöttisch.

»Und außerdem, meine Süße«, er bohrte ihr leicht den Finger in ihren Oberarm, »wer von uns beiden fährt denn einen Jaguar XK 8? Du oder ich?«

Ina streckte ihm die Zungenspitze heraus. »Das ist ein Objekt, das unter *wir reizen die Familie* läuft. Möglicherweise ist er nur auf Zeit gemietet, ich habe keine Ahnung!«

Der Kellner unterbrach sie, indem er den Cappuccino servierte, und damit kamen sie auf den Anlaß ihres Treffens zurück. Claudio meinte, daß sie Anno mit dieser Schmiererei nicht belästigen sollte. »Es ist fraglich, ob er das jemals zu sehen bekommt. Du holst morgens immer die Post, also liegt es doch in deiner Hand, ob er dubiose Briefe oder Magazine bekommt. Aussondern das Zeug, und der Fall ist erledigt!«

Ina gab ihm recht. Ihr war es so auch bedeutend lieber. »Und was machen wir beide?« fragte sie mit einem schnellen Blick auf die Uhr.

»Meinst du das jetzt speziell oder eher global?« Er beugte sich zu ihr hinüber und begann, an ihrem Ohrläppchen zu knabbern.

»Wenn du mich sooo fragst ...« Ina lachte. »Aber eigentlich dachte ich jetzt eher an die Zukunft!«

»Was in einer halben Stunde ist, *ist* Zukunft. Was also ist in einer halben Stunde?« flüsterte er direkt in ihr Ohr.

»Ich werde mit Anno Tee trinken, und du wirst Romy den Rücken massieren!«

»Hmmm«, sie fühlte seine Zungenspitze in ihrer Ohrmuschel, und eine Gänsehaut jagte ihre Oberarme hinunter. »Bist du dir da sicher?«

»Ja!«

»Wirklich?«

»Völlig!«

Sie schloß die Augen und ließ sich in das prickelnde Gefühl hineinfallen.

»Wovon sprachen wir gerade?«

Ina fuhr auf dem Nachhauseweg an ihrer Stamm-Eisdiele vorbei, denn Anno liebte selbstgemachtes Eis und ganz besonders von diesem Italiener. Und da Nancy auch auf Eis stand und Caroline sowieso, kaufte sie zwei riesige Becher. Der Einfachheit halber bestellte sie pauschal von jeder Sorte drei Kugeln. Das dauerte eine Weile, und Ina hatte Zeit, über Claudio und sich nachzudenken. Sie wäre jetzt tatsächlich lieber mit ihm auf irgendeine Spielwiese gegangen, aber es stimmte schon, was sie vorhin gesagt hatte. Sie beide allein wären ein ziemlich hoffnungsloses Paar. Ihr ganzer Arbeitseinsatz hatte bisher immer gerade für sie und Caroline gereicht. Ein Dritter im Bunde war undenkbar. Und ob Claudio Arbeit bekommen würde und wenn ja, welche, war fraglich. Aus dem Dolce vita würde unversehens grandioser Streß werden. Das konnten dann auch die tollsten Liebesakrobatikkünste nicht mehr auffangen. Wenn's im Kopf zu kriseln begann, verabschiedete sich meist auch die Libido, das hatte sie oft genug erlebt. Irgendwie mußte es eben auf beiden Seiten stimmen. Alles andere waren nur Kompromisse.

Würde es zwischen ihnen stimmen, wenn sie genug Geld hätten und diese Existenzfrage nicht wie ein Damoklesschwert über ihnen schweben würde? Dazu kannte sie ihn einfach zuwenig. Klar war jetzt alles schön und irgendwie rosarot. Sie hatten Spaß miteinander, konnten zusammen lachen und waren ganz verrückt nach einander.

Ina stellte die eingepackten Eisbecher neben sich in den Beifahrerfußraum. Es war sinnlos, sich darüber Gedanken zu machen. Die Wirklichkeit sah ganz anders aus, und was kommen würde, würde sowieso kommen. »Wat mutt, dat mutt«, hat eine alte Nachbarin in ihrer Kindheit immer gesagt. So war's wohl auch.

Wenige Minuten später fuhr sie in die Einfahrt, stellte den Wagen ab und lief mit ihren Eisbechern fröhlich ins Haus. »Hallooo«, rief sie laut. »Überraschung!«

Sie fand Anno im Wohnzimmer stehen, den Telefonhörer in der herabgesunkenen Hand. Er schaute ihr blicklos entgegen, kalkweiß im Gesicht.

»O Gott!« Ina dachte an einen Herzinfarkt, stellte die Eisbecher auf den Tisch, lief schnell zu ihm hin und griff ihm stützend unter den Arm. »Komm, leg dich hin«, sagte sie und nahm ihm das Telefon aus der Hand. Sie wollte ihn wegführen, aber er bewegte sich nicht, sondern stand wie angewurzelt.

»Was ist los? Tut dir was weh? Soll ich einen Arzt rufen? Wo ist Nancy?« wollte sie wissen, doch Anno gab keine Antwort.

»Das gibt es doch überhaupt nicht!« sagte er schließlich. »Das kann doch überhaupt nicht sein!«

»Was kann nicht sein?« fragte Ina und hielt ihn noch immer fest.

»Romy ist tot! Wieso sollte sie plötzlich tot sein?«

»Tot?« Ina schaute ihn groß an. »Wieso denn tot? Wer sagt denn das?«

»Claudio hat eben angerufen. Er hat sie tot in ihrem Schlafzimmer gefunden. Der Arzt war bereits da, es gibt keinen Zweifel!«

Ina schwirrten tausend Gedanken gleichzeitig durch den Kopf. Es war völlig unverständlich. Heute morgen war sie doch quicklebendig gewesen.

»Woran ist sie denn gestorben?« Mein Gott, jetzt sprach sie bereits von einer Toten, obwohl sie doch vorhin noch in ihrer Spitzenbluse bei ihnen gesessen, gelacht und gegessen hatte.

Anno faßte sich ans Herz. »Ich glaube, ich muß mich jetzt doch setzen! Ich kann's einfach nicht fassen!«

Ina führte ihn zu einem der Sessel und setzte sich neben ihn auf die Armlehne. »Soll ich für dich einen Arzt rufen? Nicht, daß du auch noch …«

»Zwei mit einem Streich? Das wäre ein bißchen deftig!« Er brachte ein schräges Lächeln zustande. »Sie wissen noch nicht, woran sie gestorben sein könnte. Herz war's wohl nicht. Der Arzt war vorsichtig, meinte laut Claudio aber, daß es auch eine Vergiftung sein könnte. Sie wird obduziert!«

Er hatte es ausgesprochen, und sie schauten sich an. Keiner sagte ein Wort.

Ina spürte, wie sich ihr sämtliche Haare am Leib aufstellten, es kribbelte vom Kopf bis zu den Zehen. Es schüttelte sie förmlich vor Entsetzen. »Vergiftet?« wiederholte sie, und es würgte sie. Fast plastisch sah sie die künstlich orangefarbenen kleinen Marzipankarotten auf dem Karottenkuchen vor sich. Keiner hatte von dem Kuchen gegessen. Nur Romy. Sie schloß die Augen. Und für Anno war er bestimmt. Konnte es möglich sein ...

»So etwas tun sie nicht«, sagte Anno in die Stille hinein. »Das glaube ich einfach nicht!«

Ina antwortete nicht darauf. In der Zwischenzeit konnte sie sich alles mögliche vorstellen. »Wo ist denn dieser Kuchen?« fragte sie.

»Ich habe nicht darauf geachtet!« Anno holte tief Luft. »Du denkst also auch ...?«

Ina zuckte die Achseln. »Wenn du vor unserer Hochzeit stirbst, bin ich aus dem Rennen. So könnte man das ganz nüchtern sehen!«

Er griff nach ihrer Hand, drückte sie und hielt sie fest. »Dann wäre sie ja für mich gestorben. Wenn es so wäre«, sagte er nach einer Weile, und der Satz blieb eine Zeitlang unvollendet in der Luft hängen.

Ina schwieg.

»Dann hätte ich einen Mörder in meiner Familie. Oder deren gleich mehrere!«

»Wir wissen es nicht«, entgegnete Ina lau. »Es könnte auch eine andere Ursache haben. Warten wir die Obduktion ab!«

Claudio war völlig fertig. Warum war er nur gegangen? Er hatte doch gespürt, daß irgend etwas mit ihr war. Er machte sich Vorwürfe und sagte sich gleichzeitig, daß es nicht vorhersehbar gewesen war. Aber ihr Anblick saß ihm tief in den Knochen. Den Moment, da er erkannte, daß sie nicht schlief, sondern nur so aussah, würde er wahrscheinlich nie vergessen. Er hatte noch nie eine Tote zu wecken versucht. Und jetzt mußte er sich auch noch mit ihrer Familie herumschlagen. Als erstes versuchte er, Niklas zu erreichen, aber sein Handy war ausgeschaltet, und eine Stimme erklärte nur, der Teilnehmer sei »vorübergehend nicht erreichbar«.

Er rief Romys ältesten Sohn an, dessen Telefonnummer stets griffbereit auf dem Schreibtisch lag. Claudio versuchte ihm die schmerzliche Nachricht möglichst schonend zu vermitteln, aber er fuhr ihn ohne ein Wort des Bedauerns an: »Es ging Ihnen wohl nicht schnell genug?« Claudio war völlig perplex. »Was wollen Sie damit sagen?« fragte er, aber er hörte nur noch: »Und jetzt machen Sie, daß Sie schleunigst aus diesem Haus herauskommen!«

Claudio legte langsam auf. So ging das also. Gestern hatte er noch mit Romy das Leben geteilt, heute galt er als Persona non grata. Unerwünscht, überflüssig, abgeschoben. Wie schnell doch die Wirklichkeit die Phantasie einholen konnte.

Auf Inas Anruf hin fuhr er in die Villa. Romy war abgeholt worden, alles weitere stand nicht mehr in seiner Macht. Er mußte warten, bis Niklas kam oder der älteste Sohn irgendeine Initiative ergriff. Er fühlte sich wie versteinert, und eigentlich konnte er es noch gar nicht richtig glauben. In seinen Augen war sie überhaupt nicht tot. Sie hatten sie hinausgetragen, ja, aber innerlich war er davon überzeugt, daß sie heute abend auf ihn warten würde. Wie sonst auch – eine verrückte Musik aufgelegt, etwas Feines auf den Tisch gestellt, irgend etwas Ausgefallenes angezogen.

Ina kam ihm am Eingangstor entgegen. »Ich kann noch nicht mal heulen, weil ich's einfach nicht glauben kann! Während wir zusammen Cappuccino getrunken haben, ist sie allein gestorben! Und – vergiftet? Hat der Arzt das wirklich gesagt?«

Claudio nahm sie in den Arm, und so standen sie eine Weile.

»Es kommt mir vor wie in einem schlechten Film«, sagte er schließlich und löste sich von ihr.

»Laß uns reingehen. Anno wartet schon.«

Nebeneinander gingen sie den Weg zum Treppenaufgang entlang, da fiel Ina erst auf, daß Anno oben in der Tür stand. Er hatte sie sicherlich beobachtet, aber das war jetzt auch egal. Diese Dinge hatten plötzlich so wenig Bedeutung. Sie nickte ihm zu, während sie die Treppen zu ihm hinaufstiegen.

Anno streckte Claudio die Hand hin. »Mein herzliches Beileid«, sagte er, und Ina wurde bewußt, daß er es aufrichtig meinte. Ihm mußte das Beileid gelten, denn wenn man glauben konnte, was Romy so erzählt hatte, dann dürfte es von ihrer ganzen Familie Claudio neben Niklas am härtesten treffen.

»Danke«, sagte er schlicht und ging hinter Anno her ins Haus.

Anno bot ihm am großen Eßtisch Platz an und holte eine Glaskaraffe mit Cognac und drei Schwenker. Damit setzte er sich neben Ina und schenkte ein. »Ich glaube, das können wir jetzt alle vertragen!«

»Auf Romy«, sagte Ina, und sie stießen an.

Claudios Gesichtszüge hatten sich verändert. Ina betrachtete ihn und verglich sein Gesicht mit dem, das sie noch vor wenigen Stunden völlig gelöst angestrahlt hatte. Jetzt traten seine Kiefermuskeln hart hervor, seine Augen wirkten dunkler, und an der Schläfe entdeckte sie eine Ader, die sie da noch nie gesehen hatte. »Ich habe mit Romys ältestem Sohn telefoniert«, sagte Claudio, während er sein Glas abstellte. »Er beschuldigt mich«, er zögerte, drehte sein Glas hin und her, »ja, wenn ich es recht besehe, beschuldigt er mich des Mordes!« Er blickte auf und schaute Anno an.

Anno reagierte zunächst nicht. Es dauerte eine Weile, bis ihm die Bedeutung des eben Gesagten bewußt wurde.

»Entschuldigung«, sagte er in die Stille, die nur vom gedämpften Gezwitscher der Vögel im Garten unterbrochen wurde. »Habe ich das richtig gehört? Eben habe ich darüber nachgedacht, warum überhaupt jemand sterben sollte.«

»Warum jemand sterben sollte? Wie meinen Sie das?«

Anno wies mit einer Handbewegung auf Ina, und Ina verstand es als Aufforderung, von ihrem gemeinsamen Verdacht zu erzählen.

Claudio hörte zu, dann verbarg er seinen Kopf in den Händen. »Das ist schlicht bodenlos!«

»Aber warum kommt dieser Sohn auf die Idee, du könntest Romy umgebracht haben?« wollte Ina wissen. »Das ist doch völlig daneben!«

»Ungeheuerlich ist das!« warf Anno ein. »Eine Ungeheuerlichkeit, einen solch schwerwiegenden Verdacht einfach so auszusprechen!«

»Er sagte, es sei mir wohl nicht schnell genug gegangen ...« Claudio legte seine Hände wieder auf den Tisch und holte tief Luft. »Nicht schnell genug gegangen«, wiederholte er langsam. »Das muß man sich mal vorstellen!«

Anno füllte Claudios Glas nach. »Ja, man muß sich das mal vorstellen, aber auch den anderen Verdacht. Der Verdacht des Arztes, daß sie vergiftet wurde, und unser Verdacht, daß ich eigentlich gemeint war. Das muß man sich auch mal vorstellen!«

Claudio kippte das Glas in einem Zug herunter. »Eigentlich mag ich mir überhaupt nichts mehr vorstellen. Nicht einmal, daß sie tot sein soll. Das heißt, das kann ich mir überhaupt am wenigsten vorstellen!«

Ina betrachtete ihn und überlegte, wie sie ihm helfen könnte. Am liebsten hätte sie seine Hände, die so kraftlos auf der Tischplatte lagen, in ihre genommen, um ihn zu beschützen oder auch zu bestärken. Sie war sich selbst nicht sicher.

»Wo ist eigentlich der Kuchen?« fiel ihr plötzlich ein.

»Nancy wird es wissen«, gab Anno zur Antwort.

»Und wo ist Nancy?«

»Das weiß ich nicht!«

Ina stand auf und ging durch die Küche in die Speisekammer. Bei Nancys chaotischer Haushaltsführung war es schwierig, den Überblick zu behalten. Sie suchte das Regal mit den Frischhalteschüsseln aus Plastik ab, dann die Ecke mit den in Silberpapier eingewickelten Teilchen. In jedes einzelne schaute sie hinein, zwei davon warf sie direkt in den Bioeimer. Den Karottenkuchen aber fand sie nicht. Wo könnte er sein? Sie durchforstete den Kühlschrank und entdeckte ihn in einer länglichen Kuchenform. Nie im Leben wäre sie darauf gekommen, daß er an Ort und Stelle sein könnte. Mit spitzen Fingern nahm sie ihn heraus und trug ihn ins Wohnzimmer. Dort plazierte sie ihn mitten auf den Tisch. »Hier ist das Corpus delicti, wenn es ein solches überhaupt gibt!« sagte sie dazu. »Immerhin müssen wir das Teil aufheben, denn wenn sich der Verdacht des Arztes bestätigt, wird eine Untersuchung dieses Geschenks interessant werden ...«

»Bernadette hat ihn gebacken. Meine Lieblingstochter, bisher. Warum sollte sie ...?«

»Sie oder eine andere, oder alle zusammen, Anno, sie haben einfach Angst vor dem, was du da angekündigt hast. Und das treibt sie zu Verzweiflungstaten!«

»Es geht doch nur um Geld«, sagte er müde. »Wenn ich jetzt ein Stück davon esse, wissen wir es genau. Das wäre die einfachste und schnellste Art, es herauszufinden!«

»Und die dümmste«, sagte Claudio und ballte seine Hände zu Fäusten. »Der soll mich noch mal anrufen, dieser Idiot! Ausgerechnet mir so etwas zu sagen! Durch mich hat seine Mutter noch ein paar schöne Stunden gehabt!«

»Apropos Verwandtschaft«, fiel Ina ein. »Wo steckt eigentlich Niklas?«

»Nicht erreichbar, der junge Herr. Kinder in die Welt setzen, Frau zu Hause und dann mit einer anderen herumziehen und so tun, als sei nichts!«

»Wie?« Anno zuckte zusammen. »Was war das?«

»Ach«, winkte Claudio ab. »Das war jetzt ungerecht.« Er griff nach der Karaffe, hielt aber in der Bewegung inne. »Darf ich?« fragte er Anno.

Anno nickte und hielt ihm sein eigenes Glas hin. »Trotzdem möchte ich das erklärt haben. Was ist mit Niklas? Frau? Kind? Ist das wahr?«

Es war Claudio anzusehen, daß er den Ausrutscher bereute.

»Weiß Julia das?« hakte Anno im nächsten Atemzug nach und schaute dabei Ina fragend an.

»Keine Ahnung, ich wußte es ja selbst nicht!« Ina rieb sich die Stirn. Es wurde immer konfuser. Seitdem sie zu diesem ersten Abendessen mit Claudio und Romy eingeladen war, schien sich ihre Welt völlig aus den Angeln zu heben. »Und was spielt es auch für eine Rolle, angesichts von Romys Tod!«

»Keine«, gab ihr Anno recht. »Aber da sie meine Enkelin ist, spielt es für mich zumindest eine kleine!«

Julia war nicht gegangen. Sie war mit Niklas an dem Tisch in der Weinstube sitzen geblieben und hatte versucht, mit dieser neuen Situation zurechtzukommen. Das bedeutete nun einfach für sie, daß sie ihre Wünsche zurückschrauben, ihre Sehnsüchte einstellen und alles auf Anfang zurückdrehen mußte. So einfach war das. Sie würde Niklas als netten Freund in ihre Kartei aufnehmen und nie darüber nachdenken, was sie sich alles vorgestellt hatte. Dabei mußte sie auf sich selbst aufpassen, denn sie spürte einen nicht gekannten Drang zu Fragen, die sie normalerweise nie stellen würde. Am liebsten hätte sie sofort alles gewußt. Wie seine Frau aussah, wie das passieren konnte, ob das Kind Absicht war, ob es schön mit ihr sei oder kriselte, ob sie miteinander lachen konnten – nein, das wollte sie eigentlich überhaupt nicht hören, weil es weh tun könnte. Ob sie gemeinsame Interessen hätten, Hobbys, was sie beruflich tat, ob sie sportlich sei, belesen, humorvoll, charmant, nein, auch diese Dinge waren ihr für ihr Seelenleben zu heikel.

Sie brachte ihre widersprüchlichen Gefühle nicht auf die Reihe und ärgerte sich über jede Frage, die sie stellte. Niklas blieb ruhig und erteilte Auskunft. Das tat er so nüchtern, daß es Julia fast auf die Palme trieb. Hatte der Mann keine Emotionen? Konnte er nicht sehen, daß alles in ihr in völligem Aufruhr war, daß alle Kräfte miteinander stritten, daß sich ihre Gedanken wie ein Kinderkreisel drehten? Niklas versuchte sachlich darzustellen, warum er es Julia nicht von Anfang an gesagt hatte. Er sprach von unpassenden Gelegenheiten wie der Abend zu dritt und davon, daß er so etwas ungern am Telefon kläre.

»Was denn?« fragte Julia dazwischen. »Was heißt denn *so etwas*? Es war doch gar nichts!«

»Ja, es war gar nichts«, bestätigte er merklich erleichtert. Julia warf ihm einen Blick zu und musterte sein Gesicht. Natürlich war er erleichtert. Es war deutlich zu sehen. Es war Julia auch klar, warum. Nun lag es an ihr, ob sie mit einem derart gebundenen

Mann etwas anfing oder nicht. Wenn, dann ging es auf jeden Fall zu ihren Lasten aus, das war klar. Welche Vorteile ließen sich aus so einer Konstellation schon ziehen? Gar keine. Es sei denn, sie bräuchte einen Partner, der nie da, nie Zeit und keinen Feiertag frei hatte. Brauchte sie den? Brauchte sie nicht!

»Laß uns gehen«, sagte sie und griff nach ihrer Geldbörse.

»Laß stecken«, sagte er generös und winkte nach der Kellnerin.

Sie brachte die Rechnung auf einem kleinen Teller und legte einen ausgewachsenen Rettich daneben. »Gruß aus der Küche«, sagte sie dazu.

Julia lachte überreizt los, Niklas wußte nicht, wie er reagieren sollte, so bedankte er sich und nahm ihn mit.

Bernadette rief sofort Thekla an. Julia war völlig aufgelöst gewesen, als sie ihr vom Tod dieser Frau berichtete, und Bernadette versuchte sie zu beruhigen. Mit dem Kuchen sei alles in Ordnung gewesen, kein Gedanke an einen Mordanschlag. Wie sie auch nur auf diese Idee käme?

Thekla konnte sich einen Juchzer nicht verkneifen. »Na, klasse«, sagte sie, »ich rufe sofort diesen Psychiater an. Jetzt fängt Vater schon an, die Leute in seinem eigenen Haus umzubringen. Das läuft unter mehr als gewalttätig. Ich sage dir, da strickt der was draus, und ruck, zuck sind wir unsere Probleme los!«

Bernadette zögerte. »Also Gefängnis fände ich nicht so gut. Ist schließlich unser Name. Und unser Vater – das nicht zu vergessen!«

»Keiner spricht von Gefängnis. Aber wenn Vater gewalttätig wird, in welcher Form auch immer, fällt das unter Paragraph frag-mich-nicht dieses Betreuungsgesetzes. Gewalttätig gegen sich oder andere Personen, steht da. Oder so ähnlich. Ich habe es jetzt nicht vor Augen.«

»Nun gut.« Bernadette stand, wie so oft, vor ihrem Wohnzimmerfenster und schaute hinaus. Es war ein trostloser Ausblick. Den Rest ihres Lebens wollte sie hier nicht verbringen. Das rechtfertigte vielleicht nicht alles, aber doch zumindest einiges, und sicherlich so viel, daß diese junge Frau nicht abgreifen konnte, was ihr nicht zustand.

»Wir werden das schon schaffen«, hörte sie Thekla sagen. »Ich rufe jetzt die anderen an!«

»Wie geht es eigentlich Gerhard?« fragte Bernadette schnell nach.

»Seit wann interessierst du dich für Gerhard?«

Gar nicht. Sie wollte nur noch etwas Nettes sagen. Interesse heucheln. »Nun, weil es ihm doch nicht so besonders ging«, sagte sie ausweichend.

»Es geht ihm immer noch nicht so besonders. Geschieht ihm recht!«

»Und wie geht es Barbara?« fragte sie automatisch.

»Barbara?«

Sie hörte die Verwunderung aus Theklas Stimme heraus.

»Ich schätze mal gut. Geld scheint sie keines zu brauchen, sonst hätte sie sich schon gemeldet!«

»Dann ist ja alles bestens!« sagte Bernadette, ohne länger nachzudenken, und legte auf. Das Leben war, wie's war. Man konnte nur für sich selbst das Beste daraus machen.

Niklas hatte Julia mit widersprüchlichen Gefühlen in die Villa gebracht. Klar, jetzt war es heraus, und er war erleichtert. Die Dinge lagen nicht mehr in seiner Hand, was kam, das kam. Que sera, sera! Völlig richtig. Auf der anderen Seite war dieses prickelnde Gefühl auch weg. Es hatte schon seinen Reiz gehabt, mit Dingen zu spielen, die über ihn hereingebrochen waren. Er war nicht der fordernde Typ, die Dinge geschahen ihm einfach. Oder eben auch nicht. Jetzt befürchtete er allerdings, daß überhaupt nichts mehr geschehen würde, denn Julia zeigte sich seit seiner Beichte mehr als reserviert.

Der erste Blick auf die Runde am Tisch offenbarte ihm, daß etwas passiert war. Nicht, weil sie gleich damit herausgeplatzt wären, sondern weil sie das eben nicht taten. Es war geradezu unheimlich still. Aber Anno warf ihm einen Blick zu, der ihn auf

Anhieb schuldig machte. Er spürte, daß es um ihn ging, und er dachte sofort an Angelika. Da war etwas schiefgelaufen, möglicherweise hatte sie angerufen und nach ihm gesucht. Und war von Romy an Anno verwiesen worden, oder weiß der Teufel was. Jedenfalls gab es Ärger, da brauchte man kein Prophet zu sein.

Julia ging unbefangen voraus, küßte ihren Großvater zur Begrüßung und fragte dann, bevor sie sich setzte: »Ist was? Ihr seid so komisch!«

Claudio schaute sie an und wartete, bis sie saß. »Romy ist tot«, sagte er dann kurz und ohne jegliche Betonung in der Stimme.

»Romy ist … was?« Das war Niklas. Er stand noch immer, denn eigentlich hatte er erwartet, daß das Unwetter gleich über ihn hereinprasseln würde.

Jetzt trat er hinter Julias Stuhl und griff beidhändig nach der Rückenlehne. Er starrte Claudio an, der Julia gegenübersaß. »Das ist nicht wahr!«

»Leider doch!« Claudio hob den Blick, sie schauten sich direkt in die Augen.

»Aber wieso? Heute morgen war sie doch noch völlig fit!«

Julia hatte die Augen geschlossen. Sie fror plötzlich. Tot? Sie konnte sich das nicht vorstellen. Der Tod war für sie stets ein abstraktes Wesen. Nicht greifbar, bedrohlich, fremd. Und nun sollte er in ihrer Mitte zugeschlagen haben? Sie hörte zu, was Claudio erzählte, aber sie faßte es nicht. Bis die Sprache auf den Vergiftungsverdacht kam.

Langsam tauchte sie aus ihrem Inneren auf und schaute Anno an. Der erwiderte ihren Blick, sagte aber nichts dazu. Julia rieb ihre Arme, denn was sie dachte, war so entsetzlich, daß sie es nicht auszusprechen wagte. An Annos Miene erkannte sie aber, daß nicht nur sie diese Vermutung hegte.

Ohne konkret darüber gesprochen zu haben, sagte sie einfach: »Das kann ich mir nicht vorstellen. Sie ist meine Mutter. Nie im Leben würde sie so etwas tun!«

Was weiß ich schon über meine Mutter, dachte sie gleich darauf. Sie hat sich von meinem Vater viel zu lange herumschikanieren lassen. Dem hätte sie wahrscheinlich eher mal Gift geben können, wenn überhaupt. Aber der lebte noch. Wohl und munter mit einer anderen Frau. Konnte es wirklich nur ums Geld gehen? So geldgierig war ihre Mutter nie gewesen. Hätte sie sonst ihren Mann einfach so ziehen lassen? Ihr hatte viel mehr zugestanden als das bißchen, mit dem sie abgefunden wurde. Oder war es gerade diese Ungerechtigkeit, die sie verändert hatte?

»Was denkt ihr?« fragte sie einfach in die Runde.

Anno zuckte leicht die Schultern und drehte sich nach Niklas um, der noch immer schräg hinter ihm an Julias Stuhllehne stand.

»Setzen Sie sich doch«, sagte er. Und fügte an, als sei dies ein unbedeutender Nebensatz: »Weiß sie es?«

Niklas war sofort klar, was er meinte. Aber Julia auch. »Ich weiß es«, sagte sie deshalb schlicht. »Wir haben darüber geredet. Es gibt nichts, was dich beunruhigen müßte!«

Anno nickte. »Wenigstens *eine* beruhigende Nachricht!«

Hans-Jürgen war mit dem Fortgang der Dinge unzufrieden. Er hatte gemeint, daß Ina sehr viel leichter zu manipulieren sei. Und er war sich sicher gewesen, daß sie bei einer derartigen Drohung sofort einen Rückzieher machen würde. Welche Frau wollte schon als Hure dastehen, zumal wenn sie im Begriff war, in eine altehrwürdige Familie einzuheiraten. Fakt war jedoch, daß seine Fotoaktion nicht den erwünschten Erfolg gehabt hatte, daß er jetzt zwar eine sehr aufreizende Bilddokumentation besaß, aber auch eine gewaltige Rechnung, die er nicht bezahlen konnte. Er hatte gehofft, mit Inas Rückzug in der Familie als der große Zampano dazustehen, und hätte dies intern im Hinblick auf die Erbschaft auch sofort festgeschrieben. Denn wenn er diese Hochzeit tatsächlich hätte vereiteln können, wäre ein Erfolgshonorar in der Größenordnung des halbierten Witwenanteils nur gerecht gewesen. Aber jetzt sah es so aus, als ob sich Ina von seinen Drohungen, sie öffentlich bloßzustellen, überhaupt nicht beeindrucken ließ. So konnte nur noch das Finale bleiben, nämlich auf Annos Ehrgefühl zu setzen. Das Blatt und die Bilder mußten ihm in die Hände fallen, dann warf er sie möglicherweise hinaus. Er jedenfalls würde das mit Renate so machen, wobei er sich gleichzeitig nicht vorstellen konnte, daß es Renate je auf einer Gartenbank treiben würde. Sie streikte ja schon bei Licht.

Hans-Jürgen saß an seinem Lieblingsplatz im Garten und genoß es, daß Renate vom Einkaufen noch nicht zurück war und die Nachbarn ihn in Ruhe ließen. So konnte er sich ungestört dem Genuß seines eiskalten Hefeweizens und seinen Gedanken hingeben. Immerhin hatte er zwischenzeitlich wenigstens einen Trumpf in der Hand: Seine Recherchen in Annos Vermögensangelegenheiten waren erfolgreich gewesen. Er wußte jetzt dank seiner Beziehungen, daß Anno bei seiner Hausbank etwa vier Millionen Mark an angelegtem Geld, Fonds, Wertbriefen und Aktien verbucht hatte. Zuzüglich der Dinge, die nicht über die Bank herauszubringen waren, und seiner Villa. Es würde sich also auf jeden Fall lohnen, die Nase vorn zu halten, er durfte nicht locker lassen. Gleich nachher wollte er das Überraschungspäckchen an Anno schnüren. Er trank einen großen Schluck und hoffte, daß Renate sich in der Stadt etwas zurückhalten würde, denn wenn sie weiterhin ihre Kreditkarte so bedenkenlos einsetzte, mußte er sie früher oder später über ihre finanzielle Lage aufklären. Und das war schwierig genug, denn dann würde sie als die Tochter aus gutem Hause dastehen, die bei einem Versager gelandet war. Und das würde sie ihn spüren lassen, das wußte er jetzt schon.

Er hörte das Telefon klingeln, dachte aber nicht daran, das Gespräch anzunehmen. Wer konnte es schon sein. Eine der zahlreichen Bridgefreundinnen seiner Frau oder irgendwas für seine Kinder. Er sah es nicht ein, wie eine Sekretärin Notizen für irgendwen zu machen. Wenn es wichtig war, riefen sie ohnehin noch mal an oder sprachen auf den Anrufbeantworter.

Thekla hielt den Hörer in der Hand und überlegte, ob sie Renate etwas auf den Anrufbeantworter sprechen sollte oder nicht. Sie entschied sich für die kurze Bitte um einen Rückruf, es sei dringend. Dann wählte sie Lydias Nummer. Das war ohnehin wichtiger, denn nun galt es, diesen Psychiater in Marsch zu setzen. Kurt sollte sich gleich mal dahinterklemmen. Für irgendwas mußte so ein Mann ja auch gut sein.

Anno war vom Tisch aufgestanden. »Ich muß mich hinlegen. Für mich gibt's jetzt ohnehin nichts zu tun.« Er ging ein paar Schritte, dann drehte er wieder um. »Das heißt, eines doch. Wenn's dir recht ist, Ina, dann heiraten wir so schnell wie möglich. Gleich am Montag werde ich mich informieren, ob wir den Termin nicht vorziehen können. Und mit meinem Notar werde ich Anfang nächster Woche auch sprechen. Falls hier jetzt tatsächlich der Erbenkrieg ausbricht, haben sie an meinem Grab wenigstens nichts zu lachen!« Er hob die Hand leicht zum Gruß und ging in Richtung seines Schlafzimmers.

»Und wir beide kümmern uns jetzt um Romy!« sagte Niklas zu Claudio.

»Wir beide?« Claudio schaute ihn schräg an. Er spürte den Cognac, und das Gefühl von Trauer, Bitterkeit und Vorwürfen gegen sich selbst verstärkte die Wirkung noch.

»Selbstverständlich wir beide. Schließlich hast du mit ihr gelebt. Oder willst du nicht?«

»Davon kann gar keine Rede sein. Deine Familie wird mich steinigen!«

»Das wollen wir erst mal sehen! Wir beide werden das jetzt in die Hand nehmen. Müssen wir ja wohl auch. Anzeige aufsetzen, Karten schreiben, Beerdigungstermin, was weiß ich, was man da alles tun muß. Als erstes rufe ich meine Mutter an, die muß sich um die rechtlichen Angelegenheiten kümmern. Und dann müssen wir herausfinden, wohin man Romy gebracht hat. Oder weißt du das?«

Claudio saß wie erschlagen am Tisch. »Irgendwie fühle ich mich zu nichts mehr fähig. Aber das kriege ich noch zusammen.«

Michael Schatte hatte sich angehört, was Kurt zu sagen hatte. Es war ein genialer Zufall, denn wenn die alte Dame wirklich an Gift gestorben war, ließ sich daraus leicht etwas machen. Er mußte herausbekommen, wer diese Obduktion durchführte, das bedeutete einige Telefonate, war aber nicht weiter schwierig. Und eigentlich kannte er ja fast alle, und mit den meisten von ihnen ließ es sich reden.

Julia reiste am nächsten Tag schweren Herzens ab, Niklas fuhr sie zu ihrem Auto, und die übrigen Tage waren mit Vorbereitungen erfüllt. Ina, Claudio und Niklas versuchten Romy einen würdigen Abschied zu bereiten. Das war gar nicht so einfach, denn zum einen war Romy noch nicht zur Beerdigung freigegeben, und zum anderen mischte sich die Familie vehement ein. Niklas' Geschwister drängten darauf, daß Claudio aus dem mütterlichen Haus ausziehen müsse, aber Niklas stärkte Claudio den Rücken, dies nicht zu tun. Solange das Testament nicht eröffnet sei, bewege sich da gar nichts, und soviel er wisse, sei die Familie doch sowieso enterbt. Wozu also diese Aufregung.

Ina und Anno wiederum bereiteten ihre Hochzeit vor. Sie sollte kurz und standesamtlich sein, und für die Feier wollten sie nur die engsten Freunde einladen. Da sich dieses Bild, seitdem sie offiziell zusammen waren, etwas gewandelt hatte, war es eher ein kleiner Kreis, den sie nach Bregenz in das Schloßrestaurant einladen wollten.

Aus ihrem eigenen Umfeld dachte Ina nur an ihre Freundin Doris. Die war jedoch inzwischen für zwei berufliche Jahre nach Toronto gezogen, und es war fraglich, ob sie kommen könne. Außerdem mußte Ina ihr überhaupt erst einmal einen langen Brief über die jüngsten Geschehnisse schreiben, und sie wußte einfach nicht so recht, wie sie es anfangen sollte. Ich schlafe mit einem 33jährigen, heirate aber einen 85jährigen? Ich denke, du verstehst das, Doris? Klar würde sie es verstehen, Freundinnen verstehen schließlich alles, aber ein bißchen Fleisch an den Knochen würde sie ihr schon liefern müssen. Telefonisch war das jedoch zu teuer und eine E-Mail zu unpersönlich und überhaupt – wer wußte schon, wer in diesem Fall was lesen würde. Sie entschloß sich also zu einem Brief, auch wenn das mühsam war und lange dauern würde.

Es war Donnerstag nachmittag, als Ina auf der Terrasse saß und nach den ersten Worten suchte. Nach der ersten Seite hatte sie sich eingeschrieben, und es lief ihr aus der Feder, was sie Doris dringend erzählen wollte. Als es an der Tür klingelte, schaute sie hoch und wartete, ob sich Nancy zeigen würde. Beim zweiten Klingeln stand sie selbst auf. Sie schaute schnell auf die Uhr, drei, das könnten Carolines Freundinnen sein. Vorsorglich rief sie schon mal »Caroline« nach oben in das Kinderzimmer, wo sie Hausaufgaben machte, während sie auf den Türöffner für das Gartentor drückte und die Haustür öffnete. Es kamen ihr aber zwei Gestalten entgegen, die mit Carolines Freundinnen nicht die geringste Ähnlichkeit besaßen.

»Polizei?« sagte sie zur Begrüßung. »Was verschafft uns die Ehre?«

Die beiden Beamten begrüßten sie und fragten nach Anno.

»Um diese Uhrzeit pflegt Herr Adelmann seinen Mittagsschlaf zu halten. Ich darf ihn nicht stören. Kann ich etwas ausrichten?«

»Sind Sie mit Anno Adelmann verwandt?« fragte der eine, und Ina spürte, wie ihr Herz schneller schlug. Irgend etwas braute sich da wieder zusammen, das letztlich wahrscheinlich sie betraf.

»Ich bin seine Braut«, sagte sie und kam sich dabei komisch vor.

»Tja.« Ihr Gegenüber musterte sie kurz und schob dabei seine Mütze etwas nach hinten. »Wir müssen Sie leider bitten, ihn zu wecken. Gleichzeitig können Sie uns sicherlich den Kuchen aushändigen, von dem Frau Steinberg letzte Woche gegessen hat, bevor sie verstorben ist!«

Aha. Ina überlegte. Jetzt ging es dieser verbrecherischen Familie wohl an den Kragen. »Liegen die Obduktionsberichte für Romy denn vor?« wollte sie wissen.

»Ja«, sagte der andere Beamte, der für seine Statur ein erstaunlich kindliches Gesicht hatte, »aus diesem Grund benötigen wir diesen Kuchen.«

Ina bat sie herein, holte den eingepackten Kuchen aus der Speisekammer, weckte Anno und bot den beiden Polizisten auf der Terrasse Kaffee an. Sie lehnten gerade ab, als Anno dazukam.

Er hatte sich einen seidenen Morgenmantel übergezogen, aber man sah ihm an, daß er aus tiefem Schlaf geholt worden war. Die weißen Haare hatten sich nach dem eiligen Durchkämmen wieder aufgestellt und seinen zahlreichen Wirbeln ergeben. Aber er trat wie immer herrschaftlich auf. »Womit kann ich Ihnen behilflich sein, meine Herren?« fragte er und blieb zunächst mal am Tisch stehen.

»Die Obduktion von Martha Steinberg hat ergeben, daß sie keines natürlichen Todes gestorben ist. Es liegt deswegen eine Anzeige gegen Sie vor!«

Anno kniff die Augen zusammen, und Ina glaubte, umfallen zu müssen. Gegen *Anno* wurde ermittelt? Nicht gegen seine Familie?

»Was ist denn das für ein Blödsinn«, rutschte ihr heraus.

»Eine Anzeige?« Anno fuhr sich mit den gespreizten Fingern durch die Haare. »Wie soll ich denn das verstehen?«

»Noch gar nicht. Zunächst muß einmal dieser Kuchen untersucht werden, dann wird sich zeigen, ob sich der Verdacht gegen Sie erhärtet oder nicht!«

Anno stand stocksteif. »Von welchem Verdacht reden Sie überhaupt?«

»Je nachdem geht es um Mord oder um eine haltlose Vermutung. Das wird sich herausstellen. Wir fangen mit den Ermittlungen ja gerade erst an!«

»Aber Sie sprechen von mir?«

»Ja, das tun wir!«

»Und weshalb hätte ich Romy oder, wie sagten Sie, Martha Steinberg umbringen sollen? Aus welchem Grund?«

Die beiden Beamten sahen sich an, der eine schob seine Mütze wieder etwas über die Stirn nach hinten. »Dem Vormundschaftsgericht liegt ein Antrag vor, einen Betreuer für Sie bestellen zu lassen!«

»Einen *was*? Wieso denn das?« Ina trat mit wenigen schnellen Schritten neben Anno.

»Es besteht die Möglichkeit einer psychischen Krankheit. Das muß allerdings von einem Gutachter geprüft werden, bevor der Richter darüber entscheiden kann!«

Ina griff Anno schnell stützend am Arm.

»Können Sie uns das bitte erklären?« Anno legte seine Hand beruhigend auf Inas Finger.

»Darüber können wir weiter nichts sagen! Sie werden aber von uns hören.« Die beiden verabschiedeten sich, nahmen den in Alufolie eingepackten Kuchen vom Tisch und gingen.

Ina begleitete sie zur Eingangstür und wartete dort so lange, bis sie sehen konnte, daß der Polizeiwagen wegfuhr. Anschließend kam sie zu Anno zurück.

Der saß am Tisch und schaute auf den See hinaus. »Das hätte ich mir auch nie träumen lassen«, sagte er und schüttelte den Kopf. »Jetzt werde ich mit 85 Jahren noch zum Mörder!« Er lachte kurz auf. »Und zum Irren!« Er schaute Ina an, und seine Mimik drückte ungläubiges Staunen aus. »Bring mir doch bitte mal das Telefon, Ina, jetzt habe ich genug! Ich muß Thekla anrufen, das will ich wissen!«

Ina ging mit gemischten Gefühlen zum Telefontisch und nahm das Handy mit. Kaum hatte Anno es aber in der Hand, klingelte es. »Hmm«, es war ihm nicht recht, denn eigentlich ging er nie als erster ans Telefon, aber er nahm das Gespräch an. »Ach, Sie sind es …«, hörte Ina ihn sagen, und schließlich lachte er. »Entschuldigen Sie, aber das ist ja nur noch idiotisch! Bei mir waren eben auch Polizeibeamte, und die erzählten mir das gleiche!«

Ina warf ihm einen fragenden Blick zu. Mit wem sprach er?

»Augenblick bitte mal, Claudio, das muß ich Ina erzählen!« Er nahm kurz den Hörer auf die Seite. »Romys Sohn hat Anzeige gegen Claudio erstattet. Mordverdacht. Er habe die alte Dame schneller beerben wollen, das sei das Motiv! Die Polizei war eben bei ihm!«

Ina verzog das Gesicht. Sie wußte nun wahrlich nicht mehr, ob es eine Groteske oder ein Drama war. »Eine Leiche und zwei Mörder?« sagte sie. »Und der Gärtner war völlig unbeteiligt?«

Es klingelte wieder an der Tür. »Ich mache auf«, sagte Ina, denn jetzt konnten es wirklich nur die Kinder für Caroline sein. Sie wollte möglichst nichts von dem Gespräch verpassen, deshalb drückte sie auf den Toröffner und kam gleich darauf wieder zurück. Carolines Spielkameraden kamen sowieso durch den Garten. Ina war gerade wieder bei Anno, als es erneut klingelte. Diesmal direkt an der Haustür. »Was ist denn heute bloß los!«

Sie machte Anno gegenüber eine bedauernde Geste und lief zur Tür. Ein hochgewachsener Herr im grauen Anzug, blauer Krawatte mit Rautenmuster und weißem Hemd stand vor ihr. Die Aktentasche in der Hand ließ auf einen Versicherungsvertreter schließen.

»Ja, bitte?« fragte Ina zurückhaltend, ganz darauf bedacht, ihn sofort wieder abzuwimmeln.

»Ich habe einen Termin mit Herrn Adelmann. Wenn Sie mich bitte anmelden könnten? Mein Name ist Schatte. Dr. Michael Schatte!«

Sah sie jetzt schon wie eine Hausdame aus? Es wurde ja immer besser!

»Warten Sie bitte einen Augenblick«, sagte sie, dachte aber erst über den Besucher nach, als sie bereits durchs Haus auf die Terrasse zu Anno ging.

Schatte? Das sagte ihr doch etwas. Doktor Schatte? Sie blieb stehen. Der Psychiater, mein Gott!

Hatte sich Anno tatsächlich mit dem verabredet?

»Anno«, sie ging zu ihm und berührte ihn sacht am Arm. »Entschuldige, aber draußen steht Doktor Schatte. Er sagt, ihr hättet einen Termin ...«

»Schatte?« Anno runzelte die Stirn.

»Ich glaube, der Psychiater!«

Anno lachte wieder. »Also, Claudio, langsam macht das Ganze Sinn«, sagte er ins Telefon. »Nun habe ich bereits den passenden

Psychiater für die Klapse im Eingang stehen. Den schaue ich mir jetzt mal an. Wenn Sie wollen, kommen Sie vorbei!«

Michael Schatte schrieb am selben Abend noch sein Gutachten. Es sei anzunehmen, daß Anno Adelmann kraft seines Alters und seines Geschlechts völlig in der Hand dieser jungen Frau sei. Draußen stünde, genau wie von der Familie Anno Adelmanns beschrieben, ein Jaguar-Cabrio, Wert schätzungsweise 130 000 Mark, das sie von ihm zur Verlobung bekommen habe. Die Verlobung habe aber nie stattgefunden, sondern Ina Schwarz habe offensichtlich durchgesetzt, daß sofort geheiratet werden solle. Körperlich hinterließe Anno Adelmann eher einen fragwürdigen Eindruck. Am hellen Nachmittag war er noch immer im Bademantel, und dies ungekämmt. Möglicherweise stünde er unter Medikamenten oder auch Drogeneinfluß, was wiederum der jungen Frau zuzuschreiben sein könnte. Sie habe ihm auf »den Schreck hin«, wie sie sagte, einen Cognac serviert, nachmittags um vier Uhr, was auch noch darauf schließen lassen könne, daß sie ihn in den Alkoholismus treiben wolle.

Alles in allem müsse er, Dr. Michael Schatte, der Befürchtung zustimmen, daß Anno Adelmann völlig in der Hand dieser Frau sei, keine eigenen Entscheidungen mehr treffen könne und keine Chance habe, sich gegen seine weibliche Begleiterin zu wehren. Alle Fakten zusammen, unterstrichen durch seine extreme Labilität, wiesen auf eine psychische Krankheit hin und ließen ihn eine Betreuung befürworten.

Er ließ den Brief gleich zur Post bringen, damit der betreffende Richter schon morgen Maßnahmen ergreifen konnte. Eine Kopie des Gutachtens ging an Kurt, zusammen mit einer ersten Rechnung über 10 000 Mark. In einem kurzen Begleitbrief erläuterte er die Summe. Schließlich habe er für das Gesagte geradezustehen, und damit sei dieser Betrag durch das Ausmaß der möglichen Folgen dessen, was er veranlasse, eher als zu niedrig veranschlagt zu betrachten.

Die Trauung fand am nächsten Dienstag statt, an dem Tag, als Richter Rebherr das Gutachten von Michael Schatte las. Er las es langsam und sorgfältig und gleich ein zweites Mal, denn es war recht eindeutig. Was Schatte da zu berichten hatte, zeigte zweifellos, daß Adelmann nicht mehr Herr seiner Sinne oder zumindest seines Willens war. Es schien also in die richtige Bahn zu laufen, wenn Anno Adelmann in Zukunft von der Familie betreut werden würde und dies auch noch in deren Nähe. Er beschloß, alles weitere für diesen Schritt in die Wege zu leiten.

Die Trauung war schlicht und schnell vollzogen. Der Standesbeamte nuschelte so sehr, daß Ina kaum etwas verstand, aber es war ihr auch egal. Als er anfing, vom Eheglück mit Kindersegen und den unsäglichen Folgen zu schneller Scheidungen zu sprechen, war ihr klar, daß dies sowieso ein stereotyper Text war. Kein Mensch konnte bei ihrem Anblick auf die Idee reichen Kindersegens kommen. Claudio und Niklas waren die Trauzeugen, Caroline stellte sich an die Seite ihrer Mutter, und Nancy war der einzige Gast. Julia hatte wegen einer wichtigen Klausur nicht kommen können, weitere Gäste waren nicht geladen, und auch Doris war natürlich aus Toronto nicht extra eingeflogen. Es war sowieso fraglich, ob der Brief sie noch rechtzeitig erreicht hatte.

Ina hatte sich für ein schlichtes lachsfarbenes Kostüm entschieden, während Anno einen dunkelblauen Anzug mit dunkelroter Fliege und Einstecktuch trug.

Einzig Caroline trumpfte auf. Sie hatte sich für diesen Anlaß ein besonderes Kleid gewünscht und ihrer Mutter erklärt: »Wenn schon du als Braut nicht in Weiß gehst, tue ich das wenigstens.« So trug sie stolz ein beigefarbenes langes Spitzenkleid mit großer Schleife, weitem Rock und in der Hand ein dazu passendes Biedermeiersträußchen. Sie fand die Hochzeit toll, denn erstens hatte sie sich dafür dieses Kleid aussuchen dürfen, und zweitens bedeutete das, daß sie in der Villa blieben. Und sie zudem einen neuen Vater bekam, der dazu auch noch herrliche Geschichten erzählen konnte.

Ina und Anno waren trotz allem gut aufgelegt, irgendwie kam es ihnen vor, als spielten sie der ganzen Welt einen Streich. Sie tauschten lächelnd die Ringe, die sie tags zuvor noch in Lindau ausgesucht hatten, und fuhren zur Feier nach Bregenz. Ina hatte lange darüber nachgedacht, ob sie ihren Namen behalten sollte, aber Anno hatte sie gebeten, seinen anzunehmen. »Du bist hiermit die einzige Adelmann«, sagte er dazu. »Und wenn es dir recht ist, werde ich Caroline adoptieren, dann trägt sie diesen Namen auch.« Ina dachte nach und willigte schließlich ein. Eigentlich war es ihr völlig egal, ob sie Schwarz oder Adelmann hieß. Caroline Adelmann klang auch nicht schlecht, und wenn es ihm etwas bedeutete, bitte.

Anno hatte im Restaurant ein sechsgängiges Hochzeitsmenü bestellt, und so saßen sie in einem der ehrwürdigen Räume, tranken auf den Tag und die Zukunft, kamen aber doch relativ schnell wieder zu Romy und den Ereignissen zurück.

»Haben Sie eigentlich die Untersuchungsergebnisse mitgeteilt bekommen?« wollte Niklas wissen.

»Welche meinen Sie jetzt?« Anno stellte sein Glas ab. »Die von Romy?«

»Nein, die des Kuchens! Ich meine, wenn der vergiftet war, hat sich noch keiner um die andere Theorie gekümmert, daß man nämlich *Sie* um die Ecke bringen wollte!«

Anno zog eine Augenbraue hoch. »Ich nehme an, das interessiert im Augenblick auch keinen. Die Geschichte soll so laufen, daß ich Romy in geistiger Umnachtung umgebracht habe und deshalb als gemeingefährlich einzustufen und aus dem Verkehr zu ziehen bin!« Er strich sich mit einer kurzen Handbewegung seine weißen Haare in die Stirn, verzog das Gesicht zu einer Grimasse und machte mit einer schnellen Handbewegung in Carolines Richtung: »Hu!«

Caroline kreischte auf und lachte. »Wie siehst du denn aus! Wie von der Geisterbahn!«

»Genau!« Anno strich sich die Haare wieder zurück und lächelte Caroline an. »Geht's jetzt wieder?«

»Mach's noch mal!«

»Heute abend, im Dunkeln«, versprach er. »Zur Geister-stunde!«

»Lieber nicht!« wehrte Caroline ab. »Da krieg ich bloß Angst!«

»Aber wie auch immer«, wandte Anno sich wieder an Niklas, »sie sind zu spät. Wir sind rechtmäßig verheiratet, und alles, was sie jetzt noch aushecken, ändert an dieser Tatsache nichts mehr. Zumindest nicht bis zu dem Tag, an dem Ina sich wieder scheiden läßt ...« Er warf ihr einen schrägen Blick zu.

»Wie?« Ina legte ihre Hand auf seinen Unterarm. »Wie meinst du das?«

»Nun, könnte ja sein, daß du dich verliebst, einem echten, wie sagt man das heute, *Knaller* begegnest, sagen wir mal einem Mannsbild wie Claudio beispielsweise.«

Ina sagte nichts, sondern warf Claudio einen Blick zu. Er gab ihn ebenso fragend zurück. Der Kellner half ihnen über die Situa-tion hinweg, indem er für jeden ein Amusegueule in Form einer kleinen Kaninchenterrine als ersten Gruß aus der Küche servierte.

»Iih, Kaninchen«, sagte Caroline sofort, »das esse ich nicht!«

»Gib's mir«, sagte Niklas und zog ihr den Teller unter der Nase weg. »Ich esse es gern!«

Trotzdem hing Annos Satz noch im Raum. Ina gab sich einen Ruck. »Ich hab's nicht so ganz verstanden, Anno, was meintest du?«

Er griff nach seinem Champagnerglas und hielt es hoch. »Trin-ken wir zunächst einmal auf die Freundschaft, das Verständnis und das Leben.« Er wartete, bis Ina mit ihm angestoßen und alle ge-trunken hatten. »Und dann trinken wir darauf, daß die Dinge sind, wie sie sind. Es ist nichts vorhersehbar, und man kann auch nichts erzwingen. Zumindest nicht auf Dauer!«

»Ich stimme dem gern zu, aber hat es eine besondere Bewandt-nis?« fragte nun Claudio.

»Mag sein, mag nicht sein.« Anno hielt noch immer sein Glas in der Hand. »Ich habe gestern von UPS ein Päckchen in die Hand gedrückt bekommen. Ina war mit Nancy und Caroline das Kleidchen kaufen, also habe ich selbst aufgemacht. Nicht nur die Tür, sondern später auch noch das Päckchen.«

Ina spürte, wie ihr die Röte ins Gesicht schoß. Jetzt war es klar, was er meinte. Claudio hatte unrecht gehabt. Es war nicht das beste, die Dinge einfach laufenzulassen. Er hatte es also bekommen.

»Es tut mir leid, daß du auf diese Weise damit konfrontiert wurdest«, sagte sie leise.

Niklas schaute von einem zum anderen.

Anno zuckte leicht die Schultern. »Es ist, wie's ist. Was würde es ändern, wenn ich die Fotos nicht gesehen hätte?«

Jetzt dämmerte auch Claudio, worum es ging. »Ach, du lieber Himmel«, rutschte es ihm spontan heraus. »Auch das noch! Das hätte nun wirklich nicht sein müssen!!«

»Was ist denn los?« wollte Caroline wissen, und Niklas schloß sich an: »Das wüßte ich auch gern!«

»Warum hast du denn gestern nichts gesagt?« Ina ignorierte die Fragen der anderen. Ihr war das Ganze mehr als furchtbar.

»Ich wollte dich heiraten. Und dem sollte nichts im Wege stehen. Nun ist es raus, und es ist gut so!« Dann hob er das Glas und sagte nur: »Wißt ihr eigentlich, daß wir hier beim österreichischen Koch des Jahres essen? Also konzentrieren wir uns auf die feinen Gänge, sonst hätten wir auch zu Tante Frieda in die Currywurstbude gehen können!«

Der Triumph war groß, als Thekla am nächsten Morgen Dr. Rebherr anrief. Er erklärte ihr zwar, daß er ihr keinen offiziellen Vorentscheid geben könne, er informell aber geneigt sei, ihrem Antrag stattzugeben. Sie möge dies nicht als abschließenden Bescheid betrachten, doch könne sie sich schon einmal Gedanken machen, wer aus der Familie die Betreuung übernehmen wolle und wo Anno Adelmann in Zukunft unterzubringen sei. Als Thekla auflegte, stieß sie einen spontanen Siegesschrei aus. Das war die perfekte Sensation! Jetzt war es durch! Diese Ina Schwarz würde keine Chance mehr haben, ihr Vater würde ihnen zur Kontrolle unterstehen. Es war ein ungewohntes Machtgefühl, das sie durchflutete. Ihr Vater, der ihr ihr Leben verdorben hatte, indem er ihr die Leitung der Firma von vornherein nicht zugetraut hatte, nicht zur Kenntnis nahm, daß sie hochintelligent war, und dann auch noch darauf bestanden hatte, daß sie wegen ihrer Schwangerschaft Gerhard heiraten mußte. Er war ihr Vater, und somit hatte sie ihn auch zu lieben. Aber ihre Gefühle waren längst abgestorben, sie hatte nie richtig gelebt, denn seine Autorität hatte ihr im entscheidenden Moment die Flügel gebrochen, sie hatte nie fliegen dürfen, sich nie selbst erfahren können. Sie war immer das Produkt anderer gewesen, zunächst das ihres Vaters und dann das ihres Mannes. Dabei hätte sie das nie nötig gehabt. Es tat weh, mit 56 Jahren erkennen zu müssen, daß ihr Leben an ihr vorbeigegangen war.

Und nun kam diese Beurteilung eines angesehenen Richters. Sie hatten gesiegt, auf der ganzen Linie. Die Schwarz würde in die Röhre glotzen, und sie, Thekla, hätte ihr Erbe schneller als gedacht. Jetzt müßte sie eigentlich nur noch Gerhard loswerden, Grund hatte sie ja genug, und sich gegen die Schwestern durchsetzen, dann stand einem gemütlichen Lebensabend in der Villa nichts mehr im Wege. Ihre erste Amtshandlung, das wußte sie jetzt schon, würde sein, Nancy zu entlassen.

Sie griff zum Telefon und rief Lydia an. Lydia erschien ihr die rechte Betreuerin zu sein. Von ihrem Mann unterstützt, konnte da eigentlich nichts mehr schiefgehen. Und sicherlich gab es in der Nähe ihrer Wohnung in Augsburg auch ein passendes Heim.

Aber Lydia zeigte sich zwar hochbegeistert über ihren gemeinsamen Erfolg gegen Ina Schwarz, aber von einer Betreuung wollte sie nichts wissen. »Ich binde mir doch auf meine alten Tage nicht eine solche Last auf! Tu's selbst, oder frag die anderen. Kurt hat diese ganze Nummer in Schwung gebracht, also haben wir unseren Teil geleistet.«

Irgendwie hatte sie da sogar recht. Wer noch überhaupt nichts getan hatte in dieser Sache, war Renate. Obwohl ihr hochgelobter Ehemann angeblich alles mit links schaffte, war aus dieser Ecke überhaupt nichts gekommen. Thekla wählte Renates Nummer und hatte Glück. Renate war da, und sie fand die Nachricht gigantisch, gab aber zu bedenken, daß es ja wenig Sinn hätte, den Vater nach Mannheim ziehen zu lassen, wenn sie selbst bald umzögen.

»So? Wo wollt ihr denn hinziehen? Davon weiß ich ja noch überhaupt nichts?!«

»Nun, in die Villa! Wer soll denn dorthin, wenn sie leersteht? Eine von uns muß doch darauf aufpassen!«

»Ach! Und das sollt ausgerechnet ihr sein?«

»Wer denn sonst? Gerhard ist an der Uni, er kann die Uni schließlich nicht verpflanzen. Kurt hat seine Praxis, und Bernadette hat keinen Mann. Also bleiben doch nur wir übrig!«

»Ist ja interessant! Und Hans-Jürgen mit seiner Kanzlei? Ist so eine Kanzlei nichts? Ich meine, kann man das so einfach aufgeben?« fragte Thekla, und sie spürte, wie ihr Unterton immer gereizter wurde.

»Hans-Jürgen kann auch von Lindau aus arbeiten. Und mit 53 hat er genug verdient!«

»So, hat er! Dann werde ich dich mal über deinen feinen Hans-Jürgen aufklären!« Und Thekla knallte Renate in fünf Minuten mehr Informationen um die Ohren, als sie in all ihren Ehejahren zu hören bekommen hatte.

In Renate kroch der alte Jähzorn empor: »Du redest doch bloß«, unterbrach sie Theklas Redeschwall. »Kasino, Schulden, Weibergeschichten – Thekla, das ist doch purer Schwachsinn! Wenn Hans-Jürgen daneben stehen würde, würdest du nicht so daherreden!«

»Dann erst recht!« empörte sich Thekla. »Vor allem deshalb, weil es alle wissen, nur du nicht! Frag ihn doch mal, wie er seine letzten Spielschulden bezahlen wird – du wirst schon sehen, was er sagt!«

Renate war unsicher geworden. Es klang überzeugender, als ihr lieb war. Gegen Gehässigkeit war sie von Kindheit an gewappnet. Aber das hier hörte sich irgendwie nach Wahrheit und somit direkt bedrohlich an. Den Rest wollte sie von Hans-Jürgen selbst hören.

»Nimm du Vater doch!« sagte sie, um Thekla wieder zum Ausgangspunkt zurückzubringen. »Schließlich bist du die Älteste, ich denke, es ist dein Vorrecht!«

Thekla legte erbost auf, aber auch bei Bernadette hatte sie kein Glück. Es war nicht anders als nach seinem Schlaganfall. Keine wollte ihn haben, keine wollte sich mit dem Vater belasten.

Thekla überlegte. Wenn sie tatsächlich die Betreuung übernehmen würde, was könnte für sie herausspringen? Konnte sie die anderen ausbooten, das alleinige Erbe antreten? Nein, da gab es einen Pflichtteil für die Kinder, so viel wußte sie. Aber der Rest? Und ließe sich nicht auch über monatliche Zahlungen etwas drehen? Sie mußte das nochmals ganz genau durchdenken.

Am späten Nachmittag war sie nach etlichen Telefonaten so weit, daß sie Dr. Rebherr anrief und dem Richter mitteilte, daß sie die Betreuung für ihren Vater übernehmen würde. Dazu gehörte, das wußte sie jetzt, auch die Vollmacht über sein Bankkonto. Und da sollten ihre Schwestern erst einmal schauen, wo sie blieben. Sie war eben schon immer die Cleverste in diesem Clan gewesen. Dr. Rebherr zeigte sich angetan, somit sei auch dies geklärt, und die Dinge nähmen ihren Lauf. Es könnte schneller gehen als erwartet, Thekla möge die Dinge bei sich zu Hause also schon einmal festschrauben.

Am nächsten Tag fand Thekla, wie alle ihre Schwestern auch, die Nachricht der vollzogenen Trauung in ihrem Briefkasten. Das war mehr, als sie ertragen konnte. Zuerst sank sie mit dem Brief nieder, dann las sie ihn wieder und wieder, um einen Fehler zu entdecken, schließlich rief sie auf dem Standesamt in Lindau an, um sich bestätigen zu lassen, was sie nicht glauben konnte. Der offizielle Termin war doch erst in zwei Wochen. Es hätte gereicht, sicherlich hätte es gereicht. Das Vormundschaftsgericht war doch schon soweit!

Bloß, was fing sie jetzt mit ihrem Vater an?

Das war die blanke Ironie: Sie schaffte Anno aus der Villa weg, und die Schwarz saß wie die Made im Speck in derselben und lachte sich über die Doofheit der Familie ins Fäustchen. Sie mußte die Betreuung sofort rückgängig machen! Aber wie sollte das geschehen? Den Richter anrufen und erklären, Anno habe sich schlagartig von seiner Verwirrung erholt? Auch diese Romy, alias Martha Steinberg, sei mitnichten von ihm vergiftet worden, sondern habe sich selbst gemeuchelt? Keiner würde das glauben. Zudem – die Untersuchungen liefen, da würde sie sich kaum noch einschalten können.

Himmel Herrgott, jetzt hatte sie ihren Vater am Hals, der sie für seine restlichen Tage auch noch schikanieren würde.

Am Mittwoch hatte Caroline erst um halb zehn Schule. Das war einer der gemütlichen Tage, da alle völlig ausgeruht am Frühstückstisch saßen. Anno hatte Ingo Feilhaber dazugebeten, denn er fand, daß jetzt wohl keine Gefahr mehr drohe und somit Herrn Feilhabers Arbeitsvertrag als Detektiv ausgelaufen sei. Caroline, gewissenhaft, wie es ihrem Naturell entsprach, war früh dran und bot sich bei Nancy an, den Tisch zu decken. Nancy war froh darüber, denn ihr Gewicht machte ihr zuweilen erheblich zu schaffen, und so mußte sie nicht so oft hin- und herlaufen. Caroline liebte es, in der Speisekammer zu stöbern und heimlich Dinge zu probieren, die sonst den Erwachsenen vorbehalten waren. So fing sie an, mehrere in Alupapier eingewickelte Teilchen auszupacken. Manche waren bereits so hart, daß Caroline sie direkt auf den Küchentisch zum Wegwerfen legte. Zwei hatten auch schon Schimmel, aber an einem fand sie verlockendes Naschwerk. Sie pulte die orange schimmernden Karotten ab und steckte sich eine davon in den Mund. Der Rest des Kuchens sah nicht mehr gerade frisch aus, aber mit Tee würde es gehen. Caroline wußte, daß Anno gern harten Kuchen aß, meist englischen Biskuit, den er genüßlich in Tee eintauchte. So nahm sie den Kuchen mit, plazierte ihn auf einen feinen Porzellanteller und stellte ihn als Überraschung mitten auf den Tisch.

Ina war die erste, der die Augen förmlich aus den Höhlen quollen. Sie starrte den Kuchen an und gleich darauf Caroline. »Wo hast du den her?« wollte sie mit sich überschlagender Stimme wissen.

»Aus der Speisekammer«, gab Caroline kleinlaut zur Antwort, obwohl sie sich keiner Schuld bewußt war. »Als Überraschung für Anno«, fügte sie noch verhalten hinzu.

»Anno!« brüllte Ina durch das Haus.

Das war das erste Mal, daß Caroline ihre Mutter in einer solchen Verfassung sah. Sie bekam es mit der Angst und rutschte unter den Tisch.

»Anno! Komm schnell her! Nancy!«

Beide kamen aus verschiedenen Richtungen herbeigelaufen.

»Ist was passiert?« fragte Anno in dem Tonfall desjenigen, der sich über nichts mehr wundert.

»Schau dir das an!« Caroline wies auf den Kuchen, der in seiner vollen Länge, bis auf das abgeschnittene Stück, das Romy gegessen hatte, mitten auf dem Tisch stand.

Anno verstand zunächst nicht. Er brauchte einige Sekunden, bis er begriff, daß dies der Kuchen war, der angeblich zu Romys Tod geführt hatte.

»Was hat denn dann die Polizei mitgenommen?« wollte er als erstes wissen, während sich Nancy völlig entgeistert nach Caroline unter dem Tisch bückte.

»Hast du davon gegessen?« wollte sie in hysterischem Tonfall wissen. »Da fehlt eine Marzipankarotte. Hast du die gegessen?«

Caroline war vor Schreck verstummt.

Ina ging auf, was Nancy meinte. Tatsächlich, da fehlte eine der scheußlichen Marzipankarotten, und der Stelle, wo sie einmal gesteckt hatte, nach zu urteilen, war sie gerade erst frisch herausgezogen worden.

»Hast du davon gegessen?« Nun saß auch Ina unter dem Tisch.

Caroline wollte alles Unheil abwenden, denn sie hatte den Eindruck, daß eben die Welt um sie herum zusammenbrach. »Nein!« sagte sie.

»Caroline! Es ist wirklich wichtig! Vielleicht war da Gift drin. Wenn du sie gegessen hast, müssen wir sofort zum Arzt. Schwindel jetzt also nicht, es bedeutet zuviel! Hast du sie gegessen? Ja oder nein?!«

Zum Arzt wollte Caroline nicht. Sie mochte keine Ärzte, meistens tat es weh, wenn sie dorthin mußte, und zudem hatte heute ein Mädchen in der Klasse Geburtstag, und deren Mutter wollte in der Pause Mohrenköpfe bringen. Da freuten sich schon alle darauf, und sie würde sich das nicht vermiesen lassen.

»Nein!« wiederholte sie bestimmt. »Ich habe nichts davon gegessen!«

Ina schaute sie schief an. Sie glaubte kein Wort. »Komm, wir fahren bei Doktor Dieterle vorbei, der soll sich das anschauen!«

»Ich bin doch nicht krank, Mama, und ich habe auch sonst nichts!«

»Egal!« Ina tauchte mit Caroline an der Hand unter dem Tisch auf. »Und den Kuchen lassen wir verschwinden, Anno. Egal, was da drin ist oder nicht drin ist, wir können von Glück sagen, daß ich der Polizei aus Versehen das falsche Stück mitgegeben habe! Da können sie natürlich lange forschen!«

Sie fuhr mit Caroline zum Arzt, der sie zwar als Notfall behandelte, aber nichts feststellen konnte, brachte sie zur Schule, entschuldigte bei ihrem Klassenlehrer die Verspätung und fuhr direkt zu Claudio. Es war ein sehr seltsames Gefühl, die Straße entlangzufahren und dort zu parken, wo sie damals schon geparkt hatte, als sie kurz danach heimlich die Malszene im Garten beobachtete. Daß jetzt alles anders sein sollte, konnte sie kaum fassen. Sie klingelte, und Claudio öffnete kurz danach. Er war sichtlich erstaunt, sie zu sehen.

»Schön, daß du herkommst«, sagte er und nahm sie in die Arme. »Hätte ich nicht gedacht!«

»Nein? Warum nicht?«

»Nun, nach Annos gestriger Eröffnung, und immerhin hast du ja jetzt einen anderen Status!«

»Du spinnst wohl!« Sie küßte ihn. Und schaute an ihm vorbei in den Hausflur. »Bist du allein?«

»Niklas ist zu seiner Familie nach Stuttgart gefahren. Angelika war schon ziemlich ungeduldig. Aber er muß gleich wieder herkommen, denn heute kam das Obduktionsergebnis!«

Er schaute sie an und schob sie dann an den Schultern vor sich ins Haus. »Aber komm erst mal rein. Das müssen wir wirklich nicht draußen besprechen!«

Sie ging durch die Halle ins Wohnzimmer, und alles war wie sonst. Romy, wohin sie schaute, was sie atmete, selbst die Musik. Es war für Ina auch jetzt noch nicht faßbar, daß sie einfach nicht mehr dasein sollte.

»Also, sie ist tatsächlich an Gift gestorben!«

»O Gott, nein!« Ina blieb stehen. »Das ist ja fürchterlich! War es vielleicht doch dieser elende Kuchen?«

»Darüber weiß ich leider nichts!«

Ina mußte trotz allem lachen. »Entschuldige, ich weiß, daß es unpassend ist, aber die Polizei hat das falsche Teil mitgenommen. Ich habe keine Ahnung, was in diesem Alupaket war, ich dachte, der Form und der Plazierung nach müßte es dieser Kuchen sein, aber Caroline hat ihn heute morgen reichlich vertrocknet in der Speisekammer entdeckt!« Und sie erzählte ihm kurz, was sich am Morgen zugetragen hatte.

Claudio strich ihr leicht über die Wange. »Wenn wir die Dinge selbst steuern können, ist das schon mal ein Pluspunkt. Trotzdem, selbst wenn Anno jetzt nicht mehr belastet werden kann, wie auch immer, werft ihn bloß nicht weg. Laßt ihn besser in einem neutralen Labor untersuchen! Man kann nie wissen ...«

»Und was ist mir dir?« Ina begann langsam die Knöpfe seines Polohemds zu öffnen. »Lassen sie dich in Ruhe?«

Er strich ihr über den Rücken. »Ich nehme an, jetzt geht es überhaupt erst los. Der Verdacht ist bestätigt, jetzt brauchen sie einen Schuldigen. Euren Kuchen haben sie nicht, die Theorie mit Anno ist auch zu blöde, aber möglicherweise fällt ihnen ja etwas zu mir ein. Niklas' Onkel arbeitet kräftig daran. Anscheinend glaubt er noch immer an den Weihnachtsmann, der ihm die Gaben auf den Tisch schüttet, sobald ich aus dem Weg bin!«

»Deshalb verstehen wir uns so gut.« Ina suchte seinen Mund. »Zwei personifizierte Dornen im Auge!«

Claudio griff in ihr Haar und schob sie etwas von sich fort. »Was war mit der Hochzeitsnacht? Gehen wir jetzt nicht fremd?«

»Anno war durch und durch Gentleman und hat mir gestern auf der Rückfahrt erklärt, daß es ihm nicht darum ginge. Dieses Thema sei für ihn sowieso erledigt, sein Leben habe durch Caroline und mich neue Qualitäten erfahren. Und neue Erkenntnisse. Der Rest sei akzeptabel!«

»Der *Rest* bin ich?« fragte Claudio und hielt Ina fest. »Was, wenn sie mich morgen als Mörder verhaften?«

»Dann nimm bitte eine Einzelzelle, damit wir ungestört sein können!«

Thekla fühlte die Mühlen des Gesetzes mahlen. Sie hatte ein Schwungrad in Gang gesetzt, das jetzt nicht mehr so schnell zu bremsen war. Dr. Rebherr behandelte die Akte Adelmann bevorzugt, und bald traf sowohl bei Thekla als auch in der Villa vom Vormundschaftsgericht die amtliche Benachrichtigung ein, daß Anno der Betreuung durch seine Tochter Thekla unterstellt sei und diese in Zukunft seine Angelegenheiten zu besorgen habe.

Thekla wußte nun überhaupt nicht, wie sie reagieren sollte, denn kaum, daß sie das Schreiben erhalten hatte, kam ein Brief des Rechtsanwalts von Ina Adelmann – schon bei diesem Namen hätte sie ihr am liebsten die Kugel gegeben –, der ihr im Namen seiner Mandantin viel Spaß bei der Betreuung wünschte und einige gute Ratschläge erteilte. Wie beispielsweise den, daß Anno seinen Nachmittagstee exakte sechs Minuten ziehen lasse, sein Frühstücksei jedoch nur fünfeinhalb. Und daß Thekla dies präzise zu beachten habe, da er sich ja selbst nicht mehr versorgen könne. Für den Großteil seiner Wäsche dulde er im übrigen nur Handwäsche, aber das würde Thekla in ihrer Eigenschaft als Hausfrau sicherlich nicht weiter tangieren. Zudem trage er nur selbstgestrickte Socken, allerdings natürlich nicht aus Wolle, sondern aus einem feinen Seidengemisch, dessen kurze Haltbarkeitsdauer häufiges Nachstricken bedinge. Seinen Lieblingsfriseur in Lindau werde er auch während eines Zwangsaufenthalts in Mannheim nicht aufgeben. Aber da er nur alle drei Wochen zum Nachschneiden gehe, sei dies sicherlich ohne weiteres machbar.

An dieser Stelle hörte Thekla auf zu lesen, denn sie fühlte sich hoffnungslos verladen. Sie rief sofort Hans-Jürgen an, damit er entsprechend zurückschreibe. Auf solch einen Nonsensbrief gebe er keine Antwort, ließ er sie wissen. Sie könne sich aber trotzdem schon mal darauf einrichten, daß die Befindlichkeiten des alten Herrn der Wahrheit entsprächen. Hätte sie in allem schneller reagiert, wäre dies nicht passiert. Nun solle sie schauen, wie sie klarkäme, das Hauptziel, die Hochzeit zu verhindern, hätte sie ja glatt verfehlt.

»Du unverschämter Nichtskönner!« brüllte Thekla ins Telefon und knallte den Hörer hin. Sie war nur von unsäglichen Idioten umgeben, einschließlich ihres eigenen Ehemanns, und hatte jetzt eine Betreuung am Hals, die außer Ärger und Arbeit nichts brachte. Das heißt, einer brachte es schon etwas: ihrer neuen Stiefmutter!

Anno hatte sich schiefgelacht. Er hatte mit Peter Knut, seinem langjährigen Freund und Anwalt, den Brief aufgesetzt, und ein enger Kollege von Peter ließ ihn in Inas Namen laufen.

»Denen machen wir jetzt richtig angst! Du schreibst alle Allüren und Spleens von mir hinein und unzählige Bedingungen!«

»Paß auf, daß dieser Brief nicht zum Beweismittel für deine sogenannte psychische Krankheit wird!« gab Peter zu bedenken.

»Mag sein.« Anno gab sich leichtfertig. »Bloß, mich will ja keiner, wenn keiner was davon hat. Und daß Ina etwas davon haben könnte, das wollen sie noch weniger. Also wird es Thekla ein Horror sein, wenn ich jetzt darauf bestehe, nach Mannheim zu kommen! Laß uns ihr ein bißchen Angst einjagen. Und demnächst reden wir mit Dr. Rebherr vom Amtsgericht. Ich kenne diesen

Mann. Keine Ahnung, was in ihn gefahren ist, aber wir werden ihn vom Gegenteil überzeugen. Persönlich oder mit einem neuen Gutachten. Allerdings braucht das Thekla nicht zu wissen!«

»Du stellst dir die Beamtenwelt recht einfach vor. Vergiß dabei nicht, wenn der Schimmel den Amtskarren erst mal zieht, dann zieht er!«

»Irgendwo wird auch so ein Amtsschimmel eine Notbremse haben!«

Am späten Nachmittag rief Niklas in der Villa an. Er sei bereits wieder in Lindau, der Befund läge nun vor, und Romy könne an diesem Freitag beerdigt werden. Als Termin hätten sie 14 Uhr angesetzt, das ginge auch mit dem Prediger und dem Orgelspieler klar. Und vom Nachlaßgericht sei ein Schreiben gekommen, die Testamentseröffnung fände direkt im Anschluß beim Notar statt.

Ina notierte sich alles und wollte dann wissen, was in diesem Befund drinstünde.

»Sie ist an Natriumpentobarbital gestorben«, sagte Niklas, und es war ihm anzuhören, daß ihn die Tatsache schockierte. »Ein sehr hochkonzentriertes Gift. Du schläfst ein und spürst nichts – sagt man.«

»Ich kann's nicht fassen und nach wie vor nicht verstehen«, begann Ina, wurde aber von Niklas unterbrochen.

»Augenblick, es klingelt an der Tür. Ich rufe dich gleich wieder an!«

Ina hatte eben aufgelegt, als Julia anrief. Sie bedauerte noch einmal, daß sie zur Trauung nicht hatte kommen können, wünschte viel Glück und erzählte, daß Niklas ihr eben von Romys Beerdigung berichtet hätte. Sie wollte wissen, ob es recht sei, wenn sie zum Wochenende käme. Sie wolle am Freitag schon gern dabeisein. Ina erklärte ihr, daß sie sich jederzeit über ihren Besuch freuen würde, fragte aber, ob sie deshalb noch Anno sprechen wolle, was Julia jedoch verneinte. Nun sei sie doch die Frau im Haus, dann dürfe dies wohl ausreichen. Zumal sie über ihre Mutter erfahren habe, daß Thekla eine Betreuung angestrebt hätte. Vorzugsweise noch in Verbindung mit einer Sterilisation. »Wie schrecklich«, sagte sie.

»Und wie überflüssig«, antwortete Ina spontan, worüber beide lachen mußten.

Als Ina das Telefonat beendet hatte, legte sie ihre Beine auf ihren Schreibtisch und schaute durch das große Fenster auf den See hinaus. Das beruhigte sie immer und inspirierte sie gleichzeitig. Sie dachte über Claudio nach. Er war am Morgen zwar wie die letzten Male ein einfühlsamer Liebhaber gewesen, aber sie spürte, daß er trotz allem nicht recht bei der Sache war.

»Quält dich dieser Verdacht?« hatte sie ihn schließlich gefragt.

»Und wie!« Sie lagen zum ersten Mal miteinander in seinem Bett, sie waren noch ineinander verschlungen, während er sich ausstreckte und eine Mineralwasserflasche angelte, die am Kopfteil stand. »Und nicht nur das! Auch diese profane Beerdigung, die die Familie anvisiert hat. Für Romy ein Orgelspieler! Ausgerechnet! Das müßte eigentlich schon Grund genug für sie sein, während der Messe aus dem Sarg zu klettern!«

»Claudio!«

»Stimmt doch!«

Aber sie konnte ihm auch nicht helfen. Wenn irgendwelche Ermittlungen liefen, mußte das abgewartet werden. Passieren konnte ja eigentlich nichts, es sei denn, Romys rachsüchtige Familie hätte Claudio auf irgendeine Art einen Strick gedreht. Auszuschließen war das nicht, vor allem in Anbetracht der Tatsache, daß auch Anno auf diese Weise entsorgt werden sollte.

Ina setzte das Claudio auseinander, was er höchst motivierend fand. »Komm, laß uns aufstehen«, sagte er schließlich mit einem leichten Klaps auf ihren Po. »Ich bin viel zu zappelig, um ein guter Liebhaber zu sein. Entschuldige. Wenn alles rum ist, wird's hoffentlich wieder besser!«

»Wir werden es schrittweise testen«, sagte sie und grinste ihn an. »Immerhin ein Fortschritt, daß wir nicht schon wieder auf dem Boden gelandet sind!«

Er zog die Augenbraue hoch. »Von unseren Böden kann man essen. Keine Angst!«

»Kein Zweifel«, entgegnete sie. »Aber wer will das schon?«

Ina lächelte in der Erinnerung und sah alles noch einmal genau vor sich. Als das Telefon neben ihr auf dem Schreibtisch klingelte, mußte sie sich erst wieder besinnen. Dann nahm sie ab.

»Ina, hier ist Niklas. Die Polizei durchsucht Romys Haus – mit einem Durchsuchungsbefehl. Sie suchen doch tatsächlich nach diesem Gift, stell dir vor! Gib mir doch schnell mal Namen und Telefonnummer eures Rechtsanwalts. Ich erreiche unseren nicht!«

»Das darf doch wohl nicht wahr sein!« Ina lief zum Telefontisch im Flur, wo Anno alle wichtigen Telefonnummern in einem Karteikasten geordnet hatte. Sie fand sie und gab sie Niklas durch.

»Und was ist mit Claudio?«

»Kannst du dir ja denken. Er ist fix und fertig und befürchtet jetzt natürlich irgendeine Intrige, die, unter uns gesagt, ja auch naheliegen würde!«

»Aber was kann so ein Anwalt tun?«

»Das will ich ihn ja eben fragen!«

Claudio saß auf der Couch und beobachtete, wie die Polizisten die Wohnung auf den Kopf stellten. Drei Männer und eine Frau waren gekommen, hatten den Hausdurchsuchungsbefehl vorgezeigt, sich sehr höflich, aber bestimmt verhalten, und nun schaute er zu, wie sein Schicksal seinen Lauf nahm. Irgendwann kam die Polizistin zu ihm, bat ihn aufzustehen und nahm die Couchecke auseinander, auf der er gesessen hatte. So, als würde er wie eine Glucke auf dem gesuchten Gift sitzen. Anschließend ließ er sich wieder auf dieselbe Stelle sinken und fühlte sich völlig betäubt. Mit einem Ohr hörte er Niklas' Telefonaten zu.

»Komm, raff dich auf«, sagte Niklas schließlich zu ihm. »Es kann nichts passieren! Wenn sie was finden, dann wissen wir, von welcher Seite!«

»Wir schon! Aber wissen die das?« Er wies mit einer vagen Handbewegung auf die Beamtin, die eben einen Schrank durchwühlte.

»Der Anwalt ist gleich da. Er hat es versprochen!«

Peter Knut wollte eben gehen, als Niklas' Anruf durchgestellt wurde. Er hatte ein Tennismatch und war ohnehin spät dran, ein langwieriges Gespräch war jetzt so ungefähr das letzte, was er noch brauchen konnte. Es lag an der neuen Sekretärin. Er würde ihr beibringen müssen, ab wann Anwälte partout nicht mehr zu sprechen sind. Aber jetzt war es bereits vermasselt, ungeschehen konnte er es nicht mehr machen, also mußte er das Telefonat annehmen.

Er hörte Niklas kurz zu und entschied dann, da sich Niklas auf Anno bezog, mit dem er seit Jahren freundschaftlich verbunden war, das Tennisspiel sausen zu lassen. Er gab seinem Tennispartner über Handy Bescheid und setzte sich gleich in den Wagen.

Das waren schon seltsame Geschichten, die sich plötzlich um Anno herum entwickelten. Gut, Anno war 85 Jahre alt, und Anno hatte Geld. Aber deshalb konnten doch nicht plötzlich alle durchdrehen, fragwürdige Gutachten ausstellen, für Betreuung plädieren, und ganz nebenbei starb auch noch eine alte Frau, deren Tod man ihm in die Schuhe schieben wollte. Und jetzt wurde in derselben Sache in eine völlig andere Richtung ermittelt! Jetzt sollte es plötzlich der Liebhaber von Annos junger Frau gewesen sein?

Anno hatte ihm einen Tag vor seiner Hochzeit die Fotos von Ina und Claudio gezeigt und um seinen Rat gebeten. Als Anwalt war Peter nichts fremd, deshalb zuckte er nur mit den Schultern, und als Freund gab er Anno den Rat, die Dinge zu akzeptieren, wie sie seien. Er habe eine junge, äußerst attraktive Frau, er genieße alle Vorteile einer freundschaftlichen Partnerschaft, habe Leben im Haus und keinen einzigen Nachteil, außer der außerhäuslichen Sexualität. Und, sagte er zu Anno, alter Freund, du hast in deinem Leben gehabt, was du wolltest. Jetzt gönne es anderen.

Peter Knut fuhr in die angegebene Straße und mußte nicht lange suchen. Vor dem Haus mit der angegebenen Hausnummer standen zwei Polizeiwagen, Kinder waren schon versammelt, und sicherlich hatte auch die gesamte Nachbarschaft schon ein neugieriges Auge darauf geworfen. Er parkte und klingelte gleich darauf an der Haustür.

Niklas machte ihm die ohnehin nur angelehnte Tür auf. »Ich bin froh, daß Sie kommen konnten«, begrüßte er ihn.

»Viel ändern wird sich dadurch nicht«, sagte Peter und schüttelte Niklas' Hand. »Wenn die Burschen einen rechtmäßigen Hausdurchsuchungsbefehl haben, kann ich nur aufpassen, daß sie nichts tun, was sie nicht dürfen. Und eigentlich«, er zuckte die Schultern und setzte ein leichtes Lächeln auf, »dürfen sie damit fast alles!«

»Trotzdem!« Niklas bat ihn herein. »Es tut uns gut!«

Peter Knut, im nächsten Jahr runde Sechzig, ein drahtiger, energischer Naturbursche im ewig grauen Anzug, trat auf einen der Beamten zu, gab sich als Anwalt von Claudio aus und ließ sich die Legitimation zu dieser Aktion zeigen.

Er wechselte einige Worte mit dem Polizisten und ging anschließend zu Claudio ins Wohnzimmer. »Eine schöne Geschichte«, sagte er zur Begrüßung. »Aber Sie brauchen sich keine Gedanken zu machen. Man kann Ihnen nicht vorwerfen, was Sie nicht getan haben!«

Claudio setzte ein zweifelndes Grinsen auf.

»Werden die aber tun, das werden Sie sehen!«

In diesem Moment kam einer der Beamten herein, ein mit einem Tuch umwickeltes kleines Fläschchen in der Hand. »Es scheint, daß wir gefunden haben, wonach wir suchten! Wenn wir Sie nun bitten dürften, uns zur Vernehmung zu begleiten?«

»Welchen Grund dürfte es dafür geben?« wollte Peter Knut wissen.

»Mordverdacht«, sagte der Polizist kühl.

»Zur Vernehmung müssen Sie mit«, wand sich Peter Knut an Claudio. »Aber ich werde Sie begleiten. Sollten man Sie über 48 Stunden festhalten, müssen Sie dem Untersuchungsrichter vorgeführt werden. Aber dazu müßte es schon einen besonderen Grund geben. Also keine Sorge!«

»Die Sorgen habe ich aber!« Claudio stand von seiner Couch auf. Er fühlte sich müde und alt, und ihm kam zum ersten Mal in aller Klarheit zu Bewußtsein, daß Romy ein Bollwerk gegen die Welt gewesen war. Alles lief mit ihr wie geschmiert, fast automatisch. Er war tatsächlich ihr Kümmerer gewesen und sie die Starke. Es war unerträglich zu wissen, daß sie tot war, vergiftet, und daß er auch noch in den Verdacht geriet, so etwas Abscheuliches und Unsinniges getan zu haben.

»Darf ich mal sehen?« Er ging auf den Beamten zu, der das Fläschchen behutsam in einen Plastikbeutel versenkte. »Soll das das Gift sein? In einer Flasche? Hat es nicht geheißen, sie hätte etwas Vergiftetes gegessen?«

»Das ist deshalb ja nicht auszuschließen«, sagte die Polizistin. »Das Gift hätte ja leicht in etwas Eßbares gelangen können.«

Claudio schwieg und nickte nur. Peter Knut unterhielt sich wieder mit einem der Polizisten und kam anschließend zu Claudio. »Haben Sie das Fläschchen schon einmal gesehen? Oder angefaßt?«

»Ich habe es nicht richtig sehen können. Ein Fläschchen wie viele. Sah aus wie eines der typischen Glasfläschchen, die man in italienischen Hotels bekommt. Mit Duschgel eben. Ich habe, ehrlich gesagt, keine Ahnung!«

»Wir werden sehen. Packen Sie sich lieber etwas ein, falls es länger dauert!«

Niklas kam aus dem Arbeitszimmer dazu. »Ich komme auch mit! Schon wegen der Zaungäste, die sich draußen versammelt haben. Wir gehen gemeinsam, dann wissen sie zumindest nicht, wem das Aufgebot gilt!«

Es bestand keine Fluchtgefahr, keine Verdunkelungsgefahr und kein dringender Tatverdacht, so daß Claudio zwei Stunden später wieder zu Hause war. Sie hatten seine Fingerabdrücke genommen, die mit denjenigen auf der Flasche verglichen werden sollten, und sich angehört, was er zu Romy, zu den Vorwürfen und zu dem Fläschchen zu sagen hatte. Peter Knut ermahnte ihn, im Zweifel besser nichts zu sagen, aber Claudio war sich keiner Schuld bewußt. Niklas war schon früher zurückgefahren, er mußte sich um die baldige Beerdigung kümmern, so bot Peter Knut Claudio an, ihn mitzunehmen.

»Es wundert mich, daß Sie mich angerufen haben«, sagte er nach einer Weile. »Martha Steinberg war noch nie eine Mandantin von mir. Wäre es nicht sinnvoller gewesen, ihren Rechtsanwalt anzurufen?«

Er dachte an sein abgesagtes Tennisspiel und an seine mangelnde Bewegung.

Claudio fuhr sich über sein Kinn. Es kratzte bereits erheblich, insgesamt hatte er nur den dringenden Wunsch, unter der Dusche zu stehen.

»Haben wir versucht, aber er ist leider im Urlaub!«

»Klar, da nützt er Ihnen natürlich herzlich wenig! »

»Sie sagen es!«

Sie blieben stumm, bis sie in Claudios Stadtviertel einbogen. »Was kann denn jetzt noch passieren?«

»Nun, sie werden auf dem Glas Ihre Fingerabdrücke finden oder auch nicht. Egal, was passiert, Sie werden sich nicht dazu äußern, ohne mich angerufen zu haben. Das möchte ich Ihnen ans Herz legen!«

Claudio nickte nur und schaute aus dem Fenster. Die Straße war wieder ruhig, die Leute, die neugierig die Polizeiautos und natürlich auch ihren Abmarsch beobachtet hatten, waren verschwunden. Claudio atmete auf. Ein Spießrutenlauf war so ziemlich das letzte, was er jetzt noch gebrauchen konnte.

»Wer ist denn Frau Steinbergs Anwalt?«

»Reinhard Lang heißt er!«

»Ach, Reinhard! Na, denn ...«

Anno Adelmann gab Claudio Geleitschutz. Ihm war klar, daß sich die Verwandtschaft auf Claudio stürzen würde, und so rief er ihn vor der Beerdigung an. »Kommen Sie zu uns, wir fahren von hier aus gemeinsam!«

Ina, Nancy und Julia trafen mit ihm in der kleinen Aussegnungskapelle ein, und auch Niklas gesellte sich gleich darauf zu ihnen. Sie nahmen alle zusammen in der zweiten Bank Platz, obwohl das vor ihnen, wo Romys Familie Platz genommen hatte, ein heftiges Rumoren bewirkte. Einer nach dem anderen drehte sich nach Claudio um, und es fielen böse gezischelte Sprachfetzen, die verhalten, aber dennoch gut zu hören waren. »Wie kann er es wagen!« und »Rauswerfen sollte man ihn!« und, leise, aber doch gut hörbar: »Mörder!« Was von wem kam, war nicht auszumachen, aber Ina befürchtete, daß Claudio das nicht durchstehen würde. Dabei stand vorne der Sarg, und es wäre Zeit für einige rückblickende Gedanken gewesen.

Romys ältester Sohn regte sich besonders auf. Er saß an dem einen Ende der schmalen Kirchenbank und lehnte sich schräg nach hinten. Sein Gesicht war von kaum verhaltener Wut verzerrt, seine Augen zu schmalen Schlitzen zusammengezogen. »Wenn Sie hier nicht auf der Stelle verschwinden, werfe ich Sie eigenhändig hinaus«, fuhr er Claudio an. »Es geht hier um unsere Mutter!«

»Dann benehmen Sie sich auch so«, gab Anno zur Antwort. »Da vorne liegt sie. Nicht hier hinten!«

»Ich werde Sie …«, schimpfte er, aber seine Frau legte ihm ihre Hand auf den Arm.

»Später«, beschwichtigte sie ihn. »Nicht hier!«

Er drehte sich unwillig nach vorn, und Claudio warf Anno einen dankbaren Blick zu. Seine Rolle der Familie gegenüber war schon schwierig genug, aber dieser Verdacht beraubte ihn seiner Abwehrmechanismen. Er fühlte sich völlig schutzlos.

Trotzdem schaffte er es, sich auf den Sarg zu konzentrieren. Die vielen Blumen und Kränze lenkten davon ab, daß sie tatsächlich da drin lag. Er hätte ihr einen weißen Sarg gegönnt, eingehüllt von einem Meer aus Baccararosen. Die Familie setzte jedoch gegen Niklas' Einwände einen massiven Eichensarg durch, und die einzigen Rosen waren seine, die zu einem Kranz zusammengeflochten waren. Der Kranz lag, wohl auf Anweisung der Familie, halb unter einem anderen, und die Rosen waren schon zerdrückt. Es tat weh, diesen letzten Auftritt einer Frau wie Romy zu sehen. Er konnte nur hoffen, daß sie es selbst nicht mitbekam.

Als der Prediger kam, hörte er weg. Das Entscheidende war diesem Menschen nicht mitgeteilt worden – diese Frau war zwar eines unnatürlichen Todes gestorben, aber die letzten Jahre war sie glücklich gewesen. So stand er verkrampft hinter seinem Rednerpult und hangelte sich an dem Text ihrer Söhne entlang, am Blabla der Mutterliebe und guten Gattin. Sie war außergewöhnlich und renitent, schrie es in Claudio, und er überlegte sich einen Moment, ob er nicht nach vorne gehen und nach der Rede des Predigers eine eigene spontane Abschiedsrede halten sollte. Er traute aber seinen Emotionen nicht, und vor allem befürchtete er, daß es zum Eklat kommen könnte. So wartete er ab, bis der Orgelspieler mit seinem »Ave Maria« anfing. Es war unsäglich, kaum auszuhalten. Claudio hatte noch Niklas davon überzeugen wollen, eine fetzige Beerdigung zu machen, ganz im Sinne der Toten. Aber Niklas kam nicht gegen seine Familie an. Selbst seine Mutter, die die Aufgeschlossenste von allen war, wollte davon nichts wissen. Sie nannten es einheitlich »Spleen« und »Verschrobenheit«, was Claudio als »Lebensfreude« und »Mut« bezeichnete. Gegen Ende der Orgelmusik hatte er aufgegeben, sich dagegen zu wehren. Dort lag sie, es war vorbei. Für sie, für ihn. Sie trat als Frau x-beliebig von der Bühne ab, und er verließ sie hier als ihr mutmaßlicher Mörder. Sie waren ein Stück des Weges zusammen gegangen, aber so wie die Kerzen am Sarg flackerten, war auch diese Realität instabil geworden.

Ein merkwürdiges Knacken schreckte Claudio auf. Ein Lautsprecher war eingeschaltet worden. »Ich möchte, daß ihr hört, wie ich wirklich war, wie ich dachte, was ich liebte, ich will, daß ihr wißt, daß ich Orgelmusik nicht leiden kann, schon gar nicht zu meiner Beerdigung!« Alle fuhren hoch, die Familie, die zweite Sitzreihe und die Gäste, ihre Freundinnen aus den Tagen, als sie noch die ehrbare Frau Steinberg war, und die Nachbarn, die teils aus echter Trauer, teils aus purer Neugierde gekommen waren.

Jetzt sah Claudio, wer die Kapelle mittlerweile noch betreten hatte. Peter Knut stand mit verschränkten Armen am Eingang. Und dann hörte er Töne, die ihm so bekannt waren, daß er instinktiv nach Inas Hand griff. »... faß mich an, liebe mich, die Nacht hat alle Schatten verwischt, hab keine Angst vor der Dunkelheit, sie gibt uns ihr Schweigen und macht mich bereit, das in deiner Umarmung zu finden, was ich noch bin ...«

»Romy Haag«, flüsterte er, als ob Ina das nicht selbst verstanden hätte. Hier wurde nicht nur Romys Lieblingslied gespielt, sondern ihre ganze Lebensphilosophie. Sie hörten auch noch ein Stück aus einem anderen Lied. »... Geliebter, dreh dich ruhig noch mal um, schlaf noch ein wenig, der Herbst hat ihm ein Bett gemacht, er tritt die lange Reise an, die Leute sind betroffen, sie lassen ihn nicht gehen, ich, ich will ein wenig leben ...« Zwischenzeitlich hatten sich alle wieder gesetzt, obwohl es klar zu sehen war, daß diese Szene der Familie fürchterlich peinlich war. Sie streckten die Köpfe zusammen und flüsterten. Zwischendurch schaute einer böse nach hinten.

»Die denken, du hättest das Ganze inszeniert!« sagte Ina schließlich.

»Hätte ich ja gern, wenn ich die Möglichkeit gehabt hätte«, gab Claudio zurück.

»Ich wollte euch nur sagen«, das war wieder Romys Stimme, »keinen von euch trifft eine Schuld. Ich hatte wunderbare Kinder, etwas eigenwillig vielleicht und mit zunehmendem Alter sogar etwas spießig, aber trotzdem habe ich euch sehr geliebt. Und ich hatte einen wunderbaren Wegbegleiter in meinen letzten Jahren, der mir half, meine Träume zu leben. Ich war sehr glücklich, und ich trage dieses Glück mit hinüber über die große Schwelle. Behaltet mich in Erinnerung, wie ihr mich am liebsten gesehen habt. Als Mutter, als Behüterin und Bewahrerin, aber auch als lebenslustige Frau und von mir aus auch als verschrobene Alte. Ich war alles. Und das ist mehr, als so mancher von sich sagen kann. Wir werden uns sehen, paßt auf euch auf!«

Ina rannen die Tränen über das Gesicht, und als sie zur Seite schaute, sah sie, daß alle anderen auf ihrer Bank auch weinten. Selbst Anno hatte sein Einstecktuch gezogen. Bloß, wo kam jetzt plötzlich dieses Band her? Das war die Frage, die alle bewegte und den Zug hinter dem Sarg auf dem Weg zum Grab unruhig machte.

Claudio ging als letzter, denn er hatte eine Vermutung, und er versuchte so nah wie möglich an Peter Knut heranzukommen. Der nickte ihm zu. »Die Sache ist vom Tisch!« sagte er leise. »Ein Abschiedsbrief an Sie und ein weiterer an die Familie sowie das Band lagen bei Romys Anwalt unbearbeitet auf dem Tisch. Der Laden arbeitet manchmal etwas schlampig, und als sie mir gesagt haben, daß Reinhard Lang im Urlaub sei, dachte ich mir so etwas schon. Es war ihr freier Wille, so viel ist klar, den Rest müssen Sie selbst lesen.«

Claudio war auf der einen Seite erschüttert, auf der anderen erleichtert. Am liebsten hätte er Romy noch geküßt, denn mit diesem Tonband war eine riesige Last von seinen Schultern genommen. So fühlte er sich, als der Sarg hinuntergelassen wurde, stark genug, um trotz der bösen Blicke der Familie ganz vorne zu stehen. Hier ging es um Romy, nicht um irgendwelche familiären Befindlichkeiten. Trotzdem konnte er sich in diesem Moment nicht auf die Zeremonie konzentrieren. Er war zwar traurig, aber die starken Emotionen wie zuvor bei Romys Stimme, als sie wie aus dem Nichts heraus kam, waren vorbei. Irgendwie, so fühlte er, hatte sich der Abschied dort vollzogen. Sie hatte auf Wiedersehen gesagt, und aus irgendeinem Grund glaubte er ihr. Was sich hier vor seinen Augen abspielte, war demnach nur noch ein Ritual. Ob bei den Würmern oder bei den Fischen, verbrannt oder am Stück, ihr Geist schien ihm nah, und der Rest war Hülle.

Bei der Testamentseröffnung war Claudio jedoch froh, daß Niklas dabei war. Sie waren ins Büro gebeten worden, der Notar wollte gleich nachkommen. Die Atmosphäre war zum Schneiden, als sich die beiden Brüder mit ihren Frauen nach einem geeigneten Sitzplatz umschauten, möglichst weit von Claudio entfernt. Niklas setzte sich demonstrativ eng neben ihn und blinzelte seiner Mutter zu, die die Mitte wahrte und Niklas gegenüber ein kleines Lächeln andeutete. So saßen sie wie an einer Perlenkette aufgereiht und schauten angestrengt auf den Schreibtisch, der klotzig und altertümlich vor ihnen stand.

»Damit werden Sie nicht durchkommen«, sagte Niklas' ältester Bruder plötzlich zu Claudio, nachdem sie eine Weile in völliger Stille gesessen hatten.

»Was ist denn? Ich denke, es gibt nichts zu erben – wozu dann die Aufregung?« sagte Claudio daraufhin kühl.

Aus Niklas aber brach es heraus: »Laßt ihn doch in Ruhe! Wo seid ihr denn gewesen, wenn sie jemanden gebraucht hat? Ihr hattet doch nur immer Schiß, sie könnte euch mal zur Last fallen!«

»Gehörst du zur Familie oder nicht?!« griff ihn sein jüngerer Onkel an.

»Blöde Frage!« mischte sich Niklas' Mutter ein, die in ihrem schwarzen Kostüm nicht nur sehr attraktiv, sondern auch sehr energisch wirkte. »Auch einer aus der Familie kann eine andere Meinung haben. Wo sind wir denn?«

»Das ist ja unglaublich!« Ihre Schwägerin, die Frau ihres ältesten Bruders, beugte sich auf dem Stuhl etwas vor, um sie sehen zu können. »Da zieht eine Frau ihre Kinder groß, und dann soll so ein dahergelaufenes Individuum abkassieren? Wo kommen wir denn da hin!«

»Was hast denn du damit zu tun? Bist du von unserer Mutter großgezogen worden? Nein? Dann halt dich da raus!« Der Ton von Niklas' Mutter war scharf und verriet Claudio, daß dies wahrscheinlich nicht der erste Disput zwischen den beiden Frauen war.

»Immerhin hat dein Bruder mich geheiratet, also gehöre ich …«

»War's nicht eher umgekehrt?« schnitt ihr Niklas' Mutter den Satz ab.

»Sag was!« fuhr die Angesprochene daraufhin ihren Mann an, der sich eben aufplusterte, als die Tür aufging. Augenblicklich war es ruhig, alle schauten auf den Notar, der mit einem allgemeinen

Gruß gemächlich hereinkam, und Claudio kam sich vor wie in der Schule. Irgendwie war es auch die gleiche Stimmung. Einer da vorn, von dem alles abhing, der jetzt schon mehr wußte als sie alle und der sie nachher glücklich oder enttäuscht entlassen würde.

Und ganz wie ein Lehrer setzte er sich jetzt an den Schreibtisch, legte die Brille, die er in der Hand gehalten hatte, neben die Papiere, die vor ihm lagen, und blickte auf. Sein Blick ging langsam von einem zum anderen, als er zu sprechen anfing.

»Im großen und ganzen wissen Sie ja schon, was Martha Steinberg, Ihre Mutter, Schwiegermutter, Großmutter und Lebensgefährtin«, damit nickte er Claudio zu, was einen empörten Zischlaut auf der anderen Seite der Stuhlreihe verursachte, »in etwa verfügt hat. Zumindest hat sie mir gesagt, daß sie nie einen Hehl daraus gemacht hat, daß sie die Lebensfreude ihrer letzten Jahre Claudio Resin zu verdanken hat und auch ihren Enkel Niklas sehr mochte, weil er immer zu ihr und ihrer Lebensauffassung und Lebensweise stand!«

Er verharrte kurz und setzte seine randlose Brille auf. »So lese ich Ihnen jetzt Martha Steinbergs Letzten Willen vor!«

Romys ältester Sohn samt seiner Frau drohten sofort, alles anzufechten, nachdem sie gehört hatten, daß tatsächlich alles, bis auf den Pflichtteil, an Claudio ging. Das Haus und das Barvermögen, die Wertbriefe und Aktien. Eine Ausnahme bildeten nur die Bilder, die sie gesammelt hatte, der fünf Jahre alte BMW und 10 000 Mark in bar. Das sollte Niklas erhalten. Niklas' Mutter fand es soweit in Ordnung, ihre Brüder sahen das anders. Sie waren nicht gewillt, auch nur eine einzige der wackeligen Steinplatten auf dem Fußweg zum Haus einem Typen wie Claudio zu überlassen.

Claudio zuckte die Achseln und flüsterte Niklas zu: »Noch ist ja nicht einmal klar, ob überhaupt etwas da ist. Aber was mich am meisten interessiert, ist, aus welchem Grund sie es überhaupt getan hat!«

»Hast du den Brief von Peter Knut noch nicht erhalten?« fragte Niklas erstaunt.

»Doch, schon!« Sie verließen gemeinsam das Gebäude, Niklas schaute sich kurz nach seiner Mutter um, aber sie stritt hinter ihnen mit ihren Brüdern und deren Frauen. »Und noch nicht gelesen?« fragte er weiter.

»Ich habe mich noch nicht getraut. Ich dachte, ich bräuchte Ruhe dazu, und die hatte ich bisher noch nicht!«

»Du weißt, daß Anno ein kleines Abendessen vorbereitet hat? Ich soll dich in seinem Namen einladen. Meine Mutter hat er auch dazugebeten, aber sie will lieber gleich wieder nach Hause fahren. Und die anderen werden in der nächsten Kneipe eine Strategie gegen dich aushecken, was dir allerdings egal sein kann. Was ich dir noch zu unserem Brief sagen wollte, den wir von Romy bekommen haben, da steht nur drin, daß sie es freiwillig getan hat, weil sie meinte, daß es Zeit für sie war und sie ihr Leben bis in den Tod im Griff behalten wollte. Und sie bittet, das als ihre letzte Entscheidung zu akzeptieren. Und dann schreibt sie noch, daß sie ein Tagebuch an meine Mutter hinterlegt habe, in dem sie über fünfzig Jahre die Dinge, die ihr wichtig waren, vermerkt hat. Quasi von ihrer Hochzeit über die Geburt ihrer Kinder bis zu ihrem Tod. Und ich denke, das ist die wertvollste Hinterlassenschaft!«

Claudio nickte. »Ich bin froh, daß es dich gibt, Niklas!«

In der Villa nahm Claudio den Brief, erklärte Anno kurz die Situation, bat Ina, mit ihm zu kommen, und ging mit ihr in den Garten.

»Ich kann das unmöglich allein«, sagte er und warf ihr ein kleines, verlegenes Lächeln zu. »Irgendwie brauche ich jetzt Beistand!«

»Kann ich gut verstehen«, sagte Ina und streifte ihre hohen Schuhe auf der Terrasse ab. Dann ging sie barfüßig neben ihm die kleine Steintreppe hinunter und durch das Gras zu der kleinen Mauer am Grillplatz. Sie trug ein langes, schwarzes Kleid, das sie dann und wann etwas hochnahm, und sie hatte ihre langen Haare hochgesteckt.

»Du siehst sehr ernst und feierlich aus!« Claudio betrachtete sie von der Seite.

»Mir ist es nicht nur sehr ernst und feierlich zumute, sondern auch ziemlich unheimlich«, entgegnete sie und setzte sich vorsichtig auf die unebenen und rauhen Steine der Mauer.

»Mir auch!«

Claudio zog den Brief aus der Innentasche seines schwarzen Jacketts. Es war ein kleines Kuvert aus weißem Büttenpapier, fein säuberlich stand in Romys schwungvoller Handschrift *Claudio Resin, persönlich* darauf.

»Wenn du denkst, was von so einem Brief alles abhängen kann«, sagte er dazu und strich ihn glatt, obwohl es nicht nötig war.

»Du sagst es! Gott sei Dank war Annos Anwalt so clever, bei diesem Schlamper von Kollegen nachzuhaken. Stell dir mal vor, was da heute noch losgewesen wäre? Romys Familie hätte dich fertiggemacht!«

»Ich darf gar nicht daran denken!« Claudio seufzte. »Ich habe mich wirklich schon unter Beweisnot im Knast gesehen! Das mit den Fingerabdrücken hat mir schon gereicht!«

Er glitt vorsichtig mit dem Zeigefinger in den Falz und drückte ihn langsam auf.

»Lies ihn zuerst allein«, sagte Ina schnell und legte ihre Hand auf seinen Oberschenkel. Claudio zögerte, stimmte ihr aber zu. Ina beobachtete ihn und schaute dann aufs Wasser.

Wie beruhigend dieser See war. Es konnte passieren, was wollte, er war immer gleich oder spielte sich wieder ein. Er unterwarf sich gewissen Regeln, den Jahreszeiten, führte mal mehr, mal weniger Wasser, zwischendurch begehrte er auf und überschwemmte alles, dann war das Geschrei groß, und wenn seine Kraftmeierei ein Ende hatte, fiel er in seinen alten Rhythmus zurück, und alles war wieder wie zuvor. In gewisser Weise zeigte er ihr eine Lebensphilosophie. Sie dachte darüber nach und auch darüber, wo Romy jetzt sein könnte und ob tatsächlich alles ein Ende hatte und sie selbst dem See im Verhältnis zu seiner schieren Unendlichkeit wie eine Eintagsfliege vorkommen mußte.

Sie hörte Claudio kurz aufstöhnen und schaute schnell zu ihm hin.

»Ach, du lieber Himmel!« sagte er.

»Was ist denn?«

»Sie hat ... nein, das ist schier unglaublich!« Er schüttelte den Kopf und versank wieder in das Schreiben.

»Was denn?«

Er schaute auf und schüttelte erneut den Kopf. »Du glaubst es nicht! Nein, es ist nicht zu glauben!«

»Ich kann's nicht glauben, wenn du es mir nicht sagst!«

Mit einem Auge sah sie, wie Caroline von der Terrasse aus die Steintreppe herunterlaufen wollte, um zu ihnen zu kommen, und von Anno zurückgehalten wurde. Er war schon ein unglaublicher Mann.

»Sie hat unser Zusammensein vorausgeplant! Kannst du dir vorstellen, was sie ausgeheckt hat?«

»Was?« Ina konzentrierte sich wieder auf ihn. »Wie meinst du das?«

»Sie hat«, er stieß ein kurzes ungläubiges Lachen aus, »uns bei unserem ersten Zusammensein gesehen. Beobachtet hat sie uns, weil sie so etwas vermutet hat. Und sie war höchst zufrieden, denn, jetzt paß auf, sie wußte, daß ihr das Geld ausgehen würde. Und sie wollte meine Zukunft sichern. Und so spekuliert sie, daß du mich, wenn Anno ihr erst einmal nachgefolgt sei – so schreibt sie das hier tatsächlich –, heiraten wirst und ich somit das Erbe erlangen werde, das sie mir in unserer Abmachung zwar versprochen, aber wegen Geldmangels nicht geben kann!«

Ina sagte nichts darauf.

»Es ist ihre Art, die Dinge zu lösen!« Er schüttelte den Kopf. »Oh, Romy!« sagte er. »Aus Geldmangel hättest du wirklich nicht sterben müssen!«

»Steht das da auch drin?« fragte Ina erschrocken.

»Sie schreibt, ihr Vermögen beläuft sich noch auf zirka 200 000 Mark. Sie sah das Ende des Dolce vita voraus, schreibt sie, und wollte vorher ihre Spielwiese verlagern!«

Ina holte tief Luft. »Eigentlich war sie mutig! Mutiger als alle, die sich dem Schicksal treu ergeben!«

»Manchen steht da eben ihre Religion im Wege!« gab Claudio zu bedenken und schnippte sie leicht gegen die Nase.

»Religionen, die im Wege stehen, können keine Bereicherung sein. Insofern hatte sie recht, selbst über ihr Leben zu bestimmen!« Ina rutschte vorsichtig von der Mauer herunter. »Laß uns nach oben gehen. Julia wird Beistand brauchen, wenn Niklas da ist.« Sie ging Claudio voraus, drehte sich aber noch mal kurz nach ihm um. »Romys Plan mit uns beiden behältst du aber besser für dich!«

»Würdest du mich denn heiraten wollen?« fragte er mit ironischem Unterton.

»Wenn du weiterhin zwei Schritte hinter mir läufst, vielleicht!«

Julia hatte sich vorgenommen, Niklas völlig nüchtern zu betrachten. Und das hielt sie auch eine Weile lang durch. Er ist ein völlig unscheinbarer Mensch, sagte sie sich, ohne hervorstechende Qualitäten. Er hat Frau und Kind und ist damit absolut indiskutabel. Zudem auch noch uninteressant. Alle saßen am Tisch, sprachen einen Trinkspruch auf Romy aus und unterhielten sich darüber, wie glimpflich das Ganze noch abgelaufen war. Julia saß Niklas gegenüber und sprach, wenn sie mit ihm redete, in betont distanziertem Tonfall. Es fiel allen auf, und Niklas überlegte, wie er darauf reagieren sollte. Überhaupt nicht beachten war wahrscheinlich die beste Möglichkeit, dafür aber ziemlich anstrengend. Außerdem nervte es ihn, denn schließlich hatte er nichts verbrochen. Sie waren noch nicht einmal miteinander im Bett gewesen. Und während er darüber nachdachte, merkte er plötzlich, wie ihn das anmachte. Sie war auf dem »Rühr-mich-nicht-an«-Trip, und er wollte es wissen. Verdammt, Niklas, sagte er sich dann gleich darauf wieder, laß es, es ist der beste Ausklang! Aber wie sie ihn so am kleinen Finger verhungern ließ, reizte es ihn gewaltig, sich das Gegenteil zu beweisen.

Anno hatte Stillschweigen nach außen verordnet; so hatte Julia heute zwar mit ihrer Mutter telefoniert, aber nichts von den wesentlichen Dingen des Tages berichtet. Dafür konnte sich ihre Mutter nicht verkneifen, Julia die Konsequenz dieser unglücklichen Hochzeit, wie sie es nannte, zu schildern. Anno würde als Pflegefall in Theklas Hände geraten, während Ina die Schloßherrin spielen und die Kohle vergeuden könne. Und das sei auch schließlich ihr, Julias, Erbe. Julia konnte es nicht mehr hören und beschloß, nichts darüber zu verraten, daß sich Anno aus dieser Geschichte bereits wieder herausschraubte. »Thekla wird ihre Freude haben«, sagte sie nur. »Und wir gönnen Thekla doch alles Gute!«

»Du siehst das zu einseitig«, hatte ihre Mutter durchs Telefon gemahnt, »du mußt doch auch an die Familie denken! Du setzt dich für die falsche Seite ein!«

»Mutti«, Julia wollte das Gespräch schnellstens beenden, »glaubst du, daß es noch eine Familie gibt, sobald es ans Erben geht? Glaubst du, du hast gegen Gerhard oder Hans-Jürgen oder Kurt eine Chance, ganz zu schweigen von deinen biestigen Schwestern? Die werden sich gegenseitig niedermetzeln! Und du wirst überhaupt nicht gefragt werden! So sieht's aus!«

Es war kurz still in der Leitung, dann hatte Bernadette sich wieder gesammelt. »Ich glaube, ich muß mal wieder einen Besuch bei Vater machen!« sagte sie.

»Gute Idee«, kommentierte Julia. »Bring einen Kuchen mit!«

Es wurde rasch kühl auf der Terrasse, und alle zogen ins Wohnzimmer um. Anno hatte im Feinkostgeschäft einige Platten mit Kanapees und verschiedene Salate bestellt, die bereits auf dem gedeckten Tisch standen. Niklas richtete es so ein, daß er neben Julia zu sitzen kam. Dabei begegnete ihm zwar Annos forschender Blick, aber er erwiderte ihn offen. Schließlich spielte sich bisher alles ausschließlich in seiner Phantasie ab, und es gab keinen Grund, Anno nicht in die Augen schauen zu können.

»Wie lange bleibst du denn?« fragte er Julia beiläufig.

»Übers Wochenende«, sagte Julia. »Und du?« fügte sie dann gegen ihren Willen an. Verdammt, sie wollte es nicht wissen. Hatte es zumindest nicht wissen wollen! Aber jetzt, da sie neben ihm saß und direkt in seine Augen sah, spürte sie, wie es schon wieder losging. Irgend etwas hatte er an sich, und, verflucht noch mal, sie hatte sich nicht eine einzige Nacht mit ihm gegönnt! Sie überlegte, wie sie es bewerkstelligen könnte, dachte an seine Freundin und das Kind und strich es wieder. Kurz danach fand sie ihre moralischen Vorbehalte ziemlich spießig. Wen juckte es schon, wenn sie etwas Spaß hatte? Möglicherweise war er ja eine völlige Niete, hatte keine Ahnung von einer Frau, dann konnte sie es mit ruhigem Gewissen abhaken. Und hätte ihn aus dem Kopf. Nachdem er sich in den entscheidenden Momenten immer körperlich ferngehalten hatte, lockte es sie, diese Bastion zu nehmen. Mal schauen, ob sie dem nichts entgegenzusetzen hatte!

Sie spielte mit dem Gedanken, dann fuhr sie vom Sitz hoch. Alle schauten überrascht auf.

»Was ist denn los?« fragte Niklas, der sofort argwöhnte, es könnte etwas mit ihm zu tun haben.

»Hast du die Pille vergessen?« fragte Nancy, aber keiner nahm Notiz von ihr.

»Viel schlimmer! Ich bin ja völlig verkalkt!«

»Ach?« machte Niklas frech, aber Julia schaute ihn nicht einmal an. »Opi, Peter Knut war vorhin da. Außer mir war keiner da, aber er gab mir einen Brief und sagte, er sei dringend und sehr wichtig! Verdammt, vor lauter Romy und allem anderen«, was sie meinte, war jedem klar, Niklas runzelte die Stirn, »hab ich's total vergessen! Tut mir leid!«

Sie ging schnell zum Telefontisch, zog die Schublade auf und kam mit einem länglichen gelben Briefumschlag wieder. »Hoffentlich ist es jetzt nicht zu spät!« Sie überreichte ihn Anno, der ihn genau betrachtete, drehte und wendete.

»Zu spät ist es erst, wenn man tot ist«, sagte er unbedacht, schaute kurz auf, sagte: »Prost, Romy«, und legte den Briefumschlag vor sich auf seinen noch leeren Teller. »Er kommt aus den USA. Aus Lansing.« Er schaute in die Runde. »Kennen wir da jemanden?«

Alle schüttelten verneinend den Kopf.

»Staat Michigan«, fügte Anno noch hinzu.

»Wie wär's denn, wenn du ihn aufmachst?« fragte Julia.

»Er ist nicht an mich. Tausendmal durchgestrichen und neue Adressen über- und untereinander, wie ihr seht, aber da steht Ina Schwarz; c/o Anno Adelmann hat wohl Peter Knut dazugeschrieben. Muß gewaltige Umwege genommen haben, das Schreiben, bis es schließlich bei Peter landete. Was hat er denn dazu gesagt?« wollte er von Julia wissen.

Die zuckte die Schulter. »Sei ein völliger Irrläufer gewesen. Mehr nicht!«

»Briefe aufzuspüren scheint seine Spezialität zu sein«, sagte Claudio und beobachtete, wie Anno mit dem Zeigefinger über die Briefmarken fuhr.

»Ist schon ewig unterwegs, das gute Stück! Wenn ich's recht lesen kann, knapp drei Monate!«

»Nun mach's doch nicht so spannend!« Julia war hinter seiner Lehne stehengeblieben, und Ina, die neben Anno saß, beugte sich zu ihm hinüber.

»Merkwürdig«, sagte sie. »Da steht tatsächlich mein Name!«

»Mädchenname«, korrigierte Anno.

»Wie auch immer, macht's doch auf!« Julia war höllisch gespannt. »Ist doch fast wie Flaschenpost!«

»Die könnte schneller gehen«, warf Niklas ein.

»Kommt auf die Strömung an«, sagte Anno automatisch und schob den Briefumschlag leicht zu Ina über den Tisch. »That's your turn«, meinte er dazu.

Ina griff nach ihrem Messer und riß ihn mit einem Ruck auf. »Irgendeine Behördensache«, stellte sie auf den ersten Blick fest und schaute sich den Briefkopf daraufhin genauer an. »Habe ich jemanden umgebracht? Das ist ein Schreiben vom Gericht!«

»Warst du schon mal in Michigan?« wollte Julia wissen.

»Ich war überhaupt noch nie in Amerika! Leider!«

Jetzt war auch Caroline hellhörig geworden, die sich bisher mit den Kanapees beschäftigt hatte. Etliche lagen bereits abgegessen auf ihrem Teller. »Amerika?« Sie rückte ihren Stuhl weg. »Laß mal sehen, Mami. Ehrlich Amerika? Geil!«

»Geil?« echote Anno. »Was ist denn das?«

»Ein Ausdruck eben«, klärte Caroline ihn auf.

»Lernt man so was in der Schule?« wollte Anno wissen.

»Ja, und? Da ist doch nichts dabei!« Caroline stellte sich neben Julia und versuchte an ihrer Mutter vorbei auf den Brief zu schauen. »Was ist denn das für ein komischer Brief? Das kann ich ja überhaupt nicht lesen!«

»Das ist amerikanisch«, erklärte Ina, »und jetzt sei mal still, ich blick's noch nicht so richtig!« Sie blätterte die Seiten durch. An der vorletzten blieb sie hängen. »O Gott!« sagte sie, blickte auf und vertiefte sich gleich wieder. »Ich brauch einen Schnaps!« sagte sie gleich darauf. »Oder besser noch gleich drei!«

Keiner bewegte sich.

Ina griff sich ans Herz. »Ich glaub's nicht! Da verarscht mich einer!«

»Verarschen?« fragte Anno, bekam aber keine Antwort.

»Was ist denn, Mami?«

Ina hob kurz hilflos die Hände. »Wenn mich nicht alles täuscht – schade, daß Peter Knut schon wieder weg ist ... also, wenn mich nicht alles täuscht, geht es hier um eine Erbschaft. Eine alte Tante, die Schwester der Mutter meiner Mutter, steht da, also, wartet mal«, Ina überlegte, und es war ihr anzusehen, wie schwer es ihr fiel, überhaupt einen klaren Gedanken fassen zu können.

»Großtante«, half Niklas ihr weiter.

»Großtante? Na, gut, also Großtante. Diese Großtante, die ich überhaupt nicht kenne und von der ich auch noch nie was gehört habe, ist verstorben und hat mir, als letztem Sproß der Familie, ihr Vermögen vermacht!«

»Wie?« Claudio schaute sie an.

»Steht da!« Ina hob die Hände erneut in einer fragenden Geste hoch. »Keine Ahnung, ob das so sein kann! Sieht aber zumindest alles sehr echt aus!« Sie blätterte die sechs Seiten nochmals durch und fächerte sie auseinander. Gleich darauf war sie von allen umringt.

»Um wieviel geht es denn?« wollte Julia wissen.

»Knapp fünf Millionen«, sagte Ina trocken und fügte sachlich hinzu. »US-Dollar!«

»Fünf Mi…« Niklas schnappte hinter ihr nach Luft. »Laß das mal sehen!« Er drängte sich an ihr vorbei und zog eine Seite nach der anderen heraus.

»Ich glaub's nicht!« Claudio schaute Niklas über die Schulter.

»Ich auch nicht!« nickte Ina. »Das kann ganz einfach nicht sein! Wie sollte ich zu fünf Millionen kommen? US-Dollar?«

»Ruft Peter Knut an«, sagte Anno trocken. »Er soll sofort kommen! Und sein Handbuch über amerikanisches Recht mitbringen!«

Diese Neuigkeit konnte Julia nicht für sich behalten. Kaum daß Peter Knut nach eingehender Prüfung die Echtheit des Dokuments bekräftigt und die Odyssee dieses Briefes kurz erläutert hatte, hing Julia am Telefon und rief ihre Mutter an.

»Hab ich dich geweckt? Macht nichts. Stell dir vor, Ina hat fünf Millionen geerbt. Aus Amerika, von einer Großtante, die sie überhaupt nicht kennt. US-Dollar! Sie ist jetzt reicher als Opi! Ist das nicht ein Witz?«

Bernadette faßte es als schlechten Witz auf und wollte wieder aufhängen. Nur der Protest, den sie aus dem Hintergrund hörte, machte sie hellhörig.

»Beschrei's nicht, Julia!« hörte sie Inas Stimme. »Solange es nicht auf meinem Konto ist, glaube ich es nicht!«

Bernadette war schlagartig hellwach. Sie rief sofort Thekla an. Es dauerte eine Weile, bis sie abnahm – aber sie gab Bernadette recht: Diese Neuigkeit rechtfertigte jeden Anruf zu jeder Zeit.

»Das sieht nach fetter Beute aus«, sagte sie und lachte dumpf.

»Ja, die macht sie jetzt wohl«, gab Bernadette ihr recht.

»Recht so. Zuerst sie, und dann sind endlich wir dran!«

»Wir? Wie willst du das denn machen?«

»Wie? Keine Ahnung. Aber ist Anno nicht schon durch dieses Gutachten vorbelastet? Und war er nicht schon mal Witwer?«

Bernadette schluckte. »Du meinst …, nein, das ist teuflisch!«

»Teuflisch?« Thekla lachte wieder. »Ich nenne das gerecht. Wir sind seine Töchter, das haben wir uns verdient!«

Lydia erfuhr die Nachricht erst am nächsten Tag. Aber zu diesem Zeitpunkt wußte Thekla schon, was Lydia in dieser Sache tun konnte. Für Kurt als Arzt durfte es nicht weiter schwer sein herauszufinden, woran diese Romy tatsächlich gestorben war. Und sollte es, wie zu vermuten war, tatsächlich Gift gewesen sein, so erklärte sie Lydia, dann dürfte es ihrem Mann als Mediziner auch nicht weiter schwerfallen, das gleiche Mittel zu besorgen.

Lydia war völlig überrumpelt. Die Vorstellung, daß ausgerechnet eine Person wie Ina ein solches Vermögen geerbt haben sollte, ließ sie an der Gerechtigkeit dieser Welt zweifeln. Sie fand Theklas Gedanken nachvollziehbar. Sollte Ina etwas zustoßen und ihrer Tochter als direkter Nachfolgerin natürlich auch, so fiel das Vermögen an Anno. Und bei Anno war die natürliche Zeit abzusehen. Vor allem, wenn er emotional mit einem solchen Verbrechen und womöglich auch noch mit einem entsprechenden Verdacht belastet wurde.

»Ich weiß nicht, ob Kurt da mitspielt«, gab Lydia zu bedenken.

»Bei insgesamt, sagen wir mal, fünf Millionen Dollar von Ina und, was weiß ich, etwa vier väterlichen? Plus der Villa? Schwesterherz, mach dich nicht lächerlich! Ist das nicht irre? Sie hat es tatsächlich geschafft, ihn gegen unseren Willen zu heiraten, und nun erweist sich dieser Tiefschlag als rechter Glücksfall. Denn wenn sie ihn nicht geheiratet hätte, könnten wir sie nicht beerben!« Thekla lachte böse, und Lydia zuckte zusammen. Thekla würde die Sache durchziehen, das spürte sie. Es konnte nicht nur das Geld sein, das sie trieb. Geld verdiente Gerhard doch eigentlich genug. Irgendwie schien es Lydia, als wolle Thekla ihren Vater regelrecht vernichten. Möglicherweise fand sie es sogar befriedigender, ihm einen zweifachen Mord anzuhängen, als ihn zu beerben.

Für Kurt war es tatsächlich kein Problem herauszufinden, woran Martha Steinberg genau gestorben war. Natriumpentobarbital kannte er, es war mit Wasser zu mixen, und man schlief ein.

Ein humanes Mittel, im Gegensatz zu manch anderen radikalen Giften – solange man bei einem gewaltsamen Tod überhaupt von human sprechen kann. Er rief Lydia an und teilte es ihr mit, und Lydia faxte es direkt ihrer Schwester durch. Sie hoffte, daß sie damit ihren Part erfüllt hatten und daß Thekla den Rest nun allein besorgte. Eigentlich wollte sie mit allem weiteren überhaupt nicht konfrontiert werden, obwohl der Ausblick auf einen derartigen Geldsegen natürlich verlockend war.

Thekla erteilte ihr jedoch sofort telefonisch den Auftrag, das »Mittel« zu besorgen. Und zwar in ausreichender Menge, was Kurt sicherlich gut einschätzen könne. Und zwar lieber etwas mehr als zuwenig.

»Denkst du dabei auch gleich an uns?« fragte Lydia scherzhaft, aber Theklas Antwort stimmte sie nachdenklich.

»Keine schlechte Idee«, sagte sie spontan. Aber dann lachte sie. »Du weißt doch, Familien halten immer zusammen!«

In der Villa hatte in dieser Nacht kaum jemand geschlafen. Ina konnte es nicht fassen. Vor allem nicht, daß sie bereits vor drei Monaten, als es ihr schlechtging, eigentlich schon reich war. Vorausgesetzt diese ganze Geschichte stimmte tatsächlich. Die ganze Inszenierung mit Anno hätte nicht stattgefunden, wenn sie das gewußt hätte. Die halbe Nacht dachte sie darüber nach, was passiert wäre, wenn alles anders gelaufen wäre. Ob sie Claudio genommen, ihr Häuschen verändert hätte? Oder mit Caroline in ein ganz anderes Haus gezogen wäre, möglicherweise ebenfalls am See? Die Entführung, die Fotos, diese Drohungen wegen Romys Tod, alles wäre anders gelaufen, ja, sie hätte Romy noch nicht einmal kennengelernt. Und Claudio auch nicht. Es stimmte sie nachdenklich, denn wenn sie sich jetzt ein Leben ohne Anno, Nancy und Claudio vorstellte, erschien es ihr irgendwie nackt. Sie kam zu dem Schluß, daß das Schicksal es sicherlich so gewollt hatte und daß alles weitere abzuwarten sei.

Anno lag ebenfalls mit Zweifeln in seinem Bett. Konnte er Ina nun überhaupt noch halten? Wäre es nicht zumindest fair, ihr die problemlose Scheidung anzubieten, denn ehrlicherweise mußte er ja einräumen, daß die Grundlage zu ihrer Ehe hinfällig war. Die Abmachung lautete auf Geld und Sicherheit gegen Kümmern und Familienschocking. Die Familie zeigte sich mittlerweile jedoch so geschockt, daß sie das Visier heruntergeklappt hatte und Anno feindlich anging. Das war zwar eine Erkenntnis, aber keine, die ein schönes Altern im Familienverbund verheißen konnte. Hier ging es ums Erbe, und Anno hatte keine Lust, von seiner väterlichen Rolle auf einen bloßen Geldsack zusammengestrichen zu werden. Aber noch weniger Lust hatte er, das herrliche Familienleben mit Ina und Caroline, das er jetzt genießen durfte, so schnell wieder aufzugeben.

Es war ihm bange ums Herz, aber er beschloß, Ina morgen darüber zu befragen.

Claudio hatte in dieser Nacht die größten Probleme. Er war von der Schuld an Romys Tod freigesprochen worden, nicht richterlich, aber moralisch, und das war eine unglaubliche Befreiung für ihn. Und er hatte geerbt. Nicht so viel, wie es ursprünglich geheißen hatte, aber doch 200 000 Mark, mit denen es sich für die nächsten Jahre leben ließ, wenn er das Geld zusammenhielt. Was ihm Probleme bereitete, war die veränderte Situation mit Ina. Warum waren es in seinem Leben immer die Frauen, die das Geld hatten? Bisher hatte zwischen ihnen beiden ein Gleichgewicht geherrscht. Er hatte Romy als Förderin und somit einige Verpflichtungen, sie hatte Anno. Romys Brief erschien Claudio nicht einmal blöd. Nachdem Anno ihre Liebschaft akzeptiert hatte, so sah es zumindest aus, hätten sie noch gemütlich einige Zeit auf diese Weise leben können. Das hätte ihnen beiden zumindest einige gemeinsame Stunden in der Woche beschert. Stunden, die er nicht missen wollte und, wenn er genau darüber nachdachte, auch nicht missen konnte. Er war ganz einfach gnadenlos in sie vernarrt. Aber jetzt erhob sich Ina mit einemmal über alle hinaus. Sie hatte Anno nicht mehr nötig und ihn sowieso nicht. Was, wenn sie packen und wegziehen würde? Mit ihrer Tochter nach – wer weiß wohin? Wenn dieses amerikanische Dokument wirklich stimmte, stand ihr die Welt offen. Was sollte sie da noch mit einem Ex-kümmerer anfangen wollen?

Nancy stand die halbe Nacht am Fenster und starrte auf den blei-chen Mond und lauschte dem monotonen Rauschen der Wellen. Dann und wann hörte sie ein Tier schreien, mal einen Wasservogel, dann wieder einen Kauz, aber sie war so tief in ihre Gedanken ver-strickt, daß sie nicht darauf achtete.

Sie war bald 50 Jahre alt, und ihre Zeit lief parallel zu der Zeit von Anno. Sie hatte allen Grund, sich vor der Zukunft zu fürch-ten, denn wenn Ina gehen würde, wäre sie nach Annos Tod der Willkür seiner Töchter ausgesetzt. Und sie konnte sich ausmalen, daß die sie so schnell wie möglich aus dem Haus werfen würden. Wahrscheinlich sogar in verletzender Weise. Womöglich würden sie ihre Gepäckstücke durchwühlen, ob sie nicht zu guter Letzt doch noch das Silber mitgehen ließe. Und möglicherweise wür-den sie die unteren Räume vor ihr verschließen, so daß sie körper-lich und seelisch spüren sollte, wie unwillkommen sie sei und wie sehr man ihr mißtraute. Sie hatte diese Geschichte mit Ina bewußt forciert, ja, wenn nicht sogar eingefädelt, weil sie sich auch etwas davon erhofft hatte: ein langes Leben an der Seite einer befreundeten und zudem fröhlichen Frau und deren aufgeweck-ter Tochter. Aber diese amerikanische Erbschaft konnte alles ins Wanken bringen. Sie hoffte sehr, daß Ina nun nicht alles über Bord werfen würde. Wenn es einen Gott gab, und vor allem nachts, wenn die Welt ein anderes Gesicht bekam, glaubte sie daran, dann würde sich Ina nicht von der Villa und ihnen lösen können.

Julia hatte die allgemeine Aufregung ausgenutzt. Anno war früher als alle anderen ins Bett gegangen, Nancy war auch müde, und Ina trank mit Claudio noch einen letzten Whisky, aber es war offen-sichtlich, daß die beiden allein reden wollten. Julia war aufgestan-den, hinter Niklas' Stuhl getreten und hatte ihm »gehen wir rauf?« ins Ohr geflüstert.

»Wie?« Er drehte sich erstaunt nach ihr um. »Vor kurzem wolltest du mich noch lynchen – und jetzt ...?«

Sie grinste ihn an. »Es ist meine Nacht! Wer weiß, wann wir uns wiedersehen! Vielleicht überhaupt nicht mehr, was soll's also!«

»Überhaupt nicht mehr?« Er schob seinen Stuhl nach hinten und schaute sie von unten herauf an. »Gibt's Krieg?«

»Möglicherweise«, sagte Julia und zuckte die Achseln. »Möglicherweise gibt es dann in Stuttgart eine Witwe. Und einen Halbwaisen!«

»Hör auf!« Niklas stand auf und faßte sie an der Schulter. »Mit dem Tod macht man keine Scherze!«

»Aber mit dem Leben?«

Er war auf der Hut. »Manchmal. Wieso?«

»Weil ich auch leben will, deshalb!«

»Hmm.« Er schaute ihr in die Augen und zog sie näher an sich heran. »Willst du diskutieren ...?«

»Wenn du mich so fragst ...«

»Ja?«

»Nein!«

»Gut, dann laß uns gehen!«

Zum Frühstück trafen sie sich, wenn auch nicht um Punkt zehn. Alle wirkten völlig übernächtigt, Anno war blaß, als er an den Tisch kam, und es schien ihm nicht aufzufallen, daß Niklas noch da war. Er nickte ihm zu, wie allen anderen auch, und setzte sich hin. Nancy brachte ihm Tee und Toast, und Anno zog sich die Butter heran. »Gute Nachrichten haben manchmal etwas Teuflisches«, sagte er dabei, und als ihn alle gespannt anschauten, fügte er hinzu: »Sie lassen einen nicht schlafen!«

»Bis auf Mami«, krakeelte Caroline. »Die schläft noch wie ein Stein. Ich habe ihr eben die Decke weggezogen, aber es nützt nichts. Ich glaube, sie schläft bis Mittag!«

»Dann laß sie. Ich kann's verstehen!« Anno griff nach der englischen Orangenmarmelade, und jetzt erst schien er Niklas zu bemerken. »Auch den Weg nicht mehr nach Hause gefunden?«

»Ich hätte schon«, sagte Niklas, »aber ich wollte nicht. Ich habe bei Julia geschlafen!«

Anno zog die Augenbrauen hoch. »In diesem Haus gerät alles durcheinander. Manchmal war es mir etwas zu langweilig, das stimmt. Aber jetzt scheint es ins andere Extrem umzuschlagen!«

Einige Tage später war es amtlich. Ina war tatsächlich die Alleinerbin, es gab keine Ansprüche von einer anderen Seite. Bis zu diesem Zeitpunkt wollte Ina einfach nicht daran glauben. Es wäre zu schmerzlich gewesen, wenn sich im nachhinein alles als Mißverständnis herausgestellt hätte. Aber jetzt lud sie Anno zu einem mittäglichen First-Class-Menü nach Konstanz ein. »Das verknüpfen wir mit einer schönen Fahrt«, freute sie sich, und Anno war es bang ums Herz. Würde sie ihm beim Dessert sagen, daß nun alles vorüber sei?

Ina war während der Fahrt bester Laune. Das Wetter war durchwachsen, nicht strahlend genug, um offen zu fahren, aber Ina tangierte das in keiner Weise. »Ist das nicht ein herrlicher Tag?« fragte sie Anno ein ums andere Mal, und er mußte ihr recht geben. Natürlich war es ein herrlicher Tag für sie, und es würden noch viele herrliche Tage kommen. Ina fuhr zielsicher durch Konstanz hindurch zu der großen weißen Jugendstilvilla neben dem Konstanzer Kasino. »Et voilà«, sagte sie und lächelte verschmitzt. »Da wollte ich schon immer mal hin. Schau, wie herrlich, direkt am See!«

Haben wir zu Hause auch, wollte Anno sagen, verkniff es sich aber. Sie war einfach glücklich, und so sah sie auch aus. »Für morgen habe ich einen großen Tisch in dieser Winzerstube in Meersburg, von der du so geschwärmt hast, reservieren lassen. Da werden wir alle hingehen und alle so lange feiern, bis wir umfallen!«

Sie lachte hell und zeigte ihre strahlend weißen Zähne, stieg aus und wirbelte um den Wagen herum, um Anno beim Aussteigen zu helfen. »Komm, jetzt lassen wir uns so richtig verwöhnen!« Sie führte ihn die Treppen hinauf in das Restaurant.

»Eigentlich hat es auch seine angenehmen Seiten, eine reiche Frau zu haben«, sagte Anno, während sie ihm die schwere Eingangstür aufhielt.

»Gemeinsam sind wir stark«, antwortete sie, was Anno hoffen ließ.

Das Päckchen mit dem Gift traf am selben Tag bei Thekla ein. Sie nahm das Fläschchen heraus und stellte es in den Küchenschrank. Das war ihr Reich, hier konnte sie frei denken, hier wurde sie von keinem aus der Familie belästigt. Sie setzte sich an den Küchentisch und dachte nach. Freiwillig würde es keine von beiden nehmen. Sie mußte einen Weg finden, wie es nur Mutter und Tochter einnehmen würden, und zwar in ausreichender Menge. Dazu müßte sie wahrscheinlich ins Haus, aber das war für sie kein Problem, sie hatte ja noch einen Schlüssel. Und da es in der Villa keine Alarmanlage gab und auch keinen Hund, dürfte das nachts ohne weiteres gelingen.

Sie stand auf, ging an den Schrank, nahm das Fläschchen heraus und stellte es vor sich auf den Tisch. Dort betrachtete sie es eine Weile und wartete auf eine entsprechende Eingebung. Es war Pflaumenzeit, das war ein Ansatzpunkt. Kinder liebten normalerweise Obst, und eine Frau wie Ina, die auf ihre schlanke Linie achtete, war sicherlich auch eine Obstesserin. Es war wie bei Schneewittchen, sie könnte einen Bauernwagen hinfahren und die Früchte probieren lassen. Oder sie nachts einfach in die Obstschale legen in der Hoffnung, daß sich keiner Gedanken darüber machte, wie sie dorthin gekommen waren.

Sie stand auf, ging an den Kühlschrank, nahm sich ein Stück Obstkuchen heraus und setzte einen Kaffee auf. Vielleicht würde ihr aber auch noch etwas Besseres einfallen.

Beim dritten Gang, es gab Filet vom Bodenseezander an Fond von Jasmintee auf Kohlrabi-Zuckerschoten-Gemüse, hielt es Anno nicht mehr aus. Sie saßen sich gegenüber, spekulierten über das Leben dieser Großtante und beobachteten zwischendurch das Treiben auf der Seestraße. Um sie herum wirkte alles sehr elegant, der hohe Raum, die getragene leise Musik und die weiß gedeckten Tische.

»Wie stellst du dir nun deine Zukunft vor?« fragte Anno direkt.

Der Fischhappen, den sich Ina eben in den Mund schieben wollte, schwebte auf halbem Wege. Sie blickte eine Zeitlang darauf, bevor sie den Blick hob. »Das ist die einzige Frage, die ich nicht beantworten kann«, sagte sie schließlich. »Ich habe auch schon darüber nachgedacht und mir vorgestellt, daß ich ja jetzt alles mögliche machen könnte. Aber irgendwie war ich darüber auch nicht so glücklich …« Sie sahen sich eine Weile direkt in die Augen, dann ließ sie die Gabel sinken und griff nach seiner Hand. »Zuerst war es eine Abmachung. Aber jetzt kann ich mir wirklich nicht vorstellen, euch zu verlassen, nur weil ich mir jetzt ein eigenes Haus am See kaufen könnte. Ihr alle seid meine Familie geworden, weißt du? Du und Nancy, selbst Julia und Niklas, ich fühle mich einfach wohl und wüßte nicht, was noch mehr kommen sollte!«

»Daß du beispielsweise mit Claudio zusammenziehst!«

Sie verharrte kurz und dachte nach.

»Ich weiß, daß es auf diese Art eine schwierige Konstellation ist.« Sie drückte seine Hand. »Und wenn es zu schwierig ist, mußt du mir das sagen. Aber ich bin mir nicht sicher, ob Claudio der Mann ist, mit dem ich leben könnte. Mit dir ist das sehr entspannt, ich fühle mich frei und ungezwungen, du weißt sehr viel und informierst dich laufend, und ich, entschuldige, wenn ich es so profan sage, lerne viel von dir. Und außerdem schätze ich dich sehr. Caroline fühlt sich wohl wie noch nie in ihrem Leben, sie ist rundherum glücklich, worin könnte die Steigerung liegen?«

Anno lächelte. »Das hört sich alles wunderbar an. Aber ich bin alt, Claudio ist jung, ich bin verbraucht, er ist stark. Irgendwann würdest du uns vielleicht gern austauschen!«

Ina zog ihre Hand zurück und griff nach ihrem Weinglas. »Laß uns einfach mal darauf anstoßen, daß es ist, wie es ist. Du bist mein Ehemann und ein wunderbarer väterlicher Freund, und wenn dir das genügt, braucht sich nichts zu ändern. Und Claudio ist mein

Liebhaber, was für eine echte Ehefrau meiner Kreise« – sie zwinkerte ihm kokett zu – »wahrscheinlich sowieso nichts Ungewöhnliches ist. Was soll sie auch sonst den ganzen lieben Tag lang tun …«

Anno schloß kurz die Augen. »Es mag sich für einen Patriarchen meines Schlages seltsam anhören«, er hob das Glas, »aber ich bin außerordentlich erleichtert. Um nicht zu sagen, es fällt mir ein riesiger Stein vom Herzen. Vor wenigen Minuten noch wollte ich dir, um dir gegenüber fair zu bleiben, die schnelle Scheidung anbieten, aber ehrlich gesagt, du bist der Sonnenschein im Haus, und ohne dich und Caroline möchte ich mir mein Leben nicht mehr vorstellen.« Er stieß mit ihr an und trank einen großen Schluck. »Trotzdem bist du natürlich jederzeit frei, wenn du es dir anders überlegen solltest!« Er stellte sein Glas ab.

»Wenn dich Claudio nicht stört?«

»Bei eurer Diskretion habe ich kein Problem!«

»… dann hätte ich noch eine Bitte!«

»Jede!«

»Ich möchte dir den Jaguar abkaufen! Einmal im Leben möchte ich einen solchen Wagen wirklich selbst besitzen!«

Anno lachte. »Wenn dein Herz daran hängt … wir werden uns erkundigen, was ein gebrauchter XK 8 kostet!«

Ina drohte ihm mit dem Zeigefinger. »In unserem Fall soviel wie ein neuer!«

Anno zuckte mit den Schultern.

»Und wir können uns in Zukunft die Haushaltskosten inklusive Telefon teilen!« fuhr Ina fort.

»O nein!« Jetzt schüttelte Anno vehement den Kopf. »So weit kommt es noch! Nein, ein bißchen Haushaltsvorstand mußt du mir schon noch überlassen, sonst komme ich mir seltsam vor. Du kannst die Spendenkasse übernehmen, wenn du unbedingt willst!«

Thekla hatte in der Zwischenzeit einen weiteren Auftrag erteilt. Bernadette sollte durch ihre Tochter möglichst diplomatisch erfahren, welche Vorlieben Ina und ihre Tochter hegten. Ob es irgendeine bestimmte Eissorte, ein bestimmtes Obst oder sonst irgend etwas gab, was in der Villa nur von den beiden bevorzugt wurde. Ein Saft, eine Joghurtsorte, eine Brötchenart, egal was.

Bernadette war skeptisch. »Die kriegen von mir einen Karottenkuchen und glauben, daß diese Romy danach tot umgefallen ist. Glaubst du im Ernst, daß ich da noch etwas herausfinde?«

»Du wirst doch deine Tochter fragen können! Schließlich ist sie dein Kind!«

»Ach nee!« Bernadettes Ton war selbst für Theklas Ohren unverkennbar spöttisch. »Plötzlich sind Kinder wieder gefragt ...«

»Laß das jetzt«, wies Thekla sie barsch zurecht. »Hier geht es um die Sache, nicht um Sentimentalitäten!«

»Das hätte ich dir auch nicht zugetraut!« erwiderte Bernadette.

Julia lag mit Niklas in ihrem Bett, als der Anruf kam. Da er abends ohne lange Erklärungen nicht einfach gehen konnte, war er nach dem Mittagessen nach Heidelberg gefahren. Diesmal hatte Julia keine Zeit für lange Vorbereitungen, denn er meldete seinen Besuch ziemlich überraschend an.

»Hast du heute nachmittag was vor?« fragte er kurz vor zwölf.

»Bisher nicht«, gab Julia zur Antwort.

»Dann hast du jetzt etwas vor!« sagte er darauf.

Sie überlegte, ob sie ihn für diesen Spruch zappeln lassen sollte, aber da sie selbst darauf brannte, ihn wiederzusehen, verkniff sie es sich. »Das paßt bestens, meine Putzfrau ist ausgefallen, dann kannst du mir helfen, die Fenster zu putzen. Ich komme da so schlecht ran!« sagte sie statt dessen.

»Kehrwoche hast du wahrscheinlich auch noch?!?«

»Richtig! Aber zu zweit geht es allemal schneller!«

»Wir können ja mal sehen, ob uns dafür noch Zeit bleibt ...«

Sie mußte gegen ihren Willen lachen, und er stimmte in ihr Gelächter ein.

»Okay«, sagte sie schließlich, »aber dann beeil dich!«

»Das hört ein Mann immer gern!«

»Ich werde dich nachher daran erinnern!«

Es war kurz still. »So war's nicht gemeint!«

Julia lachte wieder. »Aber gesagt!«

Sie hatte, um das Vorgespräch am Tisch abzukürzen, die Getränke direkt ans Bett gestellt. Es war sowieso klar, was sie wollten, also war alles weitere bloße Zeitvergeudung. Und Niklas brachte auch keine weiteren Einwände, sondern verschwand, nachdem er die Situation überblickt hatte, sofort im Badezimmer.

»Sekt, Bier oder Saft?« fragte sie ihn.

»Dich!« sagte er, und weil sie eigentlich auch nichts anderes wollte, zog sie sich direkt aus und stieg zu ihm in die Wanne.

Später plänkelten sie gemütlich im Bett herum, vermieden es, auf die Uhr zu schauen und die Rede auf unbequeme Details zu bringen. Als das Telefon klingelte, schauten sie sich kurz an, aber da es neben dem Bett auf dem Fußboden neben all den anderen Sachen lag, rollte sich Julia quer über Niklas an die Bettkante und zog es heran. Das Display gab die Nummer ihrer Mutter an.

»Still, es ist Mami. Sie denkt, ich studiere!«

»Tust du doch!«

Da sie so bequem über ihm lag, biß sie ihn leicht in die Brust. »Ruhe! Männer gibt's nicht als Studienfach, weil sie erstens viel zu unwichtig und zweitens zu simpel gestrickt sind. Noch Fragen?«

»Du wirst frech!« Er tätschelte drohend ihren Po.

»Zu simpel! Sag ich doch!« Sie grinste ihn an und nahm den Hörer ab. »Hey, Mutti! Wie geht's?«

Für Bernadette war es jedesmal aufs neue seltsam, daß sie direkt erkannt wurde. Es brachte sie auch etwas aus dem Konzept, denn sie hatte sich genau zurechtgelegt, wie sie Julia unverfänglich befragen konnte. Sie erzählte ihr, daß sie einen Rhetorikkurs in der Volkshochschule belegt habe und nun ein Thema gezogen habe, mit dem sie einfach nichts anfangen könne.

»So? Worum geht's denn«, fragte Julia mit der generösen Nachsicht der Besserwissenden.

»Rituale. Und zwar zwischen Mutter und Tochter, bei denen andere ausgeschlossen sind. Kannst du dich erinnern, daß wir beide ein Ritual hatten? Also irgend etwas, das nur wir beide für uns ganz allein gemacht haben?«

Julia dachte nach. »Nein, leider nicht. Wahrscheinlich hätte ich mir so etwas gewünscht!«

»Fällt dir denn etwas dazu ein?« Bernadette wartete gespannt.

Niklas streichelte Julias Wirbelsäule. »Ich glaube, ich komme jetzt nicht darauf!«

»Irgendein Essen, was weiß ich, ein Eis, das nur Mutter und Tochter essen und der übrigen Familie verweigert wird, oder eine bestimmte Obstart, oder …«

»Also ums Essen geht's?« Ihre Härchen stellten sich am Rücken auf, und als sich Niklas' Finger zur weichen Unterseite ihres Oberarms hinübertasteten, wurde sie vollends unruhig. »Also, Mutti, ich glaube …«

»Essen oder Trinken wäre nicht schlecht, ja!«

»Wie wär's denn mit heißer Schokolade?« Inzwischen mußte sie darauf achten, daß ihr kein Wohllaut entschlüpfte. »Das machen Ina und Caroline jeden Abend vorm Zubettgehen, auch wenn du die beiden nicht magst.«

Bernadette hielt die Luft an.

»Tja, vielleicht. Bist du im Streß?«

»Au ja! Mutti! Ich muß jetzt, glaube ich, ganz schnell auflegen!«

Anno und Ina fuhren in bester Stimmung nach Hause. Anno war glücklich, denn so wie es aussah, hatte sein bisheriges Leben weiterhin Bestand. Und auch Ina war mit sich und der Welt völlig im reinen. Sie wußte nicht, welchem guten Geist sie das alles zu verdanken hatte, aber sie war sich sicher, daß sie es in irgendeiner Form zurückgeben mußte. Es gab genug Möglichkeiten, sich zu engagieren. Vielleicht war das Heim für ungeliebte Kinder, von dem Nancy immer träumte, eine Möglichkeit. Sie würde das prüfen, denn sie meinte es ernst.

Es war später Nachmittag, als sie zu Hause eintrafen. Nancy stand mit Caroline in der Küche. Sie hatten beide Schürzen um und backten Plätzchen. Die erste Ladung duftete schon im Backofen, die nächste wurde von Caroline eben ausgestochen. Ihre Wangen glühten, und sie war über und über mit Mehl bestäubt.

»Ist es nicht ein bißchen früh für Weihnachtsgebäck?« Ina schaute sich die Backformen aus Blech an. Engel, Kerzen und Christbäume.

»Unser Sortiment ist zugegebenermaßen etwas begrenzt«, lachte Nancy, und ihr Körper erbebte dabei. »Ich weiß aber auch nicht, ob es Dahlienformen und Zwetschgenformen überhaupt gibt. Darum haben wir ausgemacht, daß wir das locker sehen!«

»Hauptsache, sie schmecken!« bekräftigte Caroline. »Und ich kann den Teig alleine machen, Mami! Ich weiß jetzt, wie das geht!«

»Meine Tochter, eine Hausfrau. Sie schlägt völlig aus der Art!« Ina grinste und gab ihr einen Kuß. »Na, klasse! Wann gibt's die erste Kostprobe?«

»Zum Schlafengehen! Als Betthupferl!«

»Okay! Aber vor dem Zähneputzen!«

»Zur heißen Schokolade!«

»Ausnahmsweise. Aber das führen wir jetzt nicht auch noch ein, sonst rollen wir eines Tages die Treppe hinunter!«

»Na und?« fragte Nancy und rollte demonstrativ die Augen.

Ina fuhr sich mit beiden Händen über ihre schmalen Hüften. Sie trug ein knielanges, enganliegendes Kleid aus schwarzer roher Seide. »Schwarz macht schlank, wie man ja weiß. Aber zwei Kilo habe ich bereits zugenommen, seitdem ich hier bin, und ich versichere dir, Nancy, mehr sprengt meinen gesamten Kleiderschrank!«

»Klasse!« Nancy stupste sie an. »Dann gibst du mir die Sachen zum Auftragen und kaufst dir was Neues!«

Thekla jubilierte. Das war eine Sensation! So einfach hatte sie es sich nicht vorgestellt. Jetzt galt es, ihre Rechte und Pfründe zu sichern. Sie rief nacheinander ihre Schwestern an. »Wir sind ein Verbund«, sagte sie ihnen, »und wir wollen alle das gleiche. Also sind wir alle gleichermaßen verantwortlich. Ich will das von euch unterschrieben haben!«

Auf ihre erstaunten Reaktionen hin erklärte sie weiter, daß zwar alle verantwortlich seien, aber nur eine die Tat ausführen könne.

Sie würde dafür sorgen, daß die Dinge ihren gewünschten Lauf nähmen. Doch dafür müßten ihr bei der Verteilung auch Sonderrechte zustehen. Geld sei »danach« für alle genügend vorhanden, aber nur sie würde in die Villa einziehen.

»Zu Vater?« wollte Lydia erstaunt wissen.

»Ich denke, dieses Problem sollten dein Mann, der hochgelobte Arzt, und Renates Göttergatte, der verschuldete Rechtsanwalt, wohl gemeinsam lösen können. Der Samen ist schließlich schon gesät, ein weiterer Giftfall im Hause Adelmann dürfte dafür sorgen, daß manches fragwürdig wird. Vor allem Vaters Geisteszustand. Und möglicherweise sogar noch einmal Martha Steinbergs Tod, die immerhin davor bei Anno zu Abend gegessen hat.«

»Es war Selbstmord! Das ist bewiesen, sagt Bernadette!«

»Was heißt bewiesen? Abschiedsbriefe und eine Giftflasche! Ein guter Rechtsanwalt wird das Gegenteil beweisen. Alles unter Zwang entstanden! Oder gefälscht ... oder, oder!«

Lydia schwieg. Das mit der Villa gefiel ihr überhaupt nicht. Auf der anderen Seite würden sie nie an die Villa herankommen, wenn diese Ina das Sagen hatte. Thekla ließe sich wahrscheinlich leichter ausschalten. Da würde sich sicherlich ein Weg finden lassen.

»Also gut«, sagte sie. »Meinen Segen hast du!«

Niklas war schon wieder auf dem Rückweg. Mit dem Eintritt in seine Wohnung würde er wieder in eine völlig andere Welt eintauchen, und das Intermezzo von eben hätte keine Bedeutung mehr. Die Dinge waren leicht zu trennen, und wenn es so easy weiterlaufen würde, sah er auch keine Probleme. Julia war anscheinend an keinen weiteren Zugeständnissen interessiert, und Angelika konnte sich nicht äußern, weil sie nichts wußte. Eigentlich war alles völlig entspannt, und auch in anderen Kulturen waren zwei Frauen ja akzeptabel. Oder sogar eher zuwenig. Er ließ seine Gedanken schweifen, wie die Männer das dort finanziell bewerkstelligten und welche Potenz sie wohl bräuchten, um mehrere Frauen von Julias Format zu verkraften. Nebenher hielt er nach einem

Parkplatz Ausschau, denn schneller als gedacht war er vor seiner Stuttgarter Wohnung angekommen. Er hatte Glück, eben wurde auf der anderen Straßenseite ein Parkplatz frei.

Als Niklas in die Wohnung kam, saß Angelika am Tisch und schaute ihm entgegen.

»Schön, daß du auch mal wieder zu Hause auftauchst«, sagte sie statt einer Begrüßung.

Sie sah etwas aufgelöst aus, wie sie so dasaß, fand Niklas. Ohne Make-up, die halblangen Haare feucht nach hinten gekämmt. Wahrscheinlich hatte sie frisch geduscht. Er rückte sich ihr gegenüber einen Stuhl zurecht.

»Wo warst du?« fragte Angelika scharf und bewegte sich dabei keinen Millimeter, sondern fixierte ihn mit ruhigen, kalten Augen. Niklas kam sich vor wie auf der Anklagebank. Er wurde immer unsicherer.

»Was soll das?« fragte er im Versuch, Zeit zu gewinnen.

»Das ist keine Antwort!«

Verdammt, wieso schrie Joshua nicht. Er schrie doch sonst immer!

Niklas zuckte mit den Achseln. »Was soll der Blödsinn! Ich habe ein paar Dinge besorgt! Du tust ja gerade so, als sei das ein Verbrechen!«

»Wenn es eine andere Frau ist, dann sei so ehrlich, oder soll ich sagen: mutig?, und sag es mir. Ich denke, ich habe ein Recht darauf!«

»Das hättest du«, sagte Niklas bestätigend. »Wenn's so wäre!«

»Drecksack!« Sie schleuderte ihm den Rest Orangensaft aus ihrem Glas mit einer schnellen Bewegung ins Gesicht.

Niklas sprang auf, so daß der Stuhl nach hinten wegkippte. »Spinnst du?!« Er wischte sich mit dem Unterarm den Saft ab. Sie hatte sich noch immer nicht bewegt.

»Faß doch mal in deine Hosentasche!« Er tat es nicht, denn er wußte, was er dort vorfinden würde.

»Blöderweise hattest du die Packung in der Jeans, als ich sie waschen wollte. Frisch aus Lindau zurückgekehrt. Eines fehlte. Ich habe die Jeans nicht gewaschen, sondern in den Schrank gelegt. Heute habe ich im Institut angerufen, du warst aber nicht da. Daraufhin habe ich nachgeschaut. Die Packung hast du mitgenommen. Darf ich fragen, wie viele der Herr heute nachmittag verbraucht hat? Eines? Oder hat er sich zu mehr aufgeschwungen? Zwei? Leg die Dinger ruhig mal auf den Tisch, dann können wir ja gemeinsam nachzählen!«

Niklas stand stocksteif. Sie hatte recht. An die Kondome hatte er keinen Gedanken verschwendet. Er hatte sich selbst eine Falle gestellt.

»Los, zieh sie raus!«

Zögernd griff er in seine rechte Hosentasche. Er war ein Gewohnheitstier, daran gab es keinen Zweifel. Geld, Schlüssel, alles steckte er in die rechte Hosentasche. Manchmal auch in die Innentasche einer Jacke. Aber jetzt war halt Sommer. Und er zog die halbleere Packung heraus.

»Also gut«, sagte er und warf sie auf den Tisch. »Können wir darüber reden?«

»Ob es gut oder schlecht ist, Gummis zu benutzen?« Sie starrte ihn an.

»Beispielsweise!« sagte er.

»Wir könnten uns *beispielsweise* auch darüber unterhalten, ob es gut oder schlecht ist, Männer aus der Wohnung zu werfen!« Sie sprach es so emotionslos, daß in Niklas' Gehirnwindungen sämtliche Alarmanlagen angingen. »Ich denke nämlich, daß ich keine Lust habe, mich nochmals von dir anfassen zu lassen!«

»Angelika!« Er setzte sich wieder. »Nun mach doch mal halblang. Das kann doch mal passieren!«

»Etwas anderes als eure Ständer habt ihr wirklich nicht im Kopf. Nicht zu fassen. Es gibt auch noch was anderes! Kinder, Familie und Vertrauen zum Beispiel. Das scheint bei dir nicht zuzutreffen!«

»Nein! Nicht wirklich!« Es war ihm herausgerutscht, rein als Schlagabtausch gedacht. Aber er sah an ihrer Miene, daß er sich vergriffen hatte.

»Weißt du was, Niklas, nimm deine zwei übriggebliebenen Gummis und verpiß dich. Und das möglichst zügig!«

Thekla hatte einen Vertrag aufgesetzt und an ihre Schwestern gefaxt. Es war ihr klar, daß Hans-Jürgen das Schreiben genauestens würde prüfen wollen, aber sie hatte dazugeschrieben, daß sie nicht tätig würde, solange das Einverständnis zu ihren Forderungen nicht vorläge. So kamen die Faxe tatsächlich noch im Laufe des Abends zurück. Sie sammelte sie an ihrem Küchentisch und las sie mehrmals durch. Endlich hielt sie den Schlüssel in den Händen. Es war wie Schach. Sie beherrschte alle Züge, sie würde den König in die Enge treiben. Am Schluß siegte ihre Intelligenz.

Sie ging an den Kühlschrank und schaute, was sie sich Gutes antun konnte. Sie verspürte einen Heißhunger auf Maultaschen mit gerösteten Zwiebeln, aber sie hatte keine mehr. Ein schneller Blick auf die Uhr sagte ihr, daß sie noch eine Chance hatte, wenn sie sich beeilte. Und sie konnte sich bei dieser Gelegenheit auch gleich mit einer Packung Schokoladenpulver eindecken, um zu schauen, ob sich das Pulver so mit dem Gift vermischen ließe, daß nichts mehr davon zu sehen war. Bestens gelaunt griff sie nach Autoschlüssel und Geldbörse und verließ das Haus.

Gerhard hörte das Klacken der Haustür. Er hatte sich im zweiten Stock in seinem Arbeitszimmer auf das Sofa gelegt und die Fenster verdunkelt. Sein Kopf bereitete ihm noch immer Probleme, aber schlimmer war es, daß er seinen Neigungen nicht mehr nachgehen konnte. Thekla bewachte ihn wie einen bissigen Hund. Sobald er nur telefonierte, und sie hörte es am Knacksen des Zweitapparats, hing sie entweder direkt in der Leitung oder erschien überraschend hinter ihm. So stand er jetzt schnell auf und beobachtete durch den Spalt zwischen den Vorhängen, wie sie in den Wagen stieg und wegfuhr. Wohin, hatte sie ihm nicht gesagt, aber es interessierte ihn auch nicht. Hauptsache, sie war weg! Er griff sofort nach seinem geheimen kleinen Adreßbuch, das er hinter dem Schrank versteckt hatte, und rief Sabine an. Eigentlich wollte er sich nach Barbaras Brief mit der entlarvenden Namenliste eine Neue suchen, aber dazu fehlte ihm bislang die Gelegenheit.

»Lange nichts von dir gehört«, begrüßte ihn Sabine und verstieg sich mit rauchiger Stimme zu einem: »Dachte schon, du hättest was Jüngeres gefunden.«

Gerhard paßte der Ton zwar nicht, aber da er keine Alternative zu ihr hatte, sagte er nur kurz: »Ich muß dich sehen!«

»Nur sehen?« fragte sie und lachte vieldeutig.

»Du weißt schon …« Er haßte solche Spielchen.

»Wann denn?« fragte sie, und er hörte etwas piepen. Anscheinend hatte sie ihren Organizer eingeschaltet.

»Könnte es die nächsten Tage spontan sein?« fragte er verhalten. Er konnte einfach nicht so weg, wie er wollte. Solange er noch nicht voll arbeitete, hatte er ständig Thekla im Kreuz.

»Auf Abruf?« Sie zögerte. »Ich bin ziemlich ausgebucht. Müßte gerade Glück sein. Morgen sieht's recht gut aus.«

»Nun, vielleicht habe ich ja Glück, Sabine. Du bist eine tolle Frau! Ich melde mich!«

Er trat vom Fenster zurück, legte auf, wählte eine andere Telefonnummer, um die Wiederwahl zu verhindern, und ging in die Küche. Die Aussicht auf eine scharfe Nummer beflügelte seine Sinne. Wahrscheinlich wäre er schon längst wieder gesund, wenn er könnte, wie er wollte. Die rasenden Kopfschmerzen kamen eher vom Samenstau als von diesem lächerlichen Schlag, da war er sich sicher. Trotzdem schwor er sich zum wiederholten Mal, sich an Barbara zu rächen, sobald sie ihm in die Finger kommen würde. Und wenn ihm das eine Anzeige wegen Vergewaltigung einbrächte, würde er es auf ihre Neurosen schieben. Kurt konnte sicherlich ein entsprechendes Gutachten in die Wege leiten.

Barbara war langsam am Haus vorbeigefahren. Sie war aus Italien zurückgekommen, um sich für die nächsten Wochen einige Dinge aus ihrer Wohnung mitzunehmen. Es gefiel ihr in Florenz, und sie spielte ernsthaft mit dem Gedanken, für länger nach Italien zu gehen. Aber wenn sie schon da war, dann wollte sie die restlichen

Dinge, die noch von ihr in ihrem Elternhaus waren, an sich nehmen – vor allem ihren Brief. Es paßte ihr nicht, daß er sich noch im Haus und somit in den Händen ihrer Mutter befand. Aber da sie weder ihrer Mutter noch ihrem Vater begegnen wollte, mußte sie eine günstige Stunde abpassen.

Von der Ecke aus hatte sie gesehen, wie ihre Mutter wegfuhr. Jetzt war nur fraglich, ob sonst noch jemand im Haus war. Sie hatte sich heute morgen versuchsweise im Büro ihres Vaters nach ihm erkundigt und erfahren, daß er noch immer krankgeschrieben war. Das ließ vermuten, daß er noch daheim war, er könnte aber auch im Krankenhaus oder in Kur sein. Wenn das der Fall war, so hätte sie wahrhaftig gut zugeschlagen.

Barbara nahm ihr Handy und rief zu Hause an. Gerhard meldete sich, sie legte auf. Schade, die Gelegenheit wäre günstig gewesen. Sie bog in die nächste Seitenstraße ein und sah im Rückspiegel, daß ihre Mutter schon wieder zurückkam.

Thekla war mit sich und der Welt zufrieden. Was jetzt noch kam, war eigentlich ein Kinderspiel. Sie schaute auf ihre Einkaufstüte, die neben ihr auf dem Beifahrersitz lag. Sie hatte eine gängige Trinkschokolade eingekauft, es ging ja nur um einen Test, deshalb konnte ihr die Marke egal sein. In Nancys Speisekammer würde dann schon die richtige Packung stehen. Sie parkte, nahm ihre Tüte und ging direkt in die Küche. Dort traf sie auf Gerhard, der ganz gegen seine Gewohnheiten mit einer Flasche Bier am Küchentisch saß. Sofort spürte sie, wie ihr Adrenalinspiegel anstieg. Hoffentlich hatte er nicht herumspioniert. Andererseits, wonach sollte er suchen? Wenn ihr Coup klappte, hatte sie ihn auf diskrete Weise los. Er würde hier wohnen bleiben, und sie würde den Platz einnehmen, der ihr zustand.

»Schon zurück?« Er sah nicht aus, als ob er sich sonderlich freute.

»Sollte ich nicht?« Sie räumte die Tüte aus und stellte das Schokoladenpulver in den Küchenschrank. Das Fläschchen stand unverändert an seinem Platz. Gut so, dachte sie und drehte sich nach Gerhard um.

Er zuckte die Achseln.

Seitdem er nicht mehr regelmäßig in die Uni ging und zu Hause herumhing, hatte er etwas Quallenartiges bekommen, fand sie. Der Kopf war irgendwie runder geworden, und sein ganzer Körper wirkte aufgedunsen. Sie betrachtete ihn und stellte fest, daß sich seine Gesichtshaut rötete.

»Ist was?« Er zog die Augenbrauen zusammen.

»Was soll sein?« Sie legte die Maultaschen neben dem Herd auf der Anrichte zurecht und die Zwiebeln daneben.

»Schon mal was von Kommunikation gehört?« Sein Unterton wirkte drohend.

»Mit dir?« Sie öffnete die Schublade und suchte das passende Messer für die Zwiebeln.

»Beispielsweise!« sagte er.

Sie wiegte statt einer Antwort bedächtig ihren Kopf.

Er knallte mit der Faust auf die Tischplatte. »Mit dir kann man ja nicht mehr reden!«

Sie drehte sich zu ihm um, das Messer in der Hand. »Ich würde mal behaupten, du bist daran nicht unschuldig!«

Er schnaubte und starrte sie an. Sein Gesicht rötete sich zusehends, selbst seine Augen schienen die Farbe zu verändern. »Es muß mich der Teufel geritten haben, daß ich *dich* geheiratet habe!«

Sie taxierte ihn voller Widerwillen mit eng zusammengekniffenen Augen. »*Mich* hat der Teufel geritten! Du verwechselst da etwas!«

»Eines Tages bringe ich euch alle um!« zischte er und stand auf.

»Da wirst du dich aber ranhalten müssen!« Sie hatte das Messer noch immer vor ihrer Brust.

»Lächerlich!« Er griff nach seiner Bierflasche, ging hinaus und knallte die Tür hinter sich zu.

Thekla atmete auf. Lange würde sie es auf diese Art sowieso nicht mehr aushalten. Es war tatsächlich Zeit, daß sich in ihrem Leben etwas Grundlegendes änderte.

Sie griff sich die Packung mit dem Schokopulver, nahm einen Teelöffel des weißen Pulvers aus der Giftflasche, streute es über das dunkle und vermischte ganz vorsichtig die oberste Schicht. Es war nicht zu erkennen. Es war perfekt! Morgen würde sie am frühen Nachmittag gemütlich nach Lindau fahren, und in der Nacht würde sie sich mit ihrem Schlüssel ins Haus schleichen. Das einzige Handicap, das sich ihr jetzt noch in den Weg stellen könnte, wäre ein ausgetauschtes Haustürschloß. Aber sie vertraute darauf, daß Anno alles beim alten gelassen hatte, so wie es seine Art war.

Barbara hatte sich schon frühmorgens mit einem kleinen Fernglas auf die Lauer gelegt. Ihren Wagen stellte sie auf einem Parkplatz ab, der durch Büsche geschützt war. Sie hatte sich einen Roman als Hörkassette mitgenommen, um sich die Zeit zu vertreiben. Der Briefträger kam und ging, aber sonst regte sich nichts in dem Haus. Gegen elf Uhr wurde oben der Vorhang aufgezogen. Es war das Zimmer ihres Vaters, dort hatte er seinen Schreibtisch stehen und eine Couch. Vermutlich fing er jetzt an zu arbeiten. Oder er verkroch sich ganz einfach. Gut so. Wenn sie wußte, wo er war, konnte sie sich in ihr ehemaliges Zimmer, das jetzige Gästezimmer, schleichen. Sicherlich hatte Thekla den Brief dort aufbewahrt oder aber in ihrem Schlafzimmer. Die beiden Möglichkeiten mußte sie überprüfen, und sie würde es tun, sobald ihre Mutter das Haus für ihre täglichen Besorgungen verlassen hätte. Barbara hatte sich eine Milch und ein belegtes Brötchen mitgenommen, das sie gegen ein Uhr aß. Kurz danach sah sie, wie ihre Mutter aus dem Haus kam. Sie trug einen Mantel über dem Arm und eine kleine Reisetasche bei sich. Das war ja hochinteressant. Das sah nach einer längeren Abwesenheit aus. Ob ihr Vater mitging?

Thekla belud den Wagen, setzte sich hinein und fuhr rückwärts aus der Ausfahrt. Barbara sah, wie sich oben der Vorhang bewegte. Gerhard stand wohl in seinem Zimmer und beobachtete sie. Womöglich würde er das Haus auch gleich verlassen, das wäre ein ungeahnter Glückstreffer. Aufgeregt kaute Barbara auf ihrem Fingernagel herum, was sie sonst nie tat, und setzte sich ein Zeitlimit. Wenn er in der nächsten halben Stunde nicht ging, würde sie es einfach versuchen. Den Schlüssel hatte sie noch, die Tür ging leicht, sie kannte sich aus und war schnell. Was sollte also passieren.

Der Fingernagel war bereits kantig abgebissen, als ein kleiner Sportwagen vor das Haus fuhr. Barbara setzte sich auf. Was war das? Bekam Gerhard jetzt Besuch? Sie nahm das Fernglas. Die Autonummer kannte sie, es war die von Sabine. Nicht zu fassen, das war direkt tollkühn. Sabine war die jüngere Schwester einer ehemaligen Kommilitonin, mit der Barbara bis heute befreundet war. Von ihr hatte sie die ganzen Informationen über ihren Vater, inklusive der Namen der anderen »Bräute«. Und eigentlich auch den Tip, aus Gerhards gestörtem Verhalten Kohle zu ziehen.

Jetzt hatte sie die Chance, direkt hineinzugehen, aber weil sie Sabine nicht unbedingt bei der Arbeit sehen oder hören wollte, vertraute sie darauf, daß er danach in Tiefschlaf fallen würde. Sie stellte ihren Autositz etwas bequemer und spulte die Kassette noch mal zurück. Vor lauter Nervosität hatte sie nur die Hälfte der Geschichte mitbekommen.

Gerhard hatte sich einen Kaffee aufgesetzt, denn mit irgend etwas mußte er jetzt die Stunde überbrücken. Sabine hatte zugesagt, aber nur eine vage Uhrzeit genannt. Als er sie, früher als erwartet, klingeln hörte, war er bereits sichtlich erregt. Schon allein die Vorstellung, daß es in ihrem Haus, praktisch vor Theklas Nase, geschehen würde, machte ihn tierisch heiß. Es würde seine geheime Waffe gegen sie bleiben. Irgendwann, wenn sie sich wieder so blöd wie gestern abend benehmen würde, konnte er es ihr dann an den Kopf schleudern. Eigentlich freute er sich jetzt schon darauf. Er öffnete die Tür, und Sabine stand tief ausgeschnitten vor ihm. Er wäre am liebsten gleich zwischen ihre Brüste gefallen, aber er wußte, daß sie ihr Spielchen spielen wollte. Dazu gehörte zunächst einmal schauen, aber noch nicht anfassen.

»Ich bin rattenscharf auf dich!« Gerhard betrachtete sie mit leuchtenden Augen.

»Gut so!« Sabine warf den Kopf kokett zurück und drückte sich so an ihm vorbei, daß er ihren Busen spüren konnte.

»Mmmhh«, er seufzte wollüstig, ging hinter ihr her und kam sich dabei vor wie ein dressiertes Hündchen.

Sabine blieb im Flur stehen.

»Schlafzimmer? Wohnzimmer? Terrasse?«

Allein die Aussicht, sie auf der Terrasse zu nehmen, heizte ihm noch mehr ein. Aber es waren zu viele Augen in der Nähe.

»Die Terrasse wäre scharf, geht aber nur in der Dunkelheit – die Nachbarn«, fügte er entschuldigend hinzu. »Laß uns ins Wohnzimmer gehen. Da gibt's einige Möglichkeiten für unsere Spielchen!« Und vor allem konnte er sich insgeheim über Thekla totlachen, wenn sie morgen wieder seelenruhig in ihrem Fernsehsessel sitzen würde.

»Ist in Ordnung, mein Süßer.« Sabine zog ihn an der Knopfleiste seines blauweiß gestreiften Hemdes zu sich her und griff ihm mit einer schnellen Bewegung in den Schritt. Dann schnupperte sie. »Riecht irgendwie nach frischem Kaffee. Hatte ich heute noch keine Zeit dafür – nicht zuletzt dir zuliebe! » Sie bohrte ihm ihren Fingernagel durch das Hemd in den Bauchnabel. »Wollen wir noch ein bißchen rauszögern?«

Gerhard war es überhaupt nicht nach Verzögerung. Aber daß sie so schnell hatte kommen können, wollte er auch honorieren. Wer wußte schon, ob er sie nicht bald wieder herbestellen würde?

»Ich habe eben in der Küche einen aufgesetzt. Er dürfte jetzt durchgelaufen sein!«

»Reicht er für zwei?« Sie ging dem Duft nach, und Gerhard betrachtete ihre nackten langen Beine in dem kurzen weißen Faltenrock von hinten. Er mußte sich beherrschen, daß er nicht direkt darunter griff.

»Ich habe beim Kaffee nie ein Maß, darum mache ich immer zuviel!«

»Recht so! Maßlosigkeit ist eine Tugend!« Sie grinste ihn herausfordernd an.

Gerhard griff nach der gläsernen Kaffeekanne, stellte sie neben die Herdplatte und holte zwei Tassen. Dabei hörte er den Kühlschrank klappen.

»Milch ist da«, stellte Sabine fest. »Schulmädchen trinken gern Milch«, sagte sie, drehte den Deckel der Milchflasche auf und stippte mit dem Zeigefinger hinein.

»Nimm dir, was du brauchst!« Gerhard nickte ihr zu, während er lüstern beobachtete, wie sie genüßlich ihren Finger in den Mund schob.

»Laß uns …«, begann er, aber sie wehrte ab.

»Ich mache uns einen Cappuccino. Das schmeckt mit einer geschlagenen Milchhaube tausendmal besser, und Kätzchen lieben es, wenn sie ihre süßen Schnäuzchen in Sahne stecken können!« Sie fuhr sich mit der Zungenspitze über die roten Lippen.

Gerhard nickte nur noch. Er konnte sich kaum mehr bremsen. Gleich würde er über sie herfallen, ihr die Kleider herunterreißen und sie gerade hier in der Küche, am besten auf Theklas vermaledeitem Küchentisch …

Sabine bückte sich, um in der großen offenen Ausziehschublade unter dem Herd nach dem Schneebesen zu greifen, den sie dort eben entdeckt hatte. Gerhard trat von hinten an sie heran, aber sie wehrte ihn ab. »Gleich!« sagte sie und fuhr sich mit dem Schneebesen zwischen die Brüste. »Noch ein Topf, dann steht unserem Glück nichts mehr im Wege!«

»Du machst mich völlig verrückt!« sagte er und öffnete eine der Türen des Küchenschranks. »Hier gibt es Töpfe genug! Große, kleine, dicke, dünne.« Seine Stimmlage wurde immer rauher. »Aber vor allem dicke …«, sagte er und griff sich jetzt selbst an den Schritt. »Gleich platze ich!«

Sie fuhr ihm mit dem Schneebesen kurz über die Hose, schüttete die Milch in den Topf und drehte sich zu ihm um. »Man soll sich mit nichts Mittelmäßigem zufriedengeben, wenn man es auch besser haben kann!«

Dann schlug sie die aufkochende Milch schaumig und löffelte den Schaum behutsam über die beiden Tassen Kaffee.

»Na?« fragte sie provokant und drehte sich, den Schneebesen mit der Zungenspitze abschleckend, zu Gerhard um.

»Beifall!« sagte er und beobachtete sie. Dann warf er einen Blick auf den Cappuccino. »Fehlen nur noch die Schokostreusel!«

Sabine schüttelte den Kopf. »Das mag ich nicht! Aber wenn du ... wo stehen sie denn?«

Gerhard überlegte. Dann fiel im das Schokopulver ein, das seine Frau gestern in den Küchenschrank geräumt hatte. »Ist zwar Kindertrinkschokolade«, sagte er und nahm es heraus, »aber das dürfte den gleichen Zweck erfüllen!« Sabine reichte ihm einen Löffel, und er streute sich eine große Portion Schokopulver über den Milchschaum.

Barbara beobachtete erstaunt, wie Sabine nach nur 20 Minuten panikartig das Haus verließ. Sie schaute sich mehrmals um, setzte sich in ihren Wagen und fuhr mit durchdrehenden Reifen los. Hatte er sie angegangen, das alte Ekel? Sie hatte ihre Handynummer nicht dabei, sonst hätte sie sie gleich angerufen. Aber so oder so, jetzt würde sie ihre Mission in Angriff nehmen. Und wenn er ihr in die Quere kam, würde sie schießen. Dazu hatte sie sich eine mit Gas gefüllte Schreckschußpistole mitgebracht. Sie wollte ein neues Leben anfangen, und dazu gehörte, daß sie ihr altes bereinigte. Irgendwo würde sie den Brief schon finden, es war nicht anzunehmen, daß ihre Mutter ihn mitgenommen hatte.

Sie steckte die Waffe in die Tasche ihrer Lederjacke, nahm die große Nylontasche, die sie für ihre Kleider gerichtet hatte, und stieg aus. Von der Nachbarschaft war niemand zu sehen, das war ihr angenehm, so konnte sie unbemerkt durch die Haustür schlüpfen. Im Flur nahm sie die Waffe heraus und schlich sich langsam an der Wand entlang in Richtung Treppe. Das Wohnzimmer war leer, das sah sie mit einem Blick. Also war er oben, vermutlich in seinem Zimmer. Die Treppe war aus Stein, sie setzte ganz behutsam einen Fuß vor den anderen, immer darauf gefaßt, sich plötzlich ihm gegenüber zu sehen. Aber es rührte sich nichts. Vorsichtig drückte sie die Türklinke zu ihrem ehemaligen Zimmer hinunter, ging hinein und schloß sie wieder hinter sich. Unerwarteterweise war das Zimmer bewohnt. Das Bettsofa war ausgezogen, die Bettwäsche verriet, daß einer von beiden aus dem ehelichen Schlafzimmer ausgezogen war. Oder hinausgeworfen worden war. Barbara tippte auf Gerhard und schaute sich um. Wo sollte sie anfangen? Sie öffnete den Kleiderschrank. Da hingen noch einige Kleidungsstücke von ihr, unter anderem die von Thekla erwähnte Lederjacke. Sie tastete sie ab, aber es fand sich kein Brief. Also nahm sie ihre Wäsche leise heraus und verstaute sie in ihrer Reisetasche. Dann horchte sie an der Tür nach draußen und überlegte, wo sie weitersuchen könnte. Den großen Tisch am Fenster hatte ihre Mutter wohl zu ihrem Arbeitstisch gemacht. Es lagen Stöße von Papieren zu Haufen geordnet nebeneinander. Sie fing beim vordersten an, kämmte alles durch, fand aber nichts. Es waren fast alles alte Rechnungen oder auch Briefwechsel. Leise zog sie die Schublade auf. Ein Ordner aus grüner Recyclingpappe lag obenauf. Er sah recht abgegriffen aus, wahrscheinlich war es ein alter von ihr, überlegte Barbara, nahm ihn aber trotzdem heraus und schlug ihn auf. Zuerst verstand sie nicht, was sie da auf den ersten Blick gesehen hatte, also las sie es nochmals langsamer. Ein Vertrag zwischen ihrer Mutter und Bernadette. Sie blätterte durch. Mit all ihren Schwestern hatte sie Verträge geschlossen, und Barbara stockte der Atem, als ihr der Grund klar wurde. Ihre eigene Mutter plante einen Mord, um sich zu bereichern. Um in der Villa leben zu können. Es trieb ihr augenblicklich den Schweiß auf die Stirn. Die Faxe waren von gestern. Was hatte sie vor? War sie deshalb heute nachmittag weggefahren? Barbara klemmte sich den Aktenordner unter den Arm, alles andere vergaß sie.

In Windeseile lief sie aus dem Zimmer und rannte mit vorgestreckter Waffe die Treppe hinunter und aus dem Haus hinaus. Sie knallte die Tür zu, als ihr bewußt wurde, daß sie keinen Schlüssel dabei hatte. Weder den Haus- noch den Autoschlüssel. Sie lagen noch oben auf dem Tisch. Sie blieb kurz stehen und schaute sich nach der Haustür um. Warum kam Gerhard nicht hinter ihr hergerannt? Den mußte Sabine ja restlos fertiggemacht haben. Sie steckte die Waffe in die Tasche der Lederjacke zurück und zwang sich zur Ruhe. Du mußt telefonieren, sagte sie sich. Aber das

Handy lag im Auto, und der Wagen war verschlossen. Zu den Nachbarn konnte sie mit ihrer Horrormeldung nicht. Sie lief zu ihrem Wagen und schlug kurz entschlossen mit dem Knauf ihrer Waffe das Seitenfenster ein. Ein älterer Mann, der ebenfalls auf dem Parkplatz geparkt hatte und sie dabei beobachtete, rief: »Was machen Sie denn da! Ich rufe die Polizei!«

»Das ist mir gerade recht!« schrie sie zurück, besann sich aber, weil sie noch nicht darüber nachgedacht hatte, ob sie die Polizei ins Spiel bringen wollte oder nicht. »Es ist mein eigenes Auto! Und das ist eine Schreckschußpistole. Keine echte!« rief sie ihm zu, in der Hoffnung, er würde ihr glauben.

Dann ließ sich Barbara in den Wagensitz fallen und griff nach dem Handy. Sie war völlig außer Atem, und es fiel ihr vor Aufregung die Telefonnummer der Villa nicht ein. Beruhige dich, beruhige dich, sagte sie sich, aber da sie jeden Moment auch mit dem Auftauchen der Polizei wegen Sachbeschädigung oder versuchten Wagendiebstahls oder ähnlichem rechnete, schlug ihr das Herz bis zum Hals.

Endlich hatte sie die Nummer wieder zusammen. Ängstlich schaute sie nach ihrem Akku. Gott sei Dank, wenigstens das klappte, Saft hatte das Gerät noch genug. Sie wählte, verwählte sich, wählte nochmals. Alles an ihr fieberte. Ina nahm ab.

Barbara brachte kaum einen vernünftigen Satz heraus. Aber endlich hatte Ina verstanden, wenn sie es auch nicht glauben konnte.

»Das gibt's doch gar nicht«, sagte sie ein ums andere Mal.

»Ich weiß nicht, was sie vorhat. Aber es geht um euer Leben, also ruft die Polizei und verreist für diese Nacht!« Barbara schaute sich die Unterlagen nochmals an.

»Ich faxe euch diese Verträge«, sie spuckte das Wort förmlich aus, »so schnell wie möglich zu. Meine Mutter ist wirklich gefährlich, paßt auf!«

Als nächstes ließ sie sich über die Vermittlung mit Sabines Wohnung verbinden. Sie sprach ihr zunächst auf den Anrufbeantworter, aber gleich darauf wurde abgenommen.

»Du bist es, Barbara! Dich schickt der Himmel!«

»Wie? Was war denn los?« Barbara erzählte kurz, aus welchem Grund sie alles beobachtet hatte, da fiel ihr Sabine ins Wort.

»Er hat diesen Cappuccino getrunken und ist plötzlich zusammengesackt. Ich dachte erst, er spielt mir was vor, will gerettet werden, irgend so eine Krankenschwesternummer, aber dann verdrehte er die Augen und – ich glaube, er ist tot!«

»Warum hast du denn keinen Arzt gerufen?«

»Ich? Warum wohl?«

Barbara überlegte. Sie erzählte Sabine nichts von ihrer Entdeckung, aber langsam schwirrte ihr der Kopf. Es war einfach zuviel. Gerhard sollte tot sein? Warum denn? »Was habt ihr denn gemacht?«

Sabine erzählte alles und bat sie dann, sie aus dieser Geschichte herauszuhalten.

»Werde ich versuchen! Versprechen kann ich's nicht. Mir ist nämlich auch was Blödes passiert, meine Schlüssel liegen noch drin«, und während sie das sagte, fiel ihr ein, daß ja auch ihr eigener Erpresserbrief an ihren Vater noch in der Wohnung war. Sollte die Polizei kommen, würden sie ihn finden, und der Verdacht fiele womöglich auf sie. Sie mußte unbedingt wieder in das Haus zurück, Brief, Tasche und Schlüssel mitnehmen. Und einen Blick auf Gerhard werfen, ob es wirklich stimmte. »Wahrscheinlich hat er einen Herzschlag gekriegt, oder ein Äderchen in seinem blöden Schädel ist geplatzt«, meinte sie zu Sabine, um sie zu beruhigen.

»Aber irgendwie …«, Sabine zögerte, »er faßte sich nichts ans Herz und auch nicht an den Kopf. Eher an den Magen. Ich habe zwar keine Ahnung, aber es sah eher so aus, als wäre ihm etwas nicht bekommen.«

»Was hat er anders gemacht als du?«

Sabine überlegte. »Keine Ahnung«, sagte sie schließlich. »Wirklich nicht!«

»Jedenfalls muß ich da noch mal rein!« meinte Barbara.

Sabine dachte nach. »Probier's doch mal über die Terrassentür!«

Barbara stimmte zu. Das hatte sie sich auch schon überlegt. Und sonst über die Kellertür, und wenn alle Stricke rissen, mußte sie im Keller ein Fenster einschlagen. Die Waffe nahm sie deshalb lieber noch mal mit. Sie steckte sie sich in die Jackentasche und stieg aus, griff aber nochmals zurück und steckte sich das Handy in die linke Tasche. Etwas klapperte. Sie griff nach. Da waren die Schlüssel, verdammt, sie hatte sie doch automatisch eingepackt. Zuerst ärgerte sie sich über die eingeschlagene Autoscheibe, aber gleich darauf war sie froh. Wichtiger war, daß sie die Schlüssel hatte. Das erleichterte die Sache ungemein.

20 Minuten später saß sie wieder im Auto. Sie hatte alles gefunden. Ihr Brief hatte ebenfalls in der Schublade gelegen, zusammen mit mehreren Briefen, die die Betreuung und den Geisteszustand Annos zum Inhalt hatten. Sie hatte alles, was sie finden konnte, zu den Kleidern in die Tasche gepackt und war mit der Waffe in der Hand in die Küche gegangen. Gerhard lag dort tatsächlich vollkommen leblos. Ganz eindeutig war er tot. Er hing über dem Küchentisch wie ein riesiger, unförmiger Sack. Sie betrachtete ihn und empfand nichts dabei. Dann betrachtete sie die beiden Tassen. An der Innenwand klebten noch Schokoladenreste an dem Milchschaum, aber es sah nicht verdächtig aus. Sie ließ alles so stehen und rührte nichts an. Schnell weg, sagte sie sich, und sie fuhr direkt nach Hause, um die Faxe durchzugeben.

Ina saß in ihrem Büro und nahm Barbaras Faxe in Empfang. Sie las alles noch einmal in Ruhe durch.

Ein Bild aus ihrer Jugend schob sich vor ihr inneres Auge. Sie sah die Schmeißfliegen wieder vor sich, die in dem großen gekachelten Raum darauf warteten, daß das Kalb, das gerade hereingeführt wurde und ängstlich die Augen verdrehte, geschlachtet würde. Sie sah es so plastisch vor sich, als stünde sie wie damals in der geöffneten Tür, hin und her gerissen zwischen Mitleid und Abscheu, aber von purer Neugierde getrieben, nichts davon zu verpassen. Sie hielt es durch, und als sie später das rohe Fleisch vor sich

sah, das ihr Vater in Portionen schnitt, konnte sie sich zwar noch
an die Augen des Kalbes erinnern, aber der Rest war Notwendig-
keit.

Das gleiche Gefühl überkam sie jetzt wieder. Doch diesmal
lauerten die Schmeißfliegen auf *sie*. *Sie* sollte das Festmahl abgeben, der Metzger war schon bestellt. Sie spürte, wie eine Veränderung in ihr vor sich ging. In ihrem Bauch wuchs die Wut, und mit
ihr fühlte sie, wie ein ungeahnter Kampfwille sie durchflutete. Sie
würde nicht auf den Metzger warten. Sie würde den Spieß umdrehen, aus dem Kalb war ein Stier geworden. Es würde ihr
Schlachtfest werden, und zwar ohne daß es im Haus jemand mitbekam.

Um acht Uhr ging Ina mit Caroline nach oben. Sie tranken ihren
obligatorischen Schokoladen-Schlummertrunk, und nach dem
Zähneputzen mußte Ina noch ein neues Abenteuer der Mäusefamilie erfinden. Caroline hatte selbst einiges zu erzählen, und
so wurde es fast neun Uhr, bis sie endlich einschlief. Anno verabschiedete sich nach einem gemeinsamen Glas Rotwein gegen
zehn Uhr, um ins Bett zu gehen.

»Es war ein herrlicher Tag«, sagte er ihr und küßte ihre Hand.
»Und noch schöner sind die Zukunftsperspektiven.«

»Ich gehe auch bald«, versprach Ina und begleitete ihn bis zu seiner Schlafzimmertür. Nancy wollte gegen elf Uhr nach oben in ihre
Räume gehen, aber da klingelte das Telefon. Die beiden Frauen
schauten sich erstaunt an. Ina dachte sofort an Thekla, wollte aber
nicht, daß Nancy irgend etwas mitbekäme. Thekla war ihr Fall. Sie
wollte sie allein schlachten.

Aber es war Niklas. Nancy nickte ihr zu und verabschiedete
sich, während Niklas anfing, Ina sein Herz auszuschütten, was sie
angesichts der vorrückenden Stunde nervös werden ließ. »Was soll
ich bloß tun?« fragte er zum Schluß. »Du hast doch Erfahrung.
Was würdest du tun?«

»Was willst du tun? Was sagt dir dein Bauch?«

»Bauch?«

Ina seufzte. Warum machten Männer nur immer alles so kompliziert. »Dein Gefühl. Dein Inneres«, erklärte sie. »Wen von beiden liebst du, was willst du?«

»Ich liebe beide. Irgendwie. Die eine kürzer, die andere länger!«

»Dann such dir eine dritte!«

»Ist das dein Ernst?«

»Wenn du's nicht weißt, spricht alles dafür, daß es keine von beiden ist!« Sie kam sich vor wie Dr. Sommer aus der »Bravo«, dabei hätte sie vor kurzem noch selbst Beratung am allernotwendigsten gehabt.

»Hast du schon mit Julia gesprochen?« wollte sie wissen und schob sich einen Sessel so in eine der dunklen Ecken, daß sie den Überblick über den gesamten Wohnbereich bis durch die geöffnete Tür in den Flur hatte. Dann ging sie in die Küche und suchte sich in Nancys Sammelsurium das schärfste und längste Messer heraus. Ein echtes Fleischermesser.

»Was tust du eigentlich die ganze Zeit nebenher?« hörte sie Niklas fragen.

»Messer wetzen«, sagte sie.

»So!«

»Was ist jetzt? Weiß es Julia, oder weiß sie es nicht?« Sie legte sich das Messer neben den Sessel und dazu die schwere Stablampe aus massivem Stahl.

»Bisher nicht«, antwortete Niklas.

»Kann es sein, daß du ein bißchen feige bist?« fragte Ina und ging an den schweren alten Schreibtisch, der in der anderen Ecke vor dem Fenster stand.

»Hast du Anno gleich alles erzählt?«

»Nein, das stimmt. Aber wir haben ein Arrangement getroffen. Das Ergebnis zählt!«

Sie öffnete die schwere Schublade mit einer Hand. Sie quietschte, aber Ina fand darin, wovon Anno schon im Falle einer Gefahr gesprochen hatte. Einen kleinen Revolver.

»Räumst du um?« wollte Niklas wissen.

»Ich bewaffne mich nur. Wart mal, ich muß schauen, ob

sie geladen ist. Ich lege dich mal kurz aus der Hand. Bleib dran!«

»Du tust was?« hörte sie ihn gedämpft fragen, aber sie hatte das Handy auf die dunkelgrüne Schreibunterlage des Tisches gelegt, um die Waffe zu überprüfen. Munition war drin. Anno hatte also recht gehabt. In Zukunft mußten sie die Schublade abschließen. Sie durfte gar nicht daran denken, was passieren konnte, wenn die Kinder die Waffe als Spielzeug entdeckten.

»Da bin ich wieder«, sagte sie gleich darauf zu Niklas.

»Sag mal, was ist denn eigentlich los?« wollte er wissen.

»Nichts Aufregendes«, sagte sie.

»Hört sich irgendwie anders an!«

»Wo bist du denn?« Sie fragte eher aus Höflichkeit denn aus Neugierde. Eigentlich war es ihr egal.

»In einer Kneipe in Stuttgart. Ich überlege gerade, wo ich heute nacht schlafen könnte.«

Das machte sie hellhörig. Sie konnte ihn heute nacht auf keinen Fall im Haus gebrauchen.

»Du hast sicher schon getrunken!«

»Ein bißchen!«

»Dann nimm dir ein Hotelzimmer, und denk in Ruhe über alles nach!«

»Ich schlafe so ungern allein!«

»Männer!«

»Sag das nicht so despektierlich!«

»Nancy hat in ihrem Bettchen sicherlich noch ein Plätzchen frei!«

»Schon gut! Hab schon verstanden. Ich fahre jetzt nach Hause, schließlich habe ich ein Kind!«

»Ach nee!«

»Und morgen erkläre ich Julia alles. Sie wird es sicherlich verstehen!«

»Und übermorgen schläfst du wieder mit ihr!«

»Dann bringt Angelika mich um!«

»Mit Recht!«

Ina hatte inzwischen sämtliche Lichter gelöscht. Nur ein kleines Nachtlicht im Hausgang brannte noch. Sie schaute auf die beleuchteten Zeiger ihrer Armbanduhr. Fast Mitternacht. Leise ging sie in die Küche und spähte nach draußen. Von hier aus konnte sie den Eingangsbereich überblicken.

»Gib mir doch einen Rat«, bat Niklas an ihrem Ohr.

»Rede mit beiden, überstürze nichts!«

»Warum flüsterst du eigentlich?«

»Oder laß die beiden Frauen miteinander reden. Frauen regeln so etwas schneller und effektiver!« Sie nahm sich noch ein Messer aus der Schublade. Man konnte schließlich nie wissen.

»Ich bin doch nicht lebensmüde!«

Sie hörte ein Geräusch aus dem dunklen Garten.

»Psst!« Machte sie unwillkürlich.

»Psst, was?«

»Leise! Ich muß jetzt auflegen! Und ruf bloß nicht mehr an!«

»Ina!«

»Tschüß, Niklas. Gute Nacht!« Jetzt flüsterte sie wirklich.

»Ina!«

Ina drückte die Aus-Taste und schlich sich in Richtung Wohnzimmer. Das Telefon steckte sie in die Anlage auf dem Telefonschränkchen zurück, das Messer und die Stablampe legte sie sich griffbereit daneben. Im Wohnzimmer nahm sie die Pistole und steckte sich das Schlachtermesser in ihren breiten Gürtel. Sie hörte wieder Geräusche und war sich sicher, daß jemand die große Freitreppe heraufschlich. Schnell stellte sie sich neben die geöffnete Wohnzimmertür und spähte in Richtung Eingangstür. Sollte sie nur kommen, die Kuh!

Thekla hatte gewartet, bis im Haus alles ruhig geworden war. Vor einer halben Stunde waren die Lichter ausgegangen, aber sie wollte sichergehen. Schließlich mußte dieser eine Versuch gleich klappen. Sie hatte eine kleine Taschenlampe dabei, den Haustürschlüssel und das Giftfläschchen mit einem Teelöffel. Sie ging nicht davon aus, daß die gesamte Aktion mehr als zehn Minuten dauern könnte. So leise, wie sie es konnte, schlich sie die Freitreppe hinauf. Den Haustürschlüssel hatte sie sich mit einem Bindfaden an den Gürtel gehängt, die Taschenlampe in die Hosentasche gesteckt. Sie war völlig schwarz gekleidet und hatte sich eigens für diesen Zweck in Lindau am Nachmittag noch ein paar schwarze Sportschuhe und eine Bauchtasche gekauft. Darin verwahrte sie die kleine Giftflasche. Jeder Handgriff mußte sitzen, so hatte sie sich das vorgestellt. Nur Perfektionisten kamen ans Ziel.

Sie steckte vorsichtig den Schlüssel ins Schloß. Der leichte Lichtschein einer entfernten Straßenlaterne half ihr dabei, wobei sie selbst über diese Beleuchtung nicht so glücklich war. Stockdunkel wäre ihr die Nacht lieber gewesen, aber zudem hing auch noch der Vollmond über ihr, wenngleich er gegen den bedeckten Himmel kaum eine Chance hatte. Ihre Hand zitterte ein wenig, und ein Geräusch hinter ihr ließ sie herumfahren. Es war jedoch nur ein Tier, das sich durch das Unterholz des Gartens bewegte. Sie sammelte sich wieder und drehte den Schlüssel langsam herum. Er knackte ein wenig, was ihr in der Stille der Nacht unglaublich laut vorkam. Thekla verharrte lauschend, dann drehte sie den Schlüssel vollends herum und öffnete die Tür. Es war alles dunkel und still, ganz so, wie sie es erwartet hatte. Sie schloß die Tür leise hinter sich und ging linker Hand in die Küche. Hier kannte sie sich blind aus, denn seitdem ihre Mutter gestorben war, hatte sich in diesen Räumen kaum etwas verändert. Thekla öffnete leise den Küchenschrank über der Kaffeemaschine. Dort hatte immer der Kaffee gestanden, und es war anzunehmen, daß das Schokoladenpulver dort ebenfalls seinen Platz hatte. Es fiel von der Straßenseite zwar etwas Licht durch das Fenster in den Raum, aber es reichte nicht aus, um zu erkennen, was in den Schränken war. Thekla nahm ihre kleine Taschenlampe und leuchtet hinein. Sie hatte recht gehabt. Neben dem Kaffeepulver stand die Kinderschokolade, ganz so, wie in Tausenden anderer Haushalte wahrscheinlich auch. Sie stellte schnell die Giftflasche vor sich auf der Anrichte ab, schraubte den Verschluß auf und legte den Teelöffel daneben. Dann nahm sie die Plastikpackung mit der Kinderschokolade herunter, öffnete den Deckel und vermengte das weiße mit dem dunkelbraunen Pulver.

In diesem Augenblick spürte sie ein kleines, aber kaltes Stahlrohr an ihrem Nacken. Sie erstarrte.

»Kinder vergiften, was? Verjagen und entführen reicht wohl nicht!« Die Stimme war schneidend, aber nicht laut.

Theklas Sinne erwachten sofort. Es war nur eine Person. Ina. Und sie wollte nicht, daß die anderen aufwachten, weshalb auch immer.

Sie sagte nichts.

»Steck dir doch mal einen Löffel davon in den Mund, liebe Stieftochter, und schluck es schön herunter!« Ina zischte mehr, als sie sprach.

Thekla überlegte sich blitzschnell ihre Chancen. Sollte es hart auf hart kommen, mußte sie nur laut sein und hätte in der allgemeinen Verwirrung sicherlich die Möglichkeit zur Flucht.

»Schluck's selber!« sagte sie und wollte sich umdrehen.

»Schön so bleiben!« Ein Ruck in Theklas Nacken bedeutete ihr, sich nicht zu rühren. War es tatsächlich eine Waffe, oder bluffte Ina? »Nimm einen Löffel, na los jetzt! Kann doch nicht so schwer sein!«

Mit einem Aufschrei drehte Thekla sich um, warf sich mit ihrem vollen Gewicht gegen Ina und versuchte ihr in der Drehung die Waffe aus der Hand zu reißen. Sie rangelten miteinander, mal wies die Mündung auf Ina, mal auf Thekla. Ein gewaltiger Stoß auf die Brust ließ Ina taumeln, sie knallte gegen den Kühlschrank.

»Ei, ei!« Thekla richtete die Waffe auf sie. Ihr Gesicht war blutrot vor Anstrengung, und ihre Augen leuchteten unnatürlich. Sie ging rückwärts drei Schritte von Ina weg in Richtung Küchentür. »Was haben wir denn da? Ein Schlachtermesser im Gürtel stecken?«

Ina griff danach.

»Finger weg!« Thekla deutete mit der Waffe nach oben. »Schön die Hände hochnehmen!« Sie sprach jetzt leise, denn ab jetzt konnte sie keine Zeugen mehr gebrauchen. »Wir gehen jetzt zusammen auf die Straße. Und morgen wird man sich fragen, was Sie um diese Uhrzeit dort getan haben. Und daß *so eine* wohl überfallen wird. Kleiner Raubmord. Auch recht. Und den Rest wird Ihre Tochter selbst erledigen. Bei der nächsten heißen Schokolade!« Sie ging noch einen Schritt zurück. »Vorwärts jetzt! Im Notfall schieße ich auch hier drinnen. Es macht keinen Unterschied. Bis jemand da ist, bin ich längst weg!«

Ina kam zwei Schritte auf sie zu.

»Langsam!« Thekla wollte sie bis zum Schluß unter Kontrolle haben. »Schön langsam nachkommen!« Sie behielt Ina mit der Waffe im Anschlag im Auge und machte einen weiteren Schritt nach hinten. Ein gewaltiger Schlag auf den Hinterkopf ließ sie zusammensacken.

Nancy hielt die eiserne Stabtaschenlampe wie einen Schlagstock in der Hand. Thekla war ihr direkt vor die Füße gefallen. Dort lag sie und gab keinen Mucks mehr von sich. Nancy stand fast über ihr, den Bademantel über dem gewaltigen Bauch nur unzureichend verknotet, das Haar wirr, die Füße in Filzpantoffeln.

Sie blickte auf.

»Du warst meine Rettung!« Ina griff nach dem Revolver, der Thekla aus der Hand gefallen war, und richtete ihn vorsichtshalber wieder auf Thekla. »Wer weiß, was ohne dich passiert wäre!«

»Warum mußt du auch immer alles allein erledigen wollen, du verrücktes Weib, du!?« Nancy schüttelte tadelnd den Kopf und stupste Thekla mit einem Fuß an. »Die rührt sich nicht mehr!«

Ina trat näher. »Willst du damit sagen …«

»Keine Ahnung. Ich habe zugeschlagen. Mehr nicht!«

Ina bückte sich nach ihr, aber vorsichtshalber außer Reichweite, und sah Thekla an. »Ich will ja nichts sagen, aber so, wie sie ausschaut …«

Nancy tat sich schwer mit Bücken, deshalb stellte sie erst mal ihre Stablampe auf dem Küchentisch ab. »Wie schaut sie denn aus?« wollte sie dabei von Ina wissen.

Ina hob die Hände und zuckte die Achseln. »Irgendwie tot!«

»Tot?«

Ina nickte.

»Den Trick hat sie noch von früher drauf!« Ina und Nancy schauten überrascht auf. Anno stand völlig angekleidet in der Tür, neben ihm Klaus Rebherr, der Richter. »Als sie damals von Renate die Treppe hinuntergestoßen wurde, hat sie sich auch tot gestellt!«

Tatsächlich, in Thekla kam Bewegung. Sie richtete sich auf und starrte Anno an. Ina war völlig perplex. Sie war sich nicht sicher, welches das größere Wunder war. »Wo kommst denn du jetzt her?« wollte sie von Anno wissen.

»Das kommt davon, wenn man seine Faxe am Faxgerät offen herumliegen läßt. Ich erwartete ein Fax von Herrn Dr. Rebherr, da kamen mir die anderen unter!« Er blickte auf Thekla herunter. »Deinen netten Brief hat er mir hergeschickt. War ja äußerst aufschlußreich!«

»Dieser interne Vertrag, den Sie aufgesetzt haben und der von jeder ihrer Schwestern unterschrieben wurde, ist es im übrigen auch. Dürfte jeden Staatsanwalt interessieren!« Klaus Rebherr hatte die Arme verschränkt und wippte direkt vor Thekla, die sich mit beiden Armen auf dem Kachelboden abstützte, leicht mit dem Fuß. Thekla verharrte bewegungslos. »Ich denke, es wäre an der Zeit, daß Sie sich bei Ihrem Vater und Frau Adelmann entschuldigen!«

Thekla schwieg. Es war kurz still, nur Nancy ließ ihre Finger knacken.

»Dann eben nicht!« Klaus Rebherr zuckte die Schultern. »Tut mir für die Familienehre leid, Herr Adelmann, aber wenn Ihre Tochter kein Einsehen hat, muß ich wohl ein Verfahren gegen sie und ihre Schwestern einleiten! Wegen versuchten Mordes in zwei Fällen!«

»Das müssen Sie wohl«, bestätigte Anno.

Thekla stand mühsam auf. Ina hielt noch immer die Waffe in der Hand. Nancy warf sich drohend in die Brust.

»Sie wissen, was das bedeutet?« fragte Klaus Rebherr und schaute Thekla ungerührt zu, wie sie schwankend zum Stehen kam. »Das Gift steht dort, die Faxe haben wir; was, glauben Sie, kann Sie jetzt noch retten?«

Thekla warf ihm einen haßerfüllten Blick zu, dann griff sie sich an den Kopf. »Dieses Monster von Pflegerin hat versucht, mich umzubringen!« sagte sie und tastete die Stelle ab.

»Och, das tut mir aber leid.« Nancy lächelte ihr kokett zu.

»Das wollten wir eigentlich von dir hören!« Annos Ton wurde zunehmend ungeduldig. »Was denkst du dir eigentlich? Willst du der restlichen Familie den Rückweg für immer verbauen? Ohne eine Entschuldigung vor allem Ina gegenüber kommst du hier nicht heraus! Es sei denn mit der Polizei!«

Theklas Gesicht war anzusehen, daß sie fieberhaft überlegte. Kurze Zeit hefteten sich ihre Augen auf dem Giftfläschchen fest, dann sanken ihre Schultern merklich herab. »Es tut mir leid!« sagte sie schließlich mehr zu sich selbst.

»In meinem Alter hört man so schlecht!« Anno hielt sich demonstrativ die Hand hinter die Ohren.

»Es tut mir leid!« sagte sie lauter, schaute dabei aber keinen an.

Der Richter räusperte sich. »Und wenn Sie das jetzt noch jedem persönlich sagen und wenn Sie daran denken, was wir alles gegen Sie und Ihre Schwestern in der Hand haben und wenn Sie auch noch versprechen, in Zukunft Ruhe zu geben und Herrn und Frau Adelmann, Caroline und Nancy in Frieden leben zu lassen, dann lassen wir Sie nach Hause fahren!«

Thekla rang sich dazu durch, sie drückte jedem die Hand, murmelte dazu eine Entschuldigung und verließ das Haus fluchtartig.

»Ich denke, das ist aus der Welt!« schmunzelte Klaus Rebherr.

»Wie gut, daß man auf alte Freunde zählen kann! Ich danke Ihnen!« Anno reichte ihm die Hand.

»Eigentlich ist jetzt eine Entschuldigung meinerseits angebracht. Ich hätte nie so leichtfertig auf diesen Brief hereinfallen dürfen!«

»Eher ist eine Flasche Champagner angebracht!« Anno ging allen voraus in Richtung Wohnzimmer. »Nancy, holen Sie doch gleich mal einen guten Champagner aus dem Keller!«

Ina griff im Gehen nach Annos Arm. »Du erstaunst mich immer wieder«, sagte sie kopfschüttelnd.

»Ich dich?« Am Telefontischchen blieb er stehen und nahm das scharfe Messer in die Hand, das Ina dort deponiert hatte, und wies damit auf das Schlachtermesser, das sie noch immer im Gürtel stecken hatte. »Eher du mich! Kannst du damit denn umgehen?«

Ina nahm ihm das Messer aus der Hand und drehte es ein wenig, so daß sich das Deckenlicht in der glänzenden Klinge brach. »Als Kind konnte ich es mal!«

Sie drehte das Messer spielerisch immer schneller kreiselnd um den Finger, so wie es Cowboys mit den Revolvern tun. Das hatte sie von ihrem Vater gelernt. Und aus der Bewegung heraus feuerte sie es gegen ein Gemälde, das ihnen gegenüber über dem Schreibtisch hing und Anno, seine Frau und die halberwachsenen Kinder zeigte. Es blieb in Theklas Kopf stecken.

Alle schauten hin.

»Manchmal klappt's noch!« sagte Ina.

Die Texte von Romy Haag sind der LP »So bin ich« entnommen, einer Aladin-Produktion von Raymond Bacharach, Peter Orloff GmbH & Co. KG, CBS Schallplatten.

Das Kinderbuchzitat entstammt dem Buch »Eine Woche voller Samstage« von Paul Maar, Verlag Friedrich Oetinger, Hamburg.

Gaby Hauptmann

Suche impotenten Mann fürs Leben
Roman. 315 Seiten. SP 2152

»Mit Charme und Sprachwitz wird der Kampf der Geschlechter in eine sinnliche Komödie verwandelt.«
Schweizer Illustrierte

Nur ein toter Mann ist ein guter Mann
Roman. 302 Seiten. SP 2246

Gaby Hauptmann hat eine listige, rabenschwarze Kriminalkomödie geschrieben: einen frechen und hinterhältigen Roman über eine Witwe, die eine Ehe lang im Schatten ihres mächtigen Mannes stand.

Eine Handvoll Männlichkeit
Roman. 332 Seiten. SP 2707

Das kann doch nicht alles gewesen sein. Meint Günther, wohlsituiert und aus den besten Kreisen. Am Abend seines sechzigsten Geburtstages faßt er einen nachhaltigen Beschluß: Eine neue Frau muß her!

Die Lüge im Bett
Roman. 315 Seiten. SP 2539

Mit leichter Hand und sprühendem Witz schickt Gaby Hauptmann ihre hellwache und erfrischend durchtriebene Heldin Nina in einen Dschungel der Gefühle.

Die Meute der Erben
Roman. 318 Seiten. SP 2933

Wie die Geier fallen Anno Adelmanns geldgierige Töchter in die Villa des alten Herrn ein. Es ist sein 85. Geburtstag, Grund genug, die treue Familie zu spielen. Doch die Sympathien des liebenswürdigen und galanten Anno, einst Großindustrieller, gelten der attraktiven Ina und ihrer kleinen Tochter Caroline. Eine Heirat bahnt sich an – und der Krieg mit der Meute der Erben wird fürchterlich.

Ein Liebhaber zuviel ist noch zuwenig
Roman. 317 Seiten. SP 3200